B737 수리·개조 경험으로 본

미국 단위계

정 수 일 지음

마국 단위계

지은이 정수일

발 행 2024년 1월 29일

펴낸이 한건희

펴낸 곳 주식회사 부크크

출판사등록 2014.07.15.(제2014-16호)

주 소 서울특별시 금천구 가산디지털1로 119 SK트윈타워 A동 305호

전 화 1670-8316

이메일 info@bookk.co.kr

ISBN 979-11-410-6925-4

www.bookk.co.kr

B737 수리·개조 경험으로 본

미국 단위계

정수일

BOOKK

차 례

2장 B737 구조 및 특징

3장 B737 결함 및 수리

4장 파스너

3. 정밀 드라이버(Precision Screwdriver)
4. 주먹 드라이버(Stubby Driver)
5. 그리스 피팅(Grease Fitting)
6. 고착, 부식된 볼트 제거 팁
7. El Brutus "Johnson Bar" Screw Extractor

5장 부록

1. 복합소재 개발부터 현재
2. 코멧의 사고 본질은 리벳.
3. Hole 가공
4. 공차 이해
5. B737 Material
6. 코로가드(Coroguard)
7. 레이돔은 Radar와 dome의 합성어다.
8. 스피너 콘
9. 두께의 상식
10. B737 FAK BIN
11. KF-21 AESA 비행기
12. 부식 처리
13. 직업은 다양하다.
14. 변화

머 리 말

미국 단위계(US units)를 사용하는 미국 BOEING 항공기의 특징은 모든 것을 분수에 기초한 인치를 기본단위로 한다. 산업사회로 발전한 지금 전 세계가 국제 표준 도량형인 SI 단위 또는 미터법을 사용하고 있으나, 항공우주 분야에서는 현재에도 여전히 야드 파운드법에 기초한 미국 단위계가 가장 큰 힘을 발휘하고 있는 게 현실이다. 이것은 초기 산업 사회를 이끌었던 유럽의 도량형의 기본 분류가 야드 파운드법(미국 단위계)에 기초하기 때문이다. 야드 파운드법은 대표적으로 1/4“(이후 ”)를 기준하여 아래와 같이 분류한다.

두께 1/4“ 이하 Sheet, 1/4” 이상 Plate
굵기 1/4“ 이하 Wire, 1/4” 이상 Rod
나사 1/4“ 이하 Screw, 1/4” 이상 Bolt

B737 항공기 기체 수리 및 개조를 위한 기본 매뉴얼인 SRM (Structural Repair Manual)에 1/4“는 수리를 위한 최소 단위다. 항공기가 비행 중 버드 스트라이크, 지상 장비나 차량과 작업대에 부딪혀 외력에 의한 눌림(dent)이라는 결함 발생 시 허용 손상(allowable damage) 기준이 1/8(0.125)”이며, 번개에 의한 동체의 스킨이나 리벳(rivet)에 작은 손상, 혹은, 항공기에 작은 찍힘(nick)이 발생한 경우에 수리 가능한 범위는 1차로 1/4“로 한정된다. 결함의 크기가 1/4” 이상인 경우의 수리는 1인치까지 수리 방법을 제공하고 있으며, 1인치 이상인 경우는 별도로 수리 방법을 제공하고 있다.

BOEING SRM은 항공기 구조와 단면에 다양한 정보를 길이 단위인 인치와 피트를 기본으로 사용하지만, 사용자에게 정확하고 쉽게 정보 전달하기 위해 길이는 인치로 분수를 포함하지 않은 십진법으로만 표기한다. 미국 항공기에 사용하는 길이는 분수에 기초한 인치이지만, 분수 표기로 인한 복잡함과 사용자 이해를 쉽게 하고자 대부분 간략한 기수(0에서 9까지의 정수)로 표기한다. 그럼에도 불구하고 BOEING 제작 항공기가 철저하게 미국 단위계로 설계, 제작, 운영되기에 인치에 대한 분수 개념을 정확하게 이해하는 것이 우선이다. 이유인 즉 SRM에 있는 파스너(fastener)와 자재에 대한 다양한 정보들은 모두 분수 개념 인치이기 때문이다. 특히나 SRM에 언급된 영구 결합 파스너인 리벳의 경우 분수 크기의 사이즈만 사용하고 있다.

항공기 기체를 영구적으로 접합하는 리벳 지름은 1인치를 1/32등분을 표준으로 하고, 길이는 1/16등분을 원칙으로 한다. 리벳 작업 시 Hole에 결함이 있거나 확공(reaming)이 필요한 경우 1st oversize는 1/64“, 2nd oversize 1/32”이다. 이렇듯 항공기에 사용하는 파스너를 비롯하여 기체 제작에 사용하는 일반적인 금속과 비금속 소재의 두께나 크기를 분류하는 기준이 인치다. BOEING 항공기와 관련된 모든 정보는 인치이기에 미터법에 익숙한 우리에게는 낯설다. 지난 30년 동안 항공사에서 항공기 기체구조 정비 전문가(이후 Structure Mechanic)로 수리와 개조(repair and alteration) 작업을 하면서 가장 기본인 항공우주 단위계에 대한 연구의 결과로 자(ruler)를 만들었는데, 이를 이용하여 미국 단위계를 체계적으로 이해하는데 도움이 되었으면 한다. 항공정비사로 B737 항공기 기본 구조와 부위별 다양한 결함에 대한 수리 개조 경험을 기록하였으며, 다양한 작업과 함께 할 수밖에 없는 항공정비사의 삶과 애환을 기록하여 Structure Mechanic이 어떤 일을 하는지 이해하도록 했다. 1985년 고등학교 선수로 타출판금 부문 전국기능대회에서 은메달을 수상하고 이후 현재 직업과 취미로 같이하는 소성 가공과 작업에 대한 기본 원리를 쉽게 이해하도록 기술하고 이를 응용한 작업 사례들을 기록했다. 항공기 작업에 가장 기본이 되는 나사와 볼트를 풀고 잠그는 경험의 노하우를 기록하여 정비사라면 누구든지 편하게 부담없이 읽을 수 있도록 했다. 매뉴얼을 기본으로 하는 항공정비사이지만 개인의 역량으로 자신의 분야를 공부하고 연구하면 보다 더 나은 항공정비사가 될 수 있을 것이라 본다.

끝으로, 이 책을 발간하는데 정신적으로 그리고 실제적으로 도움을 주신 많은 분들께 감사를 드리고 싶다. 책을 집필하면서 도움을 준 가족과 동기생, 항공분야 선후배님들, 한국항공우주연구원 구삼옥 박사님, 공군부사관전우회 김영진 고문님. 그리고 이 책이 발간될 수 있도록 아낌없는 지원과 실질적인 집필을 도와주신 김주광 작곡가님의 노고에 진심으로 감사드린다.

제 1 장

단위계 역사

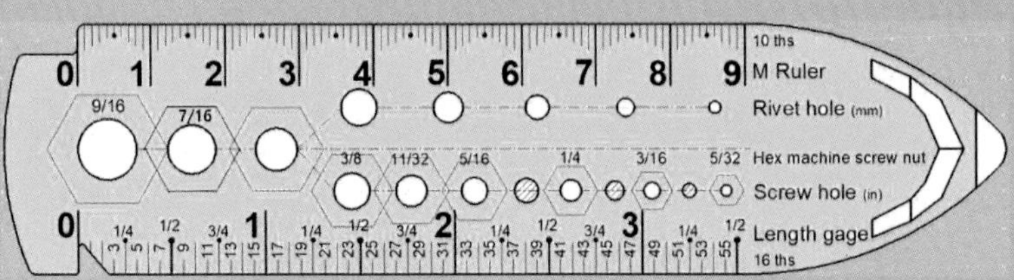
10 ths
M Ruler
Rivet hole (mm)
Hex machine screw nut
Screw hole (in)
Length gage
16 ths
9/16
7/16
3/8
11/32
5/16
1/4
3/16
5/32

1. 인치의 유래와 변화

인류가 측정에 가장 먼저 이용한 단위의 기준은 사람의 신체였다. 단위가 처음 만들어졌을 때 인류 대부분 신체 일부분을 기준으로 삼았다. 고대 이집트와 바빌로니아에서 당시 왕의 팔 기준으로, 큐빗(cubit)은 팔꿈치 끝에서 가운데 손가락 끝까지의 길이다. 스팬(span)이라는 단위는 손바닥을 쫙 펼쳤을 때의 폭을 나타내는 단위로, 보통 큐빗의 절반 길이를 가리키는데 쓰였다. 엄지손가락을 뺀 네 손가락의 폭은 팜(palm)이라고 부르며 스팬의 1/3 길이를 나타냈고, 팜의 1/4, 즉 손가락 하나에 해당하는 폭은 디지트(digit)라고 불렀다. 참고로 디지트는 '디지털'의 어원이기도 하다. 팜을 잴 때 빠진 엄지손가락 폭은 인치(in)라고 불렀다. 인류가 처음 사용한 단위는 현재 십진법이 아닌 분수에 기초하였다. 이러한 분수는 이집트의 수학자인 아메스(Ahmes 또는 Ahmose)가 처음 연구한 것으로 알려져 있다. 아메스는 지금으로부터 3천년전에 살았던 사람으로 많은 공부하면서 오늘날 린드 수학 파피루스(Rhind Mathematical Papyrus)라고 불리는 수학책을 썼으며, 이 책에 분수에 대한 내용이 들어있다.

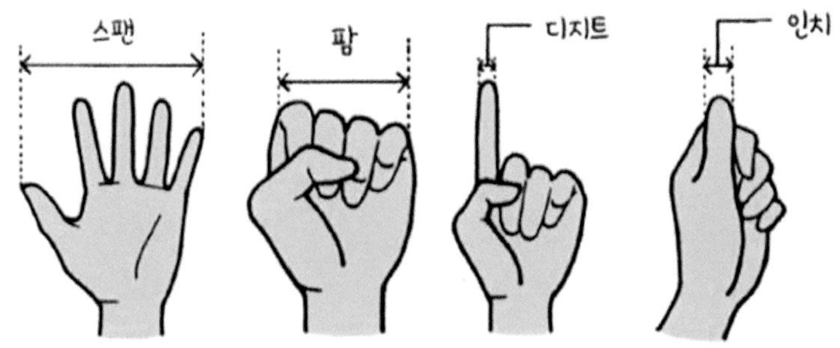

이집트 사람들은 분자가 모두 1인 분수를 사용했으며, 1/3, 1/4, 1/5처럼 분자는 항상 1이고 분모만 바뀌는 분수를 사용했다고 한다. 분자와 분모를 사용하는 방식은 그리스 시대에 나타났으며, 분자를 분모 위에 쓰는 방식은 6세기 인도에서 사용됐다. 이러한 분수는 물건을 나누는 과정에서 각자가 받는 몫을 자연수로 나타낼 수 없는 경우, 자연수만으로 측정하기 어려운 양을 표기하기 위한 목적으로 생겨난 것으로 수량을 나타내는 독특한 기호이며, 유리수(분수로 되는 수)를 계산할 때 사용되는 도구다. 분수의 다양한 의미로 측정(measurement), 전체-부분(part-whole, 전체에 대한 부분), 연산자(operator), 몫(quotient), 비(ratio) 5가지다. 분수는 전체에 대한 부분을 나타내는 수다. 전체에서 어느 정도 비중을 차지하는지 알고 싶을 때, 분자를 분모로 나누어 떨어 지지 않는 수를 나타낼 때 분수는 가장 쉽고 편리하다. 분수는 인류 문화와 함께 생겨났고, 물건을 분배하는 것은 자연스러운 일이기에 이를 위해 분수 개념이 필요했다. 1인치의 기원은 엄지손가락 폭인 그리스어 닥틸로스(δακτυλόζη)다. 피트(feet)는 발 길이인 푸트(foot)에서 기원하였으며 고대 그리스에서는 1푸트(foot)는 16닥틸로스였다. 현재 인치의 개념은 고대 로마인들의 라틴어로 12를 뜻하는 운키아(Uncia)에서 유래했다. Uncia(운키아)란 단어는 ynce, unche를 거쳐 지금의 inch가 되었으며, 1피트를 12등분한 길이를 1인치로 정의했기 때문에 운키아

(12)다. SI 단위로 25.4 mm다. 인치는 피트에 종속된 유도 단위(derived unit)치고는 매우 빈번히 사용되었다. 서양 세계를 지배했던 그리스 로마 시대의 표준도량형이자, 인체를 이용해 거리를 재는 법에서 출발했기에, 수많은 나라에서 쉽게 받아들여졌다. 인치의 기원과 유래에서 보듯 신체의 작은 손가락의 길이가 인치의 기준이 되었다. 발의 크기를 닥틸로스 16배, 운키아의 12배로 하다 보니, 발 전체에서 일부분을 나타낼 때 자연스럽게 1/16, 1/12과 같은 분수를 사용하게 되었다. 분수에 기초한 인치의 유사 단위는 아래와 같다.

1. 메트릭 인치'(metric inch)

미터와의 호환성을 맞추기 위한 시도로 1인치를 25 mm로 정의한 '메트릭 인치'(metric inch)라는 단위도 고안된 바 있다. 1974년 처음으로 만들어진 ISO 2848 규격에 메트릭 푸트(metric foot: 300 mm = 11.811 inch)와 함께 정의되어 있다. 기존 1인치당 0.4 mm 차이가 있으므로 100인치까지 가면 4 cm가 달라진다. 메트릭 인치를 사용하면 4인치는 정확히 10 cm가 되고 40인치는 정확히 100 cm(1 m)가 되어 계산하기 한결 편하다는 장점이 있으나, 일반 인치와 뒤섞여 혼란스러워질 가능성이 높다는 치명적인 단점도 있다.

2. Continental inch

2-1 운키아(Uncia) Roman inch

로마 시대에 쓰였던 단위계 중 길이의 단위이자 그리스 로마 시대 도량형의 통칭이기도 하며, 운키아는 라틴어로 12를 뜻한다. 이후 비잔틴 제국의 표준 단위계로 승계되고 비잔틴 제국의 지정학적 위치상 무역에서 필수적으로 사용되었기에, 비잔틴 제국 멸망 후에도 베네치아 등 중세 무역상들이 계속 사용하면서 명맥을 유지하다가 영국 단위계의 인치, 온스로 이어진다.

1 roman inch (uncia)=1/12 roman foot (pes)=24.6 mm = 0.97 inch

1 roman ounce=1/12 roman pound=27.4 g=0.967 oz

2-2 Pouce (French inch)

이름대로 프랑스에서 쓰였던 인치 길이다. 미터법이 도입되기 이전, 유럽에서 길이의 최소 단위는 인치 inch 로 부르는 관습이 있었다. 프랑스에선 pouce로 불렀으며, 이 길이는 정확하지는 않지만 현재 27.0 mm와 비슷하다. 790년 샤를마뉴 대제가 남자의 쭉 뻗은 팔의 손가락 끝 사이의 길이로 정했다. 당연히 시대가 흐르면서 계속 변했는데, 당시에는 길이의 절대적인 기준이 없었으므로 같은 pouce 라도 조금씩 차이가 나기에 현대 기준으로 단순히 변환할 수 없다.

2-3 duim (Amsterdam inch)

암스테르담에서 쓰였던 단위로, 특이하게도 1피트 (voet, Amsterdam foot) = 11인치였다. 현행 인치보다 약 8 % 짧다고 한다.

3. US survey inch

미국에서 땅을 측량할 때 사용하는 단위였으며, 1 피트 = 1200/3937 미터로 1958년 국제 야드 파운드 협정에 따라 통일하기로 한 현행 인치 규격과 미묘하게 다르다. 1893년 Mendelhall Order가 정의한 삼각측량법으로 처음 제안되었으며, 1927년 북미의 기준 NAD27이 되었지만, 이후 협정에 따라 US Survey라는 별도 이름을 붙였다. 북미 7개 주가 독자적으로 사용하다 2023년 1월 1일부터 미국의 모든 도량형은 국제 기준 1피트에 맞춰 사용해야 한다.

1 US survey foot = 30.4806 mm

4. òirleach (게일어, Scotland inch)

1685년 스코틀랜드 의회 법령에 의해 영국 인치 법이 표준으로 도입되기 전까지 스코틀랜드에서 독자적으로 사용된 인치 단위다. 스코틀랜드의 데이비드 1세 (1124~53)에 의해 도입되었다 하나, 15세기까지 이를 확인해주는 문헌은 남아있지 않다. 국제 도량형이 확립되는 18세기까지는 지역 내에서 기준으로 통용되었고, 20세기에도 비공식적으로 사용되었다고 한다. 1 òirleach = 1.0016 inch = 25.4406 mm (약 1/37 ell, 당시 많은 지역에서 1/42 ell = 22.4 mm의 사기성이 짙은 비표준 인치를 썼다고 함)

영국 도량형인 야드 파운드법(imperial units)은 인치와 인치 사이를 32등분했는데, 이는 영국 야드 파운드법에서 정한 기준을 따른 것이다. 인치와 인치 사이는 기약 분수(Irreducible Fraction)로 표현했다. 영국은 1965년 미터법 도입 후에도 1974년 메트릭 인치로 합리화하고 법제화하여 간략하게 사용하려는 시도를 했으나 기존 인치의 벽에 막혀 유명무실해 졌다. 그러나, 이러한 노력은 메트릭 푸트 규격으로 인하여 30 cm 미터법 자(ruler)가 일반화된 계기가 되었다. 반면 미국 단위계는 1인치를 64등분으로 더 세분화하여 구체화했고, 인치 파스너의 기초는 물론 공구 사이즈의 표준을 포함하여 미국의 항공우주 및 산업분야에 기본단위로 자리매김했다.

참고: 위키피디아

[재미있는 수학 이야기] 소수와 분수

https://www.yeongnam.com/web/view.php?key=20090302.010310830320001

https://m.post.naver.com/viewer/postView.naver?volumeNo=33348339&memberNo=512601

손가락과 팔을 이용한 대략적인 인치 측정 방법이 전통적으로 사용되나, 정확한 측정이 필요하다면 눈금자를 사용해야 한다.

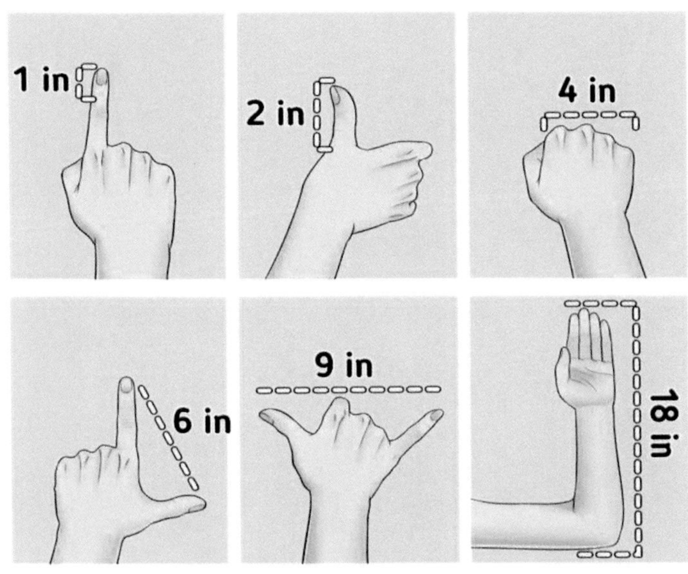

손가락과 팔을 이용한 대략적인 인치 측정 방법

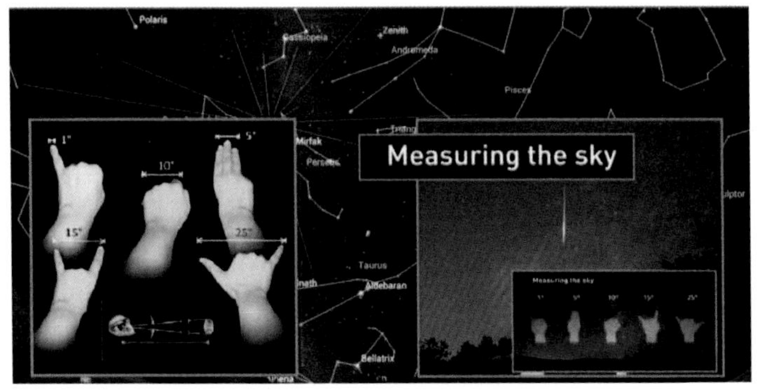

손가락을 이용한 별 사이의 각거리 측정 (밤하늘에서 별과 별 사이의 거리는 각도를 이용해 재는데, 이것을 각거리라 한다)

2. 인치가 어려운 이유

분수는 오래전 바빌로니아, 이집트에서 사용되었다. 바빌로니아에서는 한 단위를 60등분한 다음 그것을 또다시 60등분하는 형태의 분수를 사용했고, 이집트에서는 분자가 1인 1/2, 1/4, 1/8, 1/16, 1/32, 1/64을 주로 사용했다고 한다. 그래서, 이집트인들은 옛날부터 1년이 365일과 1/4이라는 사실을 알고 있었다고 한다. 1911년 이집트 학자 게오르그 묄러(Georg Möller)는 '호루스의 눈'을 나타내는 상형 문자가 분수를 나타내는 기호로 쓰였다고 가정했다. 눈 안쪽 모서리는 1/2, 눈동자는 1/4, 눈썹은 1/8, 바깥쪽 모서리는 1/16, 컬링 라인은 1/32, 볼 마크는 1/64로 설정했다. 전설에 따르면 세트 신이 뺏어 버린 1/64을 토르 신이 되찾아 1을 만들어 주었다고 한다. 고대 이집트 신화에 등장하는 분수 이야기라 더 흥미롭다.

출처: https://suhak.tistory.com/1507

이집트인들이 분수를 사용하기 시작한 것은 지금으로부터 약 4000년 전의 일이며, 소수는 16세기에 이르러 네덜란드의 수학자 스테빈(Stevin, S., 1548~1620)이 그 표기법을 소개한 후 오늘날의 표기법으로 발전하였다. 분수 표시는 비(ratio)를 알기 쉽게 하고, 소수 표시는 크기의 순서를 알기 쉽게 한다. 일반적으로 상대적인 양을 나타낼 때에는 분수 표현을, 크기를 나타낼 때에는 소수 표현을 사용한다.

인치는 분수와 소수로 동시 사용하고 있지만,

1. 인치는 보통 분수(vulgar fraction)를 기본으로 한다.
2. 인치는 기약 분수(irreducible fraction)를 사용하기에 십진법 사고로 접근하기 어렵다.
3. 인치는 분수를 기본으로 사용하나, 수의 크기를 가늠하기 위해 십진수의 소수로 사용한다.
4. 인치의 분수는 비(ratio)이기 때문에 크기를 나타내는 소수(decimal fraction) 사용이 일반적이다.
5. 인치의 기약 분수는 소수로 나타나는 경우 십진수 표기가 획일적이지 않다.

참 고:

기약 분수: 더 이상 약분할 수 없는 분수. 1/2, 2/3, 2/5등이 여기에 해당한다.

기약분수는 분모와 분자의 공약수가 1뿐인 분수로, 분모와 분자가 더는 나눠지지 않는 분수이지 가장 작은 분수는 아니다.

기수: 수를 나타내는 데 기초가 되는 수. 십진법에서는 0에서 9까지의 정수를 이른다.

소수: 소수는 항상 1보다 작은 수를 나타날 때 사용한다.

인치의 기약 분수는 소수로 표기할 경우 십진수 표기가 획일적이지 않다. 1/64 분수는 0.0156" 소수로 나타내며, 미터법은 0.397 mm로 표기한다. 인치는 Decimal로 표기시 소수점 이하 4자리표기, 미터법은 3자리까지 쓰나, 유럽의 AIRBUS에서는 0.40 mm로 2자리만 사용하는 게 일반적이다. 이러다 보니 1/64의 경우 0.015625“= 0.396875 mm인데, 0.0156” = 0.39751 mm로 약간의 차이 있음.

3. 영미 단위계

영미단위계(英美 單位系, 영어: Imperial and US customary measurement systems) 또는 야드파운드법(일본어: ヤード・ポンド法[a])은 모두 고대 로마 단위계, 카롤링거 및 색슨식 단위계로 거슬러 올라가는 초기 영국 단위계에서 파생된 단위계다. 영미 단위계는 크게 영국식과 미국식 단위계 2개로 나누어진다. 미국 관용단위계(United States customary units)는 미국 독립혁명 이후 13개 식민지에서 사용되었던 영국 단위계의 일부를 기반으로 개발, 사용된 단위계다. 현재는 공식적으로 푸에르토리코와 괌을 제외한 미국(둘은 미터법을 공식적으로 사용)에서 사용하고 있는 단위계이다. 1824년 제정된 영국 도량형법에서는 1300년대까지 거슬러 올라가는 기존의 모든 영국 단위계를 폐지하고 기존에 사용하던 단위를 전부 새롭게 정의하였다. 제국 단

위계(imperial system of units, imperial system, imperial units, British Imperial)는 1824년 제정된 영국 도량형법에서 처음 정의된 단위계로 일련의 도량형법 개정을 통해 계속 발전했다. 제국 단위계는 초기 영국 단위계에서 발전된 단위다. 제국 단위계는 1588년부터 1825년까지 유효했던 윈체스터 단위를 밀어내고 영국의 표준으로 자리 잡았으며, 영국은 1826년 제국 단위계를 도입하면서 측정 체계를 개혁했고 대영제국 전역에서 사용하기 시작했다. 20세기 후반에 이르면 대영제국에 속했던 영연방 대부분의 국가가 공식적인 단위계로 미터법을 도입했지만 영국과 대영제국의 일부 지역, 특히 캐나다에서는 여전히 미터법과 함께 제국 단위계를 사용하고 있다. 제국 단위계 표준은 미터협약에 따른 표준 단위계보다 정밀도가 좋지 못했기에 1960년에는 영미 양국이 미터와 킬로그램의 정의를 기반으로 파운드와 야드를 정의한 국제 야드파운드 통일 조약에 합의했다. 1884년 9월 17일 영국 정부가 미터협약에 서명했다. 1897년 도량형법에서는 무역에서의 미터법 사용을 허용했고, 그 다음해에는 미터법과 제국 단위계의 공식 단위변환표를 발표했다. 영국은 1965년 미터법을 채택하고 기준으로 해 왔으나, 그럼에도 불구하고 여전히 많은 장소, 특히 도로에서 영국식 단위를 사용한다. 1995년과 2000년 EU가 도량형 지침을 발표한 후 법적 단위는 미터법으로 정의됐다.

참고: 현대 제국 단위계를 정의하는 영국의 법령은 1985년 영국 도량형법(개정안)에 명시되어 있다.

○ 인치 파스너(inch fastener) 체계는 영국과 미국의 차이.
영국은 1인치 이하를 32등분을 기본으로 하며,
미국은 1인치 이하를 64등분을 기본으로 한다.

그래서인지 영국 항공 산업에 사용하는 인치 나사의 경우 지름은 미국 단위계 체계와 같지만 파스너 길이는 0.1"(2.54 mm)가 표준 길이이고, 미국 파스너 표준 길이는 1/16"(1.5875 mm)다. 현재 영국과 미국은 영미단위계(야드 파운드법)인 인치를 사용하지만 부정확성 때문에 기반은 미터법을 기초로 한다. 그래서인지 영국은 지난 역사에서 보듯 환경 변화에 적응하는 모습을 보이고 있으며, 그런 결과로 1인치 이하는 32등분까지 한 것으로 보인다. 미국은 독립 혁명 이후 미국 단위계를 지속적으로 발전시켜 1인치 이하 64등분을 기초하게 되었고, 2차 대전을 거치면서 항공우주분야에서 절대적 우위를 점했다. 그러나, 의료 분야와 그 외의 다양한 분야에서 미터법을 사용하고 있는 것 또한 현실이다. 현재 미국인들의 단위 감각은 당연히 미국 단위계에 맞춰졌기 때문에 미터법이 낯설다.

국제단위계는 현재 세계 대부분의 국가에서 채택하여 사용하고 있는 단위계이며, 이 단위계의 명칭 '국제단위계'와 국제적인 약칭 'SI'는 1960년 10월 제11차 국제 도량형 총회(Conférence générale des poids et mesures)에서 결정되었다. 우리가 잘 알고 있는 국제단위계(SI)가 미터법이지만 영미단위계 사용은 현실이다.

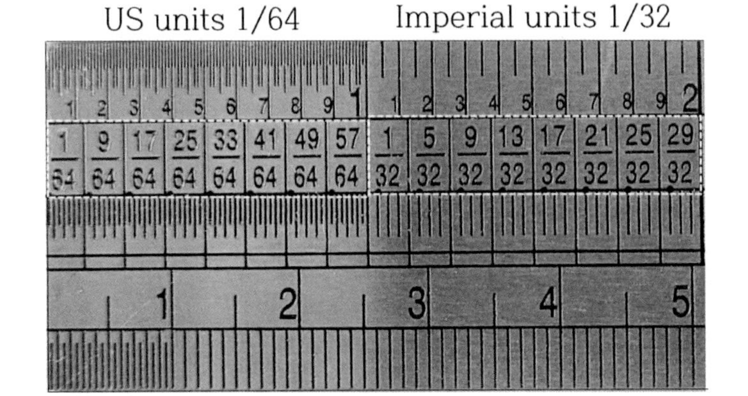

US units 1/64 Imperial units 1/32

4. 0 발견과 사용

0 / 영, 공 / 零, 空 / Zero

0은 자기 값은 없으나, 다른 숫자와 결합 할 때, 작용 값이 있는 숫자로 0(零, 영)은 -1보다 크고 1보다 작은 정수 혹은, 없음(無)을 나타내는 수로 인도에서 이 숫자의 개념을 발견 하였는데, 이는 인류 역사에 가장 큰 발명중 하나이다. 정수 또는 유리수 또는 실수 중에서 양수도 아니고 음수도 아닌 유일한 수다. 기원전 300년경, 바빌로니아 사람들은 빈자리를 나타내는 기호를 사용했다 하며, 숫자 0을 사용한 기수법은 기원전 3세기 이전 메소포타미아 문명이나 6세기 마야 문명에서도 사용되기는 했지만 당시에 0은 단지 빈자리를 나타내는 기호였고, 0을 사용한 계산은 일설 이뤄지지 않았다고 추측한다. 0은 기원전 4세기에 바빌로니아의 알렉산더 대왕이 인도를 침략한 것을 계기로 인도에 전해졌고, 인도 사람들은 단순한 기호에 불과했던 0에 '없음'이라는 뜻을 달아 준 것이다. 0은 고대 인도의 수학에서 창안되었고 아라비아 숫자의 정립 과정에서 위치 기수법을 위해 도입되었다. 로마 숫자와 같은 위치 기수법이 없는 수 체계와 달리 아라비아 숫자는 "975"[1]를 하나의 수로 읽는다. 인도 수학의 수 체계는 페르시아와 아랍의 중세 이슬람 수학에 도입된 뒤 유럽으로 전파되는데, 11세기 이후 당시 알안달루스로(아랍어 정관사 '알(ال)'과 '안달루스(Andalus)'를 합친 단어) 불렸던 이슬람 통치하의 이베리아반도에 전파되었으며 이후 차츰 유럽 전역으로 전파되었다. 현재와 같은 모양의 숫자는 피보나치가 북아프리카에서 배워 사용하기 시작하였다. 십진법의 위치 기수법을 사용한 인도-아라비아 수 체계는 기원후 538년 무렵 인도에서 시작되었다. 위치 기수법의 사용을 위해 0이 도입되었고, 0의 도입은 수학의 역사에서 중요한 이정표이다.

0에 대한 연구를 문서로 남긴 최초의 인물은 서른 살의 인도 수학자 브라마굽타다. 628년에 쓰인 그의 저서 《우주의 창조》에는, "0은 같은 두 수를 뺄셈하면 얻어지는 수"라고 0에 대한 정의가 내려져 있다. 브라마굽타는 그 아무것도 남지 않은 상태, 즉, 무(無)의 상태를 영(Zero)이라 부르고 0이 실제 수라고 주장했다. 이를 증명하기 위해 "어떤 수에 0을 더하거나 빼도 그 수는 변하지 않는다. 하지만 0을 곱하면 어떤 수도 0이 된다."라며 0이 어떻게 작용하는지를 설명했다. '0(Zero)'라는 이름은 그로부터 1세기 정도가 흐른 뒤 이탈리아에서 붙인 이름이다. 서양 사람들이 0과 음수를 '수'라고 생각한 것은 그로부터 1000년이 지난 17세기 이후였다.

참고로 영어에서는'zero'가 1598년부터 확인된다. 아라비아 숫자는 위치 기수법에 따른 십진법으로 수를 표시하는 인도-아라비아 수 체계(Hindu-Arabic numeral system)에서 사용되는 열 개의 숫자 (1, 2, 3, 4, 5, 6, 7, 8, 9, 0)다.

---

1) 975는 로마 숫자로 CMLXXV와 같이 표기된다. 이 표기는 CM(900) + L(50) + X (10) + X (10) + V(5)를 조합한 것이다.

미국단위계 파스너 게이지(gage) 0

미국단위계 기초인 인치는 1 인치보다 더 작은 단위의 인치는 1/2, 1/4, 1/8, 1/16, 1/32, 1/64, 분수 표기로 규정한다.
이러한 규정의 영향으로 수공구의 가장 작은 단위는 1/64 등분하여 만들어졌다.

예) Combination spanner OPEN-BOX 13 A 15/64, size 15/64“

이렇듯 1인치 이하 64 등분의 기초는 파스너에도 영향을 준 듯하다. 파스너 게이지 기계 나사 **0**번(1.524 mm)이 그런 것으로 보인다. 0 정수는 양수와 음수를 구분하는 수이기에 미국 단위계 기계나사 분류에서 0을 채택한 것이 아닌가 생각된다. 0번 기계 나사를 가공하는 드릴 비트의 지름 사이즈가 1/64이다. 기계 나사 0번은 일반 기계 나사이며, 동시에 인치 정밀 나사(미니어처 나사)로도 분류된다. 현재 미국에서 사용하는 기계나사(machine screw)를 지름(diameter)에 따라 구분하면, 정밀 나사는 미니어처 나사로 UNM(Unified Miniature Thread) 0.3~1.4 mm로 미터법을 사용하고, 미국 단위계 인치 정밀나사는 0000, 000, 00, 0(1.524 mm) 이다.

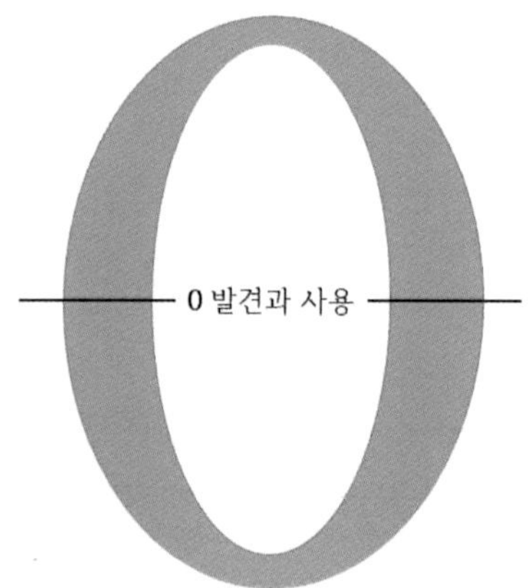

5. 나사로 본 산업 발전사

빗변의 원리를 이용한 나사는 기원전 3세기경 아르키메데스가 배에 고인 물을 퍼 올리기에 위해 나선 모양의 펌프를 만들었다 한다. 나사의 역사는 오래 되었지만 발전 속도는 늦었고 표준화는 근래다. 인간의 무기가 칼에서 총으로 발전하면서, 칼에서 사용하는 영구 접합용 파스너는 탈거와 장착이 가능한 나사로 기계적 접합법 형태가 변화 되었지만 이렇다 할 표준화는 되지 않았다.

15세기로 넘어가면서 Johann Gutenberg는 그의 인쇄기의 고정 장치에 나사를 사용했으며, 나사를 사용하는 경향은 시계와 갑옷과 같은 품목으로 사용이 확장되면서 추진력을 얻었다. 최초의 산업용 볼트 생산은 1905년 W.R.Wilbur는 그가 저술한 "미국 너트 및 볼트 산업의 역사"를 통해, 1568년 프랑스의 Besson

에 의해 볼트와 나사를 만드는 최초의 기계가 만들어졌다는 사실을 인정하고 있다. Besson은 나중에 선반에 사용되는 나사 절단 게이지와 플레이트를 도입했으며, 1641년 영국 회사인 Hindley of York가 이 기계를 개선하여 널리 사용하게 되었다. 농업 중심에서 공업 중심의 사회로 전환된 영국은 17세기에서 18세기 즈음 산업 혁명 시기에, 연료로 쓰던 목재가 고갈되자 석탄으로 눈을 돌려 탄광을 개발하게 되었다. 이는 증기기관 발명으로 이어졌으며, 1698년 초기 증기 양수 펌프 개발 이후 지속적으로 발전하면서 제임스 와트가 증기의 힘으로 피스톤이 회전운동을 하는 증기 기관을 1765년 만들었다. 이후 1804년 리처드 트레비딕이 '펜-이-다렌' 이라는 이름의 증기 기관차를 최초로 만든 것을 시초로, 증기 기관차와 함께 근대적인 철도의 역사가 시작되었다. 1825년 연철 레일을 채택한 스톡턴-달링턴 철도에서 달린 '로코모션 1호'는 세계 최초로 상용화에 성공한 증기 기관차가 되었다.

나사(파스너)가 본격적으로 사용되기 시작한 것은 산업혁명 이후부터다. 1760년 영국은 볼트와 너트를 대량생산 할 수 있는 체제가 갖춰졌으나, 당시에는 규격이 통일되지 않아 만드는 곳마다 크기가 달랐다. 1834년에 영국인 조셉 휘트워스 (Joseph Whitworth)가 처음으로 휘트워스(Whitworth) 나사 형식을 제안한데 시작된다. 휘트워스 나사산은 1841년 조셉 휘트워스에 의해 고안되고 지정된 세계 최초의 국가 나사산 표준으로 직경의 55º 나사 규격을 만들어 왕성한 보급운동을 하였다. 이는 산업사회 나사 원조로 1/4인치 이하의 표준 볼트는 없었다. 1857년이 되어서야 1/4인치 이하 7개 표준 나사가 만들어졌고, 작은 나사산의 지름 규격은 0.100" 0.125" 0.150" 0.175" 0.200" 0.225" 0.250"다.

미국의 보일러 폭발 사고는 19세기 중반부터 20세기 초까지 미국인들의 삶에 재앙이었다. 약 50,000명의 미국인들이 1850년대 평균적으로 4일에 한 번 발생한 보일러 사고로 사망했다. 영국보다 산업화가 늦었던 미국은 급속한 산업화로 경제와 문화가 변동하던 시기로 공업 중심의 발전은 여전히 전통적인 기계적 접합이었다. 미국 역사상 가장 많은 사상자가 나온 선박 사고로 1861년부터 4년의 미국 남북 전쟁이 끝난 직후 1865년 4월 27일 새벽 2시경 미시시피주의 증기선 술타나(Sultana)호에서 사상 최악의 증기 폭발이 일어나 남부 연합군 포로수용소에서 막 풀려난 북군 병사들 포함 1,547명 사망과 961명(추정) 생존한 사고가 발생했다.

배는 376명의 승객을 수용할 수 있도록 설계되었지만, 2,508명을 태우고 있었는데, 배의 보일러 4개 중 3개가 폭발하여 테네시 주 멤피스 근처에서 침몰했다. 이 재앙은 바로 전날 에이브러햄 링컨 대통령의 암살자 존 윌크스 부스의 살해를 포함한 남북 전쟁의 종결을 둘러싼 사건들로 인해 언론에 가려졌다. 아무도 그 비극에 대해 책임을 지지 않았다. 현대식 보일러를 발명한 사람은 스티븐 윌콕스(Steven Wilcox)와 조지 뱁콕(George Babcock)으로 1867년에 발명했고 특허권 등록을 했다. 미국 기계공학회(ASME)는 산업 혁명 동안 증기 동력의 사용이 확대되면서 일반화된 보일러 폭발에 대응하고자 1880년에 설립되었다.

1880년과 1890년 사이에 미국에서 2,000건 이상의 보일러 폭발이 있었다. 1890년까지, 약 100,000개의 보일러가 가동되었고, 그들 중 많은 것들이 안전하지 않았다. 검사는 드물었고, 운영 지침은 거의 존재하지 않았다. 보일러 법의 필요성을 보여 준 사건은 1905년 3월 메사추세츠 브록턴의 그로버 신발 공장을 완전히 붕괴시킨 보일러 폭발이다. 낡은 보일러가 다시 임시 운행에 들어간 직후 폭발해 3층과 지붕을 뚫고 날아갔다. 이 재난은

58명의 사망과 117명의 부상을 초래했다. 그로버 참사는 산업 안전 개선에 대한 관심을 불러일으켰고 행동을 촉구했으며 3페이지 분량의 문서로 구성된 보일러 규칙 위원회가 구성되었다. 1904년 미국 볼티모어시 화재 당시 지원을 간 다른 도시들의 소화 장비들은 볼티모어의 소화전 규격과 달랐다. 당시 소화전에는 600개의 서로 다른 규격들이 사용되고 있었기 때문에 미국 국립표준기술연구원에서는 볼티모어 대화재를 계기로 2.5인치의 소방호스 규격을 사용하기로 정해진 국가 표준(이른바 볼티모어 스탠다드)이 1905년 결정되었다. 미국의 선박과 공장들의 다양한 보일러 폭발 사건들은 당시 기계적 접합의 보일러 제작 수준과, 볼티모어시 화재 당시 소화전 소방 호수와 나사 규격이 틀린 것은 발전하는 사회를 따라가지 못하는 부족한 표준 규격을 볼 수 있는 단면이다.

ASME가 '불필요한 정부 간섭'에 대한 제조업체의 반대를 극복하는데 도움을 준 후, 메사추세츠는 1907년 '증기 보일러의 운영 및 검사에 관한 법률'을 통과시켰으며, 같은 해 미국 기계공학 협회(ASME)는 Seller's thread(an American standard screw thread with an angle of 60 degrees and flat crests and roots)사용하는 표준 나사를 정의했다. 나사의 크기는 게이지 번호를 0부터 30까지 번호를 부여했으며, 0번부터 15번(1/4″)까지 0, 1, 2, 3, 4, 5, 6, 7, 8, 9, 10, 11, 12, 13, 14, 15(1/4") 16개 크기로 확대되어 정밀도가 높아졌다.

이 표준은 미국기계학회(ASME)와 미국자동차공학회(SAE)가 「미국 엔지니어링 표준 위원회」의 절차 규칙에 따라 조직한 나사산 표준화 및 통일에 관한 분과위원회의 나사산 분과에 의해 Gage and Fractional Sizes로 0000, 000, 00, 0, 1, 2, 3, 4, 5, 6, 8, 10, 11, 12, 1/4. 15개로 보다 정밀하고 간략하게 체계화 되었다. 이때 1/4"(15)이상 사이즈는 분수(Fractional)만 사용하도록 했다. 미국 기계공학회와 미국 자동차공학회가 민간 참여 기관인「국가 나사산 위원회」와 협력하여 작성된 이 보고서는 1923년 12월 미국 기계공학회에 의해 승인되었고, 1924년 2월 미국자동차공학회에 의해 승인된 후, 1924년 5월「미국 엔지니어링 표준 위원회」에 의해 미국 표준으로 승인되었다.

1907년 나사산 지름 크기에 대하여 0부터 30까지 번호를 부여했으나, 1924년 나사산 표준 공표시, 1/4" 이상 나사산(thread)은 대부분 분수의 약분과 같아 사용하지 않게 되었다. 15(1/4")번 이상의 나사(screw, bolt, nut)는 나사산(thread) 지름이 1/16인치 등분 기준과 같아 분수(fractional) 게이지를 선택하게 되었으며, 1인치 이하 기계 나사(machine screw)는 Gage and Fractional Sizes로 표준화 되었다.

0000, 000, 00, 0, 1, 2, 3, 4, 5, 6, 8, 10, 11, 12, 15(1/4"), 16, 18, 19(5/16"), 20, 22, 14, 25(3/8"), 26, 28, 29(7/16"), 1/2" 9/16" 5/8" 11/16" 3/4" 1"~

1841년 영국 위트워어스(Whitworth) 55° 나사를 1864년 미국은 60° 셀러스(Sellers) 나사로 개선하여 발표 후 여러 분야에서 개선 사용하다 1918년 SAE나사로 발표, 1938년에는 아메리카 나사로 불리게 되었다. 이후 군수장비 호환성을 측정할 목적으로 미국, 영국, 캐나다의 3국이 협정하여 2차 세계대전 후 1948년「인치 유니파이 기계 나사」로 발표했다. 이러한 인치 유니파이 기계 나사는 항공분야에서 1/4"이하 **2, 4, 6, 8, 10 짝수**만 사용하고 있는데, 이는 나사산 지름 크기를 짝수로 단순하게 하고자 한 것이 목적이다. 1/4"이하 홀수 번호를 함께 사용하는 경우, 작은 기계 나사는 각 번호의 차이가 0.013"(0.33 mm)로 미세하여 잘못된 사용을 방지하여 항공기 손상을 예방하고자 한 것으로 보인다. 아주 드물게 특별하게 5번 나사산을 사용하기는 하나, 미국을 대표하는 BOEING사 매뉴얼인 (AMM)Aircraft

Maintenance Manual과 SRM(Structural Repair Manual)에 기본 체계는 있으나, 5번 나사 Torque Values for Bolts and Nuts는 없다. 프랑스에서 처음 나사가 만들어지고 현재 항공우주 분야에 사용하는 미국 단위계 인치 나사는 서양 역사만큼이나 다양하게 변화하게 발전하여 현재에 이르게 되었다. 서구 사람을 기준으로 만들어지고 사용한 나사이기에 체계를 모르는 것은 당연하다. 그럼에도 불구하고 나사가 만들어지고 발전하는 과정을 보면서 현재 사용하고 있는 나사에 대하여 그 곳에 숨어있는 내용에 접근하여 정확히 알고 보면 조금은 쉽게 접근하지 않을까 한다.

ISO 인치 나사(유니파이 나사)

영국 위트워어스 나사를 개선한 규격을 미국 셀러스 나사 발표 후 여러 분야에서 개선 사용되어 1918년 영국 자동차 기술협회에서 SAE나사로 발표 1938년 아메리카 나사로 불리게 되었다. 이후 군수품 나사의 호환성을 측정할 목적으로 미국, 영국, 캐나다 3국에서 나사의 협정이 진행되어 1948년 인치 유니파이 나사로 발표하게 되었다. 그 후 군수품만 아니라 일반 기계에도 적용, 미국 나사와 완전한 호환성이 있으므로 정식으로 영국의 나사 규격이 되어 1962년 ISO 나사로 발표했다. 1948년 인치 유니파이 나사가 표준화되면서 기계적 조립의 완성도를 높였다 본다. 물론 야금학적 접합법인 용접이 개발되고 발전하면서 시설 장비, 기계들의 기계적 접합 완성도를 높인 것은 부인할 수 없다.

ISO 미터나사 소개

현재의 미터나사의 원형은 1894년 프랑스에서 제정된 SF 나사로 불리어지고 있다. 이 나사는 1898년 프랑스, 스위스, 독일 대표 회의에 의해 SI 나사로 국제성을 갖게 되어 1940년 체코, 텐마크, 이태리, 소련 등 다수의 국가에 동의를 얻어 미터 나사의 전 계열을 ISA 미터나사로 발표하였다. 제2차 세계 대전으로 인하여 발전이 중지 되었다가, 전쟁 후 국제 표준화 사업을 하기 위하여 1962년 ISO 미터나사로 발표했다. 제1차 세계대전 동안, 여러 나라에서 나사산 사이의 일관성 부족은 전쟁 지원에 큰 걸림돌이 되었다. 제2차 세계 대전 중에는 연합군에게 더 큰 문제가 되었다. 1948년, 영국, 미국, 캐나다는 영국식 측정을 사용하는 모든 국가의 표준으로 통합 나사산(Unified thread) 사용에 합의했다. 그것은 1919년에 독일에서 개발된 DIN 미터법 나사산과 유사한 치수를 사용한다. 이것은 최상의 Whitworth 나사산 형태(피로 성능을 향상시키기 위한 둥근 형태의 골)와 Sellers 나사산(60° 피치 각도 및 평평한 마루)의 조합이었다. 그러나, 통합 나사산의 더 큰 골 반경은 DIN 미터법 치수보다 많은 이점이 있는 것으로 입증되었다. 이에 따라 오늘날 모든 선진국에서 사용되는 ISO 미터법 나사산이 탄생했다.

BOEING 항공기에 사용하는 인치 나사는 미국 단위계를 기초한 인치 나사이며, 유럽 항공우주 분야에 사용하는 미터법 나사 역시 미국의 인치 나사를 기초로 한 것이라 밝히고 있다. 물론, 독일 DIN 규격 미터법 나사는 인치 나사보다 사용하기 편리하다. 현재 인치 나사와 미터 나사의 표준화된 각각의 나사산 지름 크기는 비슷하지만 같지는 않다. 그래서 더 어려운 게 현실이다. 나사 표준화 과정이 곧 산업분야 발전의 단면이다.

참 고

https://m.facebook.com/story.php?story_fbid=3384285318304637&id=100001696078165&mibextid=Nif5oz

볼트의 역사 - Nord-Lock Group - https://www.nord-lock.com/ko-kr/insights/knowledge/2017/the-history-of-the-bolt/

https://kookbang.dema.mil.kr/newsWeb/20230313/1/ATCE_CTGR_0020050002/view.do

6. 나사의 역사(History of the screw)

나사산 역사는 기원전 400년경까지 거슬러 올라갈 수 있으며, 나사는 역학의 창시자인 고대 그리스 수학자 타렌툼의 아르키타스(기원전 428년-350년)에 기술되었고 플라톤과 동시대로 간주되었다. 아르키메데스는 100년이 채 지나지 않아(기원전 287년-기원전 212년) 나사의 원리를 더욱 발전시켜 물을 조달하는 장치를 만드는 데 사용했다고 믿는다. 아르키메데스 시대 훨씬 이전에 이집트에서 물 나사가 생겨났을 수도 있다는 역사적 징후가 있다. 그것은 나무로 지어졌고 육지를 관개하고 배에서 물을 빼내는 데 사용되었다.

나사산(Screw Threads)

기원전 100년경, 나무 나사는 보통 포도주 제조나 올리브유 제조할 때에 포도나 올리브를 누르기 위해서 지중해 전역에서 사용되었다. 고정 장치로 사용된 금속 나사는 15세기 이전 유럽에서 드물게 사용되었고 특정 작업을 위해서 단일 수치로 생산

되었다. 영어로 '턴 스크루' 또는, 원래 프랑스어 이름인 '투르네비스(tournevis)'라고 불리는 휴대용 스크루 드라이버는 16세기부터 존재해 왔으며, 200년 후 나사 고정 장치 자체가 표준화되면서 더욱 널리 보급되었다. 15세기에는 요한 구텐베르크가 인쇄기의 고정 장치에 나사를 사용했다. 나사를 사용하는 경향이 시계나 갑옷과 같은 품목으로 확장되면서 탄력을 받게 되었다.

나사산 생산(Screw Thread Production)

고정 장치용 나사산은 수작업으로 제작되었지만 곧 수요가 크게 증가하여 생산 공정의 속도를 높일 필요가 있었다. 나사산을 만드는 최초의 기계는 1568년 프랑스의 베송(Besson)이 만들었고, 베송(Besson)은 나중에 선반에 사용할 나사 절단 판을 도입했다. 1641년 영국 회사인 요크의 힌들리는 이 장치를 개선했고 널리 쓰이게 되었다. 1760년 영국 스태퍼드셔의 욥과 윌리엄 와이어트 형제가 나사 기계에 대한 최초의 특허를 만들었다. 또한 리드 나사를 사용하여 커터가 원하는 피치를 만들도록 유도했다. 16년 후인 1776년, 와이어트 형제는 그들 자신의 공장에서 나무 나사를 생산하고 있었고, 1780년대까지 그들은 단지 30명의 직원들과 함께 하루에 16,000개의 나사를 생산하고 있었다. 그것은 역사적으로 현대 산업이라고 불렸지만 그 당시에는 혁명적이었다. 한편, 영국의 악기 제작자인 제시 램스든(Jesse Ramsden)은 나사 절단 문제의 끝을 표시하는 도구 제작과 기구를 연구하고 있었고, 1777년에 그는 최초의 만족스러운 나사 절단 선반(screw-cutting lathe)을 발명했다.

영국의 엔지니어 헨리 모즐리(Henry Maudslay)는 1797년과 1800년의 나사 절단 선반을 대중화함으로써 명성을 얻었다. 그는 와이어트와 램스덴의 경로를 융합하고 목재 나사에 대한 기계 나사 작업을 수행했다. 그의 회사는 그 후에도 몇 년 동안 공작기계 분야의 선두 주자로 남을 것이다.

나사산 개발(Screw Thread Developments)

기계와 공구를 이용한 나사 절삭의 발전으로 나사산이 있는 파스너의 사용이 크게 증가했다. 19세기 초에는 나사산 표준이 존재하지 않았으며, 각 회사는 자체적으로 규정한 나사산을 제조했기에 시장에는 다양한 규격의 나사산이 존재했다. 이로 인해 외부 부품을 구매 사용해서 기계 조립이나 수리하는 경우 기계 제조업체에 문제를 일으켰다. 선로와 철도 건설을 위한 균일한 나사에 대한 엄청난 수요로 인해 국가 표준이 채택되었고, 나사와 너트의 표준화가 필수가 되었다. 나사를 생산하기 위한 특수 기계와 공구를 갖춘 회사들이 설립되었고 나사는 값싸고 대량 생산되는 제품이 되었다.

조지프 휘트워스(Joseph Whitworth)는 영국식 인치법을 사용해 실용적인 관점에서 나사 규격에 내경과 외경을 도입했다. 이 시스템은 매우 우수한 것으로 입증되어 오늘날까지 거의 변하지 않고 사용되고 있다.

조지프 휘트워스(Joseph Whitworth)

1841년이 되어서야 조셉 휘트워스는 해결책을 찾을 수 있었다. 수년간의 영국 워크숍에서 샘플 나사를 수집한 후, 그는 영국에서 누군가가 볼트를 만들 수 있고 글래스고(Glasgow)에 있는 누군가가 너트를 만들 수 있도록 영국에서 나사산의 크기를 표준화할 것을 제안했다. 그의 제안은 나사산 측면의 각도가 55°로 표준화 되었고, 다양한 직경에 대해 인치당 나사산 수를 정의해야 한다는 것이었다. 이 문제가 영국에서 다뤄지는 동안, 미국인들도 나사산 수를 정의하려고 노력했으나 처음에는 영국 휘트워스 나사산을 사용했다.

윌리엄 셀러즈(William Sellers)

1864년 윌리엄 셀러는 60° 나사산 형태와 다양한 직경의 나사산 투구를 제안했다. 이것은 미국 표준 보통(Coarse) 나사 시리즈와 가는(Fine)나사 시리즈로 발전했다. 미국인들이 영국에 비해 가지고 있는 한 가지 장점은 그들의 나사산 형태가 평평한 나사골 모양을 가지고 있다는 것이다. 이것은 둥근 나사골 모양의 휘트워스 표준보다 제조가 더 쉬웠다. 그러나, 휘트워스 나사산은 동적 응용분야에서 더 나은 성능을 발휘하고 휘트워스 스레드의 둥근 나사산 모양은 피로에 잘 견딘다는 것을 발견했다.

나사산 발달(Screw Thread Development)

1914~1918년 제1차 세계대전 동안 서로 다른 나라의 나사산 사이의 일관성의 결여는 전쟁을 수행하는데 큰 장애가 되었고, 제2차 세계대전 동안에는 연합군에게 훨씬 더 큰 문제가 되었다.

1948년, 영국, 미국, 캐나다는 야드파운드법으로 측정하는 모든 나라의 표준으로 나사산 표준화에 합의했다. 이것은 피로 성능을 향상시키기 위해 휘트워스(Whitworth)의 둥근 나사골과 셀러즈(Sellers)의 60° 나사각도(flat crests)의 조합이었다.

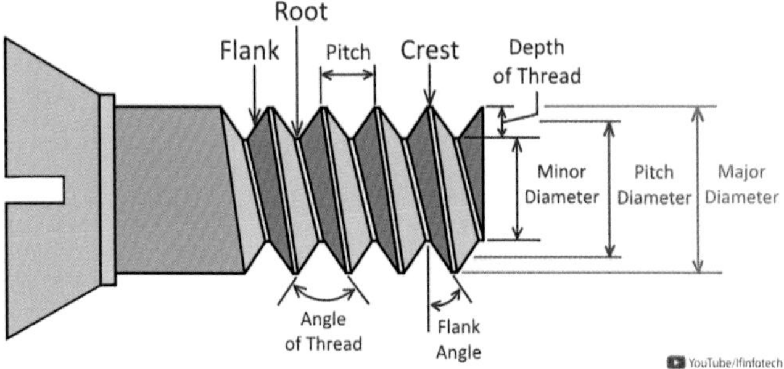

미터법과 미터법의 나사산

1790년 프랑스 정치가 탈레랑(C.M.Talleyrand)이 제안해서 파리 과학 아카데미가 정부의 위탁(委託)을 받고 만든 프랑스 기원의 국제적인 도량형 단위계가 미터법이다. 미터법 보급은 순조롭지 않았고, 프랑스에서는 1840년 강제 집행하기에 이르렀다. 1875년 국제적인 미터 조약이 성립되었고, 1889년 국제 원기가 제정되었으며, 미터법 나사(Metric thread) 개발은 1876년 스위스에서 47.5°의 각도의 미터법으로 시작되었으며, Marc Thury 교수가 시계 나사 시장을 위해 개발하였다. 1894년 독일에서 레오폴트 로웬헤르츠가 53° 8′의 측면 각도로 나사산(thread)을 디자인했다. 미터법 표준 나사산은 1919년 미국, 영국, 프랑스 등에 의해, 공식화되지 않은 스위스 및 독일 나사산에서 진화되었다. 미터법 나사산은 둥근 나사골(root)과 60°의 측면각도(flat crests)를 기반으로 한다. 1947년에야 국제 표준 기구(ISO)의 재설립으로 추가적인 개발이 이루어졌고, 결국 1960년에 ISO 표준 미터나사가 추진되었다.

나사산의 미래

유럽 대륙과 나머지 국가들이 서서히 ISO 미터법 나사산에 눈을 돌리면서 영국과 미국 모두 같은 방향으로 나아가고 있다.

ISO 미터법 나사산은 이제 전 세계적으로 채택된 표준으로, 이전의 모든 표준을 서서히 대체하게 되었다. 산업의 세계화는, 미국과 영국의 자동차 산업이 인치 크기에 기초한 신차를 위한 부품이 거의 없는 상황에서 **소수자 표준을** 서서히 폐지하는 것에 대한 시장의 압력을 야기한다. 고전적인 자동차와 쉽게 교체되지 않는 다른 형태의 장비를 수리하기 위해서는 여전히 오래된 형태의 나사산이 필요할 것이라고 확신한다.

참고: 위키피디아

7. 십자 스크루드라이버 원조

항공기에 사용하는 스크류(screw)는 거의 필립스 제품이다. 항공기 정비사 자격증(국토부 & 노동부) 시험에도 종종 질문되는 사례는, '두 종류 (필립스, 프리어슨)의 십자 모양의 드라이버 이름을 아는가?'이다. 십자드라이버의 역사를 아는 것은 항공 분야의 발달 과정과 흐름을 같이 한다고 볼 수 있다. 영국의 프리어슨(Frearson)과 미국 Reed & Prince는 같은 십자드라이버이다 (Frearson or Reed & Prince Screwdriver bit). 현재 Apex Frearson (Reed & Prince) Screwdriver Bits로도 생산 되고 있다. 원조 십자드라이버는 최초 영국의 발명가와 미국의 제조 회사가 관련된 국제적인 것이다.

존 프리어슨(Frearson)은 영국 버밍엄에 있는 영국의 발명가, 엔지니어, 제조사였다. 그는 여성 치마를 위한 작은 고리(hooks and eyes)의 특허를 냈고, 1851년에 이 발명품을 전시했다. 프리어슨은 이후에 오늘날 사용되는 필립스 나사와 비슷한 모양의 십자형 나사 머리를 디자인했지만 나사의 각도를 75°로 더 뾰족하게 했다. 1857년 7월, 그는 이 아이디어에 대한 영국 특허를 받았다.

그는 1870년(특허 번호 1971) 영국에서 재 특허 했고, 그 후 1873년 미국, 1876년 캐나다(특허 번호 5950)에서 재 특허 했다. 1857년 영국의 발명가 John Frearson에 의해 개발된 Frearson, Cross Head, BS 'Type H', ANSI 'Type II', Reed & Prince, (R&P) Frearson 스크류다. 프리어슨(Frearson) 나사는 영국 발명가에 의해 개발되었고, 1878년 그는 영국 법정에서 성공적으로 그의 특허를 변호했다. 1884년, 그는 미국에서 자신의 디자인에 대한 추가적인 개선점의 특허를 얻어 두 slots(or 'nicks')이 서로 교차하는 코너를 라운딩 했다. 1886년 에드거 리드(Edgar Reed)가 리드 앤 프린스(Reed & Prince)를 미국 매사추세츠주 우스터의 테인터 가의 작은 상점에서 tacks, nails and brads 제조업체를 설립하면서 양산 되었다. 미국 회사인 리드 앤 프린스(Reed & Prince)가 어떻게 나사의 유일한 공급자가 되었는지는 거의 알려지지 않은 것 같다. (질의를 이메일로 보냈지만, 뜻밖에 아무 답신도 돌려받지 못했다 한다.) 리드 앤 프린스 웹사이트에 따르면 이 회사는 에드거 리드가 미국 캘리포니아 주 우스터에 있는 자신의 상점에서 1886년에 시작한 것으로 짐작하고 있고, 다른 소식통들은 이 회사의 설립 일을 1897년으로 정하고 있다. 그들은 어느 선에서 Frearson의 스크루 타입을 독점적으로 판매할 수 있는 라이선스를 획득했는데, 이 라이선스는 그들 자신의 회사명과 몇 가지 영리한 상표로 판매되었다. 현재 https://www.reedandprince.com/about-us/ 명맥을 잇고 있다.

현재 대부분 Frearson이라고 불리고 있지만 여전히 Reed & Prince라는 이름으로도 불리고 사용된다. 이 스크루드라이버는 Phillips와 매우 유사하지만 V 모양이 더 뾰족하다. 나사는 주로 해양 철물(하드웨어)에서 발견되며, 나사 홈인 리세스에서 미끄러져 빠져 나가게 캠 아웃이 되도록 설계된 필립스 헤드와는 달리 완벽한 크로스다. Frearson의 디자인에서 나사 홈 모양은 완벽한 십자형이기 때문에 사용자들은 (JP Thompson에 의해 1933년까지 특허를 받지 않음) 필립스 스크루에서처럼 쉽게 나사 홈에서 이탈하지 않는다. Phillips가 특허를 산 톱슨 또한 필립스 스크루와는 달리 프리어슨의 스크루는 스크루 크기가 어떻든 스크루드라이버 한 개만 필요했다. 그 결과, 리드 앤 프린스 놋쇠 나사는 목선 제작자들 사이에서 열렬한 환영을 받았고 1930년대 말부터 1970년대 중반까지 매사추세츠주 중부에 있는 도시 Worcester(우스터)에 있는 전 Reed & Prince Manufacturing Company에서 생산했다. (1986년, 리드 앤 프린스는 일리노이주 록포드의 엘코 인더스트리즈에 인수되었으며 1990 년 회사 자산 매각으로 청산) 이 회사는 현재 '품질 고정 장치 회사'라고 광고하며 미국 캘리포니아 주 레오민스터에 위치해 있다. 그들은 더 이상 리드나 프린스 나사를 만들지 않는다) John Frearson이 그의 발명품을 통해 얼마나 많은 이익을 얻었는지는 확실하지 않다. 리드와 프린스가 나사를 생산하고 있을 때쯤이면 그는 이미 죽은 지 오래 된 것 같았다.

1. Frearson or Reed & Prince의 장단점

Phillips 드라이브에 비해 두 가지 사이즈가 있지만 하나의 Frearson 드라이버 또는 비트가 모든 Frearson 나사 크기에 적합하다는 것이 장점이다. 아주 작은 이탈 현상(캠 아웃)으로 조이는 성능은 좋으나 불행히도 나사의 십자 홈 모양이 필립스처럼 보여서 잘못된 공구나 나사를 사용하기에 너무 쉽다.

Frearson(Reed & Prince) 스크루 드라이버는 Phillips 스크루드라이버와 서로 교환 사용할 수 없다. 따라서 항상 Frearson 나사에는 Frearson 드라이버를 비트 사용하고, Phillips 나사에는 Phillips 드라이버 비트를 사용해야 한다. 그렇지 않으면 드라이버 비트나 스크루 헤드가 파손될 수 있다.

- For Drive Style: Frearson or Reed & Prince
- Shank Type: Hex
- Hex Shank Size: 1/4″,5/16″
- For Screw Size: No6, No8, No10, No12, No14, No16
- Tip Style: Standard
- Driver Style: Bit

2. Frearson or Reed & Prince 특징

가장자리가 평평하고 모서리가 뾰족하며 나사못(screw) 장착을 위한 버(burrs)가 없는 정밀 공차에서 엄격한 공차까지 사용 가능

- 미국 강철로 가공 열처리 및 검은색 산화방지제 마감 처리
- 비트가 나사 손상시키기 전에 구부리거나 부러지도록 설계
- 각 비트에 귀/또는 링 스톱이 있어 볼 멈춤 쇠로 비트를 안전하게 고정할 수 있음
- 비트 손가락 조임용 끝에 돌기 있고 부품 #로 스탬프가 찍혀 있음
- 전자제품 및 PC 보드에 사용 할 수 있는 비자기성으로 리드 비트 & 프린스 비트(Reed & Prince bits)로도 알려져 있음

육각 생크 비트(삽입 비트라고도 함)는 핸드 드라이버 또는 전원 도구에서 비트 어댑터와 함께 사용된다. 전동 공구의 육각 생크 비트는 생크에 홈이 있으며 어댑터 없이 전동 공구에 직접 장착된다. 어댑터와 함께 사용되는 육각형 생크 비트에 비해 오목한 Hole에 더 많은 리치 및 덜 흔들림을 제공한다.

3. 용어 설명

1) 캠 아웃(Cam out)은 스크루를 돌리는데 필요한 토크가 일정량을 초과하면 발생하는 현상으로 스크루 헤드와 스크루드라이버가 미끄러지는 현상이다. 캠 아웃은 스크루와 스크루드라이버를 손상시키는 경우가 많으며 일반적으로 피해야 한다. 그러나, Phillips 헤드 스크루와 스크루드라이버 조합은 발명 당시 토크 센싱 자동 스크루드라이버가 존재하지 않았기 때문에 캠 아웃 되도록 특별히 설계되었다. Phillips는 두 개의 교차하는 수직 슬롯이 있는 헤드가 있는 스크루와 이 슬롯에 맞는 팁 모양의 스크루드라이버에 사용되는 상표다.
2) 리세스(Recess)란 드라이버가 삽입될 수 있는 형태의 소켓.
3) 로드엔드(End-Load): 비트가 캠 아웃되지 않도록 유지하는데 필요한 힘으로, 일반적으로 엔드 로드가 낮은 것이 바람직하다.

참고:
https://www.reedandprince.com/about-us/
http://navyaviation.tpub.com/14310/css/Recessed-55.htm
http://progress-is-fine.blogspot.com/.../vanished-tool...

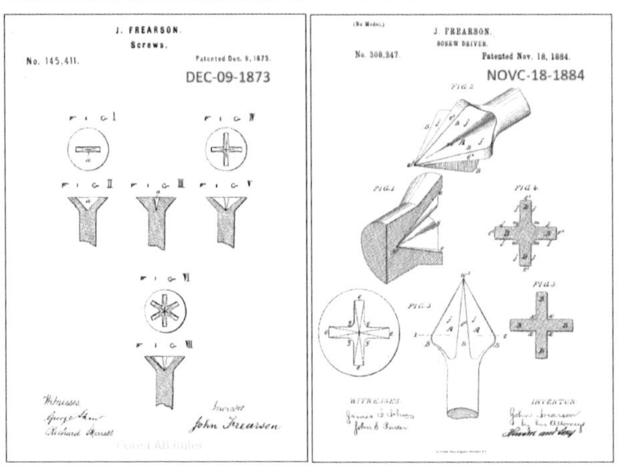

8. 나사 드라이버(Screw driver)

나사 드라이버는 15세기 말 독일에서 발명되었다. "볼프강 성의 중세 하우스북(The Medieval Housebook of Wolfegg Castle)" 이라는 책에 처음으로 언급되었다. 초기의 드라이버는 일자 형태로 갑옷과 무기를 만드는데 주로 사용되었다. 이 공구는 이후 프랑스로 전해져 '턴스크류(turnscrew)' 라고 불리며 다양한 크기와 용도로 제작되었으며, 나사 만드는 것은 수공에 의존하였기 때문에 나사와 나사 드라이버의 사용은 대중적인 일은 아니었다. 영국의 산업혁명시 나사를 만드는 기계를 발명하고서야 나사와 드라이버는 대중화가 되었으며, 나사의 대중화는 산업의 발전을 불러왔고 산업의 표준화를 가져왔다. 1907년 캐나다의 로버트슨은 헤드를 소켓형식으로 바꾸어 사용할 수 있는 나사 드라이버를 발명하여 오늘날까지 이르게 되었다.

우리 나라에서는 드라이버라고 불리고 있지만 정식 명칭은 나사 드라이버로 어느 가정에나 한두 개씩 가지고 있고 너무나 손쉽게 사용하고 사소해 보이는 나사 드라이버이지만 항공기 정비사에게는 어떤 존재일까요? 어떻게 알고 사용하고 있을까요?

아래의 글은 본인의 저서『자 만드는 항공정비사』
p.153-159의 내용을 가져왔음.

항공 정비에 나사 드라이버가 없다면 항공기 정비를 수행할 수 없을 정도로 필수적인 공구이지만, 아주 가끔 잘못 사용된 비규격의 나사, 볼트로 비행중 항공기에서 판넬이 떨어져 나가는 사례가 있어서 나사와 나사 드라이버에 대한 게이지(Gage=gauge) 체계를 알아보도록 하겠다.

(1) 나사드라이버의 기능과 역할

항공기 부품과 부품을 연결하는 파스너(fastener)를 볼트와 너트, 렌치 등 다양한 공구로 세분되지만 항공기 정비를 위해 처음 접하게 되는 공구는 나사 드라이버(screwdriver)이다.

(2) 나사(screw)의 개념과 나사의 변천

나사(screw)의 기원은 아르키메데스(Archimedes 287 BC - 212 BC)가 낮은 곳에서 높은 곳으로 옮기기 위한 것으로 농사를 짓는데에 필요한 물을 논밭에 대는데 사용하기 위한 나선 펌프였다. 레오나르도 다 빈치(Leonardo da Vinci 1452 ~ 1519년)가 고안한 나사 깎는 기계는 이미 교환 톱니바퀴의 사용이 의도되고 있었고, 나사를 제작하는 선반을 만든 것은 벤숀(Bensson1579년)이다.

1798년 영국의 헨리 모즐리(Henry Maudslay)가 모든 금속제의 나사를 만들 수 있는 선반을 제작하였으며, 위트워어스

(Whitworth 1803 - 1887)는 당시 다수의 메이커가 생산한 나사를 조사하여 1841년 '위트워어스 55° 나사 규격'을 만들어 수 년 내에 모든 영국 공업계에 보급하였고, 이것은 현재의 나사 규격 원조가 되었다. 1864년 미국의 윌리엄 샐러즈(Willam Sellers)가 위트워어스 55° 나사를 개량한 60° 나사(degree thread) 규격을 발표하고 '셀러(Sellers)'나사 라고 불렀다. 1907년 미국 기계학회(ASME:American Society of Mechanical Engineers)는 기계나사 표준 품번(Machine Screw Standards Trade number)를 0부터 30까지 번호를 부여하였고, 제조사에게는 게이지(gauge) 번호를 사용하도록 했다. 현재의 ISO 유니파이 인치나사는 위트워어스 나사를 개선한 규격을 1918년 영국 자동차 기술협회에서 SAE 나사로 발표, 1938년 '아메리카 나사'로 불리게 되었으며, 군비품 나사의 호환성을 목적으로 1948년 영국, 미국 및 캐나다는 유니파이 나사(Unified thread)를 사용하여 인치 단위를 사용하는 모든 국가의 단일 표준으로 사용하도록 합의했다. 유니파이 나사 출현으로 위트나사(위트워어스 나사)는 사용 폐지되고 1962년 ISO 유니파이 인치나사의 표준 탄생으로 위트나사는 국제규격의 자격을 상실하게 되었다.

(3) 나사(screw)를 풀고 잠그는데 사용하는 공구

항공기 파스너는 미공군과 미해군 표준(AN), 미군표준(MS), 미국항공우주 국가표준(NAS)의 유니파이 가는 나사(Unifed UNF)가 대부분 사용되고 있으며 다양하게 나사를 풀고 조일 수 있는 여러 가지 공구가 있다. 항공기에서 가장 많이 사용되며 표준인 유니파이 가는나사(UNF Screw)의 필립스와 토오크-셋 십자나사 (Cross point screw)에 사용하는 나사와 나사 드라이버 비트에 대하여 알아보도록 하겠다.

항공기 정비의 시작인 정비(점검)에 사용되는 십자 나사는

대부분이 기계나사(Machine Screw) 규격으로 표기되는데, 「10-32 UNF」와 같이 표기하며, 이 기호에서 10은 나사 직경, 32는 1인치당 나사산 수, UNF = Unified national fine (유니파이 가는 나사)로 표시하게 되어, 정비하는 사람이라면 누구나 쉽게 나사 규격을 이해하고 정비에 활용할 수 있다.

수학자 피에르 시몽 라플라스(1749~1827)가 "너무나 간단해 보여서 그 개념의 중요성과 의미는 더 이상 진가를 인정받지 못한다." 라고 말했던 것처럼, 나사 표시 기호의 의미를 되새겨 볼 필요가 있다.

(4) 기계 나사 게이지 (Machine Screw Gage) 정보

Gage(gauge)란 기계제품의 치수·모양 등의 기준(基準)이 되는 것, 또 그것을 검사하는 데 사용되는 것의 총칭이며, 기호는 어떠한 뜻을 나타내기 위하여 쓰이는 부호, 문자, 표지 따위를 통틀어 이르는 말이다. 1907년 미국 기계학회(ASME)는 게이지 번호가 0에서 30 사이인 번호를 매긴 제조사의 나사산을 사용하는 보통 나사와 가는 나사 두 개의 시리즈를 정의하며, 시리즈에서 주요 직경은 각 크기마다 0.013 인치씩 증가했다. 게이지(gage or gauge)기계 나사 No12까지 사용하며 No0~12 중 많이 사용하는 것은 No2, 4, 6, 8, 10이며 1/4" 지름 크기부터는 게이지(gage)가 아닌 분수식 크기(Fractional Sizes)로 표기하나 이에 대한 정확한 정보 전달이 잘 안 되고 있는 것 같다. 1949년 미국 표준 B1.1-1949는 영국, 캐나다 및 미국이 합의한 통합 나사 시리즈를 포괄하는 최초의 표준으로 이들 3개 국가 간의 나사 교환 호환성을 확보했는데, 이 통합 나사는 현재 나사 유형의 나사 고정용 기본 미국 표준이다. 이전의 미국 관행과 관련하여, 통합 나사는 실질적으로 동일한 나사 형태를 가지며 기계적으로

동일한 직경과 피치의 이전 미국 국립 나사와 상호 교환 가능하다. 항공기에서 일반적으로 가장 많은 반복 점검이나 정비가 필요한 부분에 사용되는 유니파이 가는나사(UNF gage)는 #10이며 이는 BOEING 항공기 기준 파스너(Fastener) 파트 번호 표기시 3으로 표기된다.

(5) 기계 나사(볼트)지름 (Machine Screw(Bolt) diameter)

항공기 사용 인치 유니파이 가는 나사는 #0~#12 크기는 아라비아 숫자 번호를 사용하며 파스너(Fastener) 파트로 번호 표기는 #10번은 3으로 표기하며 그 이상 4부터는 1인치를 16등분하여 표기하고, #10이하 파스너 02, 04, 06, 08로 표기하나 이 부분에 대해서는 정확한 이해가 부족한 것으로 보인다. 기계 나사(볼트)의 표준 분류는 Size of screw and Fractional Sizes Gage(gauge)로 표기하는 것과 실제 사용하는 나사와 볼트(Screw and Bolt) 표기시 10은 3으로 1/4은 4로 나사와 볼트 직경의 1/16로 표기하기 때문에 이러한 연관성을 전달하는 방법이 부족한 것 같다. 나사, 볼트에 맞는 나사 드라이버 팁을 선택할 때는 Size of screw and Fractional Sizes Gage(gauge)로 표기하나 실제 사용자 매뉴얼(Manual)의 나사와 볼트 표기는 십진법으로만 아래와 같이 표기되기 때문에 아래와 같이 연관성 있는 도표를 작성하여 사용자로 하여금 쉽게 사용하도록 개선하였으며, 나사, 볼트의 나사드라이버 팁 사용 설명을 'Corea AB Ruler2 게이지용 자'로 더 쉽게 이해하고 사용하도록 하였다.

예) UNF10-32 BACB30NN3(D)K10(L) 토크 25-35 lbs

예) UNF1/4-28 BACB30NN4(D)K10(L) 토크 50-80 lbs

예) UNF5/16-24 BACB30NN5(D)K10(L) 토크 100-150 lbs

(6) 나사 풀고 잠그는 드라이버 팁(Phillips Screwdriver Tip)

항공기의 일반적인 정비(점검)에 사용하는 인치 유니파이가는 나사(10-32 UNF)를 미터법으로 변환하면 지름이 4.82 mm이나 미국에서 생산하는 항공기의 경우 미터법으로 표기하여 사용하는 경우는 거의 없다. 아래 도표와 같이 BOEING에서 제작한 항공기 B737, B747, B767, B777의 경우 Henry F. Phillips에 의해 개발된 필립스(Phillips) 십자 비트를 많이 사용하고 있으며, 일반적으로 0. 1. 2. 3. 4번 나사 드라이버 팁(screwdriver tip)을 사용하고 있다. 각각의 비트(bit) 크기 차이가 커서 초보자도 손쉽게 사용 할 수 있는 장점이 있으나 잠그고 풀 때 나사 드라이버 비트를 강하게 내리 누르는 힘을 가해야 하는 단점이 있다. 필립스(Phillips) 나사 드라이버 비트의 원래 디자인은 1933년 미국엔지니어 존. P.톰슨(John P. Thompson)에 의해 만들어졌으며, 존 P. 톰슨은 제조업체에 관심을 보이지 않고 사업가 헨리 F. 필립스(Henry F. Phillips)에게 디자인을 판매했다. 1936년 필립스(Phillips)는 디자인을 개선하고 제품의 채택을 촉진하는 회사(필립스 나사 컴퍼니)를 만들었으며, 이 회사는 미국 자동차 산업 발전과 함께 크게 성장 했다. 아래 도표에서 보듯, 나무 나사 크기(WOOD SCREW SIZE), 기계나사 크기(MACHINE SCREW SIZE), 판금나사 크기(SHEET METAL SCREW SIZE) 모두 게이지와 분수식 표기(Gage and Fractional Sizes)로 파스너 지름의 크기를 나타내고 있으며, 그에 맞는 필립스 나사 드라이버 비트를 사용하고 있다. 토오크-셋 비트(Torq-set bit)는 현대 대부분 항공기의 외부 표피에 평면을 유지하면서 고강도가 요구되어지는 부분에 사용되며 대다수의 볼트는 미국 규격인 NAS, MS계열로 100° 머리이나 가끔은 82° 머리도 있다. AIRBUS에서 제작한 A320F, A330, A350, A380 항공기의 외부 정비(점검)에 사용하는 일반적인 점검창과 거의 모든 부분에 기본 나사로 선택하고 있다. 토오크-셋 비트(Torq-set bit)를 우리나라에서는 '아리랑 비트'라고 일부 정비사가 사용하고 있어서 조사해보니 1961~1988년까지 생산된 아리랑 담배의 로고가 토오크-셋 나사와 토오크-셋 비트와 비슷하여 '아리랑 비트'라고 불렀다는 설명에 공감을 하였다. 주먹 드라이버는 드라이버의 모양이 사람의 주먹과 같다고 하여 그 명칭을 사용중이며, 시계(계기)드라이버는 예전 시계 수리점에서 많이 사용하여서 우리 생활과 밀접하여 자연스럽게 사용한 사례로 보이나, 현재는 대형 마트나 일반 시중에서 '정밀 드라이버'로 표기되고 있음을 확인하였다. 토오크-셋은 토크(torque)에 민감한 적용 분야에 사용되는 십자형으로 된 스크루 드라이브(cruciform screw drive)이다.

토오크-셋 나사의 머리 부분은 4개의 가로줄(arm)들이 교차(cross)하고 있다는 점에서 필립스(Phillips) 나사와 외형이 비슷하지만, 비트의 선(line)들은 서로 어긋나(offset) 있어서, 나사 머리의 상부의 선(intersecting slot)이 십자모양으로 정확히 가로질러 교차하지 않는다. 이 때문에 일반적인 필립스 또는 편평한-날 나사못 드라이버는 이 나사에 맞추어지지 않을것이다. 이 나사는 주로 군(military)과 항공, 예로 E-3, P-3, F-16, AIRBUS, 엠브라에르(Embraer), 봄바디어(Bombardier)에 사용하고 있으며, 그리고, 우주 분야에도 많이 사용된다. 필립스 나사 회사(Phillips Screw Company)가 이름을 소유하고 파스너를 생산하고 있다. 토오크-셋의 응용 가능한 표준들은 미국 항공 우주 표준(National Aerospace Standard) NASM33781이고, 늑골이 있는 판(ribbed version)에 대해서는 NASM 14191이다. 늑골을 붙인 버전은 ACR Torque 세트로 알려져 있다.

(7) 토오크-셋 비트(Torq-set bit)

기계나사 번호와 일치하게 사용, 전단형(shear type) 나사는 한 게이지 아래 사용, 토크-셋 나사 #10은 일반적인 접시머리나사로 인장형 머리(tension head)가 작용하는 곳에 사용되며 토오크-셋 비트 #10을 사용하면 되나, 전단형 머리(shear head)에 사용하는 토크-셋 나사 #10은 토크-셋 비트 #8을 사용해야 한다.

NASM33781 MS33781B에 표시된 100° 감소된 플러시 헤드(Reduced Flush Head)는 전단형 머리(shear head)이며 언급이 없는 나머지는 인장 헤드(Tension head)로 나사 비트를 선택하여 사용하면 된다.

(8) Corea AB Ruler2 게이지용 자

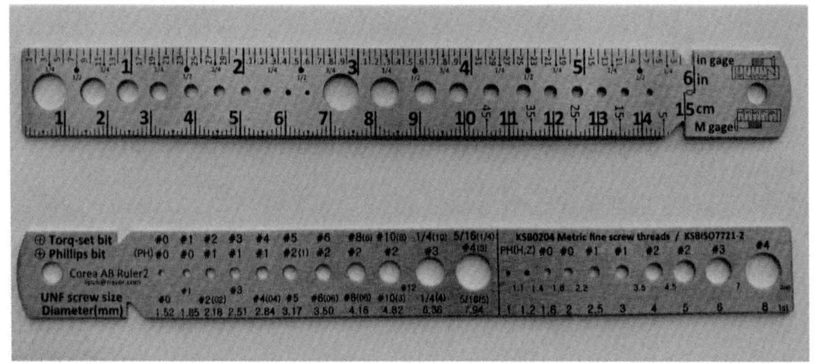

사진에 보이는 자의 이름은 'Corea AB Ruler2 게이지용 자'이다. 이 자는 저자 본인이 고안한 자로, 인치 나사와 미터 나사를 한꺼번에 살펴볼 수 있다. 인치 나사와 미터 나사를 통합하여 볼 수 있고 단위의 통일을 한국에서 실현했다는 의미로 Corea라는 단어와 AIRBUS, BOEING의 알파벳 앞 글자 A, B를 이용하여 이름 만들었고, 스테인리스강(Stainless steel)으로를 제작하였다. 우리 나라에서는 십진법 미터법을 기준으로 한국 산업표준(KS)

제정하여 사용하고 있어서 미터 가는 나사(Metric fine screw threads)에 대한 미터법 표기와 나사 지름에 맞는 나사 드라이버 비트도 함께 등재하였다. 사용법은 가는 나사를 게이지용 자에 삽입하여 나사 표준 크기를 확인하고, 가는 나사에 맞는 게이지(gage), 분수식 크기(Fractional Sizes) 체계로 되어있는 나사 드라이버 비트를 확인하여 사용하도록 했다.

미터나사는 1894년 프랑스에서 제정된 SF 나사가 현재의 미터나사의 원형으로, 1898년에 프랑스, 스위스 및 독일의 대표가 취리히 회의에서 결정한 SI나사로써 국제성을 갖게 되었다.

1940년 ISA는 체코, 덴마크. 독일 프랑스, 이태리, 네덜란드, 노르웨이, 스위스, 소련, 핀란드 및 스웨덴의 동의를 얻어 미터나사의 보통과 가는 나사의 전 계열을 국가 표준협회 국제 연맹(ISA International Federation of the National Standardization Association)의 미터 나사로서 발표했으나, 제2차 세계대전으로 인하여 발전이 중지되었다. 전후 ISA를 대신해서 국제 표준화 사업을 하기 위하여 설립된 ISO는 ISA 미터나사를 재검토하여 ISO(International Organization for Standardization)미터나사로 1962년 발표 후 우리 일상생활에서 너무나 흔하고 쉽게 사용하고 있다. 나사와 나사 드라이버 비트가 체계화 되어 있음을 인지하고 이러한 소소한 시스템에 국민적 관심이 선진 사회의 기초를 만들어 가는데 조금이나마 도움이 되었으면 하며, 우리 나라 항공기 정비 기술이 우리의 현실에 맞게 변경하는 작업을 통해 항공정비 분야에서도 대한민국 표준이 체계적으로 세워졌으면 한다.

참고 문헌

Machinery's Handbook 27th Edition Copyright 2004, Industrial Press, Inc.New York, NY

ANSI/ASME B1.2-1983 Gages and Gaging for Unified Inch Screw Threads

9. 항공우주 인치 파스너 공통점

항공우주산업에 사용하는 인치나사(Screw, Bolt), 너트(Nut), 와셔(Washer)의 크기는 나사산의 지름(Hole) 크기를 기준으로 한다. 나사산의 지름 크기가 1/4“ 이하는 십진법 체계이고, 1/4” 이상은 분수 체계(gage)다. 나사산의 지름 크기가 중요한 이유는 Screw(bolt)의 나사산 지름은 변하지 않지만 파스너 머리는 인장(tension), 전단(shear)의 사용 목적에 따라 변경되어 사용된다. 나사(Screw, Bolt)와 너트. 와셔를 구분하기 전 가장 먼저 확인해야 할 사항은 어떤 체계(Gage)로 이루어져 있는가를 확인해야 하며 이는 항공기에 사용하는 나사(Screw, bolt)와 너트의 표준화된 토크(Torque) 값을 알려주게 된다. 항공기에 사용된 AN, MS, NAS 나사(screw, bolt), 와셔, 너트의 공통점은 나사산의 지름으로 표준 크기(gage)를 분류하듯이, 나사 접합을 위해 Hole 가공을 하려면 표준 크기의 드릴(drill) 비트를 사용해야 한다.

AN. MS. NAS 나사(screw , bolt) 종류와 차이점

스크루(screw)와 볼트(bolt)의 차이점은 스크루는 일반적으로 강도가 낮고 볼트에 비해 긴 나사를 가지며 그립은 불명확하며 나사 등급은 2등급으로 나사머리에 홈이 있다.

항공 우주 인치 파스너(fasteners)

나사 유형 및 맞춤 - NC 및 NF에는 UNF 및 UNC 체결 장치보다 많은 나사산이 있다.

- American National Coarse - NC
- American National Fine - UNF
- American Standard Unified Coarse- UNC
- American Standard Unified Fine - UNF

표준 항공우주용 볼트(bolt)

FAA는 구조용 부품에 AN3(#10)보다 작은 알루미늄 합금 볼트 및 합금강 볼트의 사용을 금지하고, 자주 제거하고 설치해야 하는 부분에는 사용하지 않으며, 그립(grip) 길이 비 나사산 부분의 길이가 명확하다. 재질은 '카드뮴 도금 니켈강', '부식 방지강' 및 '2024 알루미늄 합금'이 사용되며, 다른 부품에 사용된 볼트가 '카드뮴 도금 니켈강'으로 만들어지지 않는 한 '알루미늄 합금 너트'는 전단력이 있는 '카드뮴 도금 강철 볼트'와 함께 사용할 수 있지만 육상 항공기에만 사용할 수 있으며, '내식성 볼트'는 지름과 길이 부호 사이에 삽입된 문자 "C"로 식별되며 '알루미늄 합금 볼트'는 "DD" 로 표기한다. 스크루(Screw)는 용도에 따라 세 가지로 분류한다.

기계나사는 항공기에 가장 광범위하게 사용되며, 나사산은 가는나사(UNF) 보통나사(UNC)로 대부분 가는나사를 사용한다.

1. Fillister-Head 기계나사-머리에 Hole 있음.
2. 플랫 헤드 기계나사 - 카드뮴 도금 탄소강
3. 둥근 머리 기계나사 - 카드뮴 도금 탄소강이며 슬롯 형 또는 오목 형 헤드.
4. 트러스-헤드기계나사-얇은 금속 조각에 우수한 유지력을 제공하는 나사.

구조용 나사 합금강으로 제작, 열처리되며 구조용 볼트로 사용되며 동일한 전단 강도.

1. Fillister-Head Screw - 고강도 강으로 제작한다.
2. 납작 머리 나사- 카드뮴도금과 열처리하며 탄소강 제작, 머리 부분 'X'문자가 있는 100° 납작 머리와 구별.
3. 와셔머리 나사 - 머리에 와셔를 만들어 나사의 체결을 높인다.

셀프태핑 나사 - 금속, 플라스틱 또는 합판으로 된 얇은 시트를 함께 고정하는 데 사용된다.

Type-A - 김렛(날카로운) 점이 있음.

Type-B - 무딘 포인트를 가지며 스레드의 유형이 Type-A의 스레드보다 약간 미세함. 라운드 헤드, 트러스 헤드, 카운터싱크 헤드 및 카운터싱크 타원형이 제공됨.

AN. MS. NAS 나사(screw, bolt)의 구분을 하는 설명이 많이 있으나 나사, 와셔, 너트의 공통점이 그림과 같이 Hole을 표준 크기(Gage)로 분류하고 용도에 맞는 볼트, 와셔, 너트 형상을 가짐을 알리고자 하며 일반적 항공기 파스너 일반적으로 항공기 파스너 1st oversize 1/64“이며 2nd은 1/32”이다.

예) 3/16(0.1875”)+1/64(0.01625”=0.0396875 mm)=0.203“

3/16(0.1875)+1/32(0.03125”=0.79375 mm)=0.219“(7/32)

3/16(0.1875)+1/16 (0.0625”=1.5875 mm)=0.250”(1/4)

참고:

AN(Army-Navy) 미국 육군-해군의 사양 시리즈는 제2차 세계 대전의 군사 품목을 표준화하기 위한 수단으로 1940년대 초에 시작되었다. 1950년대에 대부분 취소되었고, 몇 년 전까지만 해도 살아남은 AN3-AN20 볼트는 가장 오래 된 사양 중 하나이다.

MS(Military Standard) 군사 표준은 1950년대에 시작되었고 대부분 AN 하드웨어 시리즈를 대체했다. 그러나, 일부 AN 표준은 계속 유지되고 있다. MS 시리즈는 1994년 돈을 아끼기 위해 계약자들의 요청에 따라 국방장관에 의해 취소되었다. 그러나, 많은 상업 회사들은 모든 제품에 MS 표준 하드웨어를 사용했다. 이 취소는 항공우주 커뮤니티에 많은 문제를 일으켰고, MS를 대체할 새로운 표준을 만들기 위한 서두가 있었다. 그 결과 다음과 같은 NASM, SAE 사양이 나왔다. NASM - 약 500개의 군사 표준이 NAS 그룹에 의해 상용 사양으로 변환되었지만 원래 MS 부품 번호는 그대로 유지된다. SAE International(원래는 자동차 엔지니어 협회)이 만든 AS-항공우주 표준은 AS 표준으로 대체되었다. 안타깝게도 부품 번호가 AS보다 MS 부품 번호로 변경되었습니다. MS21919 쿠션 클램프가 AS2191919로 변경되었다.

NAS-National Aerospace Standards (NAS-National Aerospace Standards) 1941년 시작된 국가 항공우주 표준은 항공우주 산업 협회에 의해 처리된다.

참고:

https://flywithspa.com/docs/pbm/toc453317738.html

https://www.sizes.com/tools/thread_history.htm

AN- ARMY-NAVY specification series started in the early 1940s as a means to standardize military items for World War II. Mostly canceled in the 1950s, a few have survived to. flywithspa.com

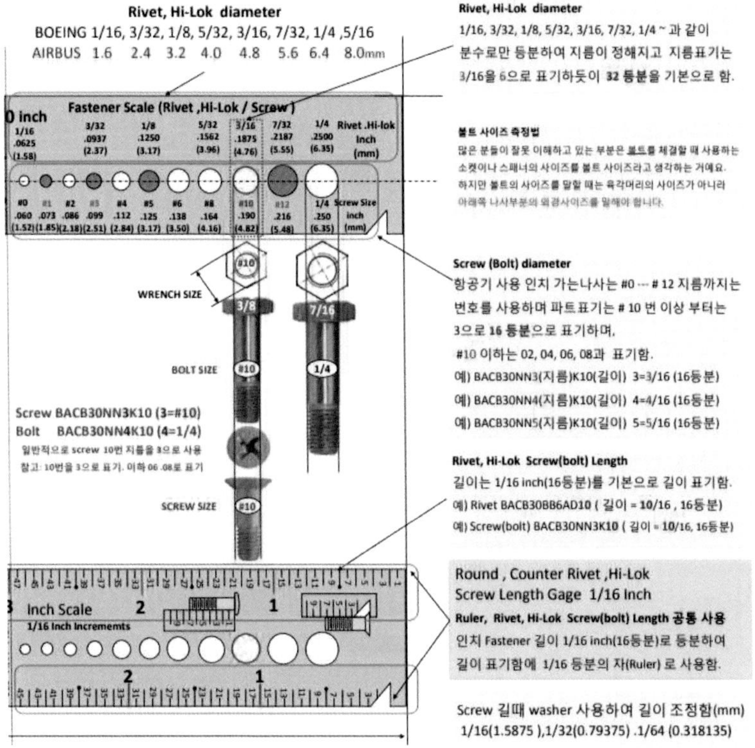

Rivet, Hi-Lok diameter
BOEING 1/16, 3/32, 1/8, 5/32, 3/16, 7/32, 1/4 ,5/16
AIRBUS 1.6 2.4 3.2 4.0 4.8 5.6 6.4 8.0mm
0 inch
Fastener Scale (Rivet ,Hi-Lok / Screw)
Rivet .Hi-lok Inch (mm)
Screw Size inch (mm)
WRENCH SIZE
3/8
7/16
BOLT SIZE
#10
1/4
SCREW SIZE
Screw BACB30NN3K10 (3=#10)
Bolt BACB30NN4K10 (4=1/4)
일반적으로 screw 10번 지름을 3으로 사용
참고: 10번을 3으로 표기. 이하 06 .08로 표기
Inch Scale
1/16 Inch Incrememts
Rivet, Hi-Lok diameter
1/16, 3/32, 1/8, 5/32, 3/16, 7/32, 1/4 ~ 과 같이
분수로만 등분하여 지름이 정해지고 지름표기는
3/16을 6으로 표기하듯이 32 등분을 기본으로 함.
볼트 사이즈 측정법
많은 분들이 잘못 이해하고 있는 부분은 볼트를 체결할 때 사용하는
소켓이나 스패너의 사이즈를 볼트 사이즈라고 생각하는 거예요.
하지만 볼트의 사이즈를 말할 때는 육각머리의 사이즈가 아니라
아래쪽 나사부분의 외경사이즈를 말해야 합니다.
Screw (Bolt) diameter
항공기 사용 인치 가는나사는 #0 --- # 12 지름까지는
번호를 사용하며 파트표기는 # 10 번 이상 부터는
3으로 16 등분으로 표기하며,
#10 이하는 02, 04, 06, 08과 표기함.
예) BACB30NN3(지름)K10(길이) 3=3/16 (16등분)
예) BACB30NN4(지름)K10(길이) 4=4/16 (16등분)
예) BACB30NN5(지름)K10(길이) 5=5/16 (16등분)
Rivet, Hi-Lok Screw(bolt) Length
길이는 1/16 inch(16등분)를 기본으로 길이 표기함.
예) Rivet BACB30BB6AD10 (길이 = 10/16 , 16등분)
예) Screw(bolt) BACB30NN3K10 (길이 = 10/16, 16등분)
Round , Counter Rivet ,Hi-Lok
Screw Length Gage 1/16 Inch
Ruler, Rivet, Hi-Lok Screw(bolt) Length 공통 사용
인치 Fastener 길이 1/16 inch(16등분)로 등분하여
길이 표기함에 1/16 등분의 자(Ruler) 로 사용함.
Screw 길때 washer 사용하여 길이 조정함(mm)
1/16(1.5875),1/32(0.79375) .1/64 (0.318135)

Corea AB Ruler1 (특허 등록번호 10-2017-0025199)

Corea AB Ruler

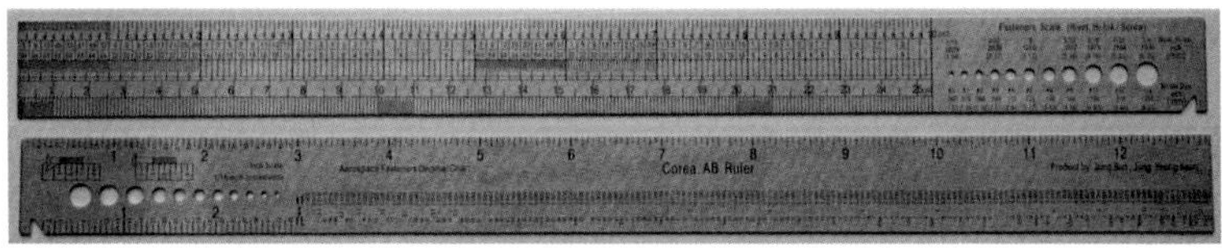

10. 미국단위계 기본은 분수다

미국 단위계의 기본은 분수(fractional number) 체계다. 저자는 공군에서 6년 5개월간 탑승 정비(loadmaster)하다 현재 회사의 특기 부서에 배속되어 첫 업무를 하게 되었는데, 첫날 너트 플레이트(plate nut) 장착하라는 오더를 받았지만 정말 아는 게 하나도 없어서 어떻게 작업하는지 선임(사수)자에게 질문을 했다. 비행기만 타다 온 '라인 정비사'가 특기부서에 배속 받았기에 일종의 테스트였다. 이것은 삼삼(3/32“), 팔 하나(1/8”), 삼오(5/32“), 십육 삼(3/16”)인데 너트 플레이트(plate nut)는 삼삼(3/32“) 드릴 비트를 이용하고 Hole을 뚫고 삼삼(3/32”)의 클레코(cleco) 이용하여 임시 고정하고 삼삼(3/32“) 리벳을 장착하면 된다고 알려 주었다. 그날 이후 인치에 대한 공부를 시작하였는데, 지금에서야 인치의 어려움을 정리하는 정도가 된 것 같다.

미국 단위계 인치의 기본은 분수(fractional number) 체계다.

인치를 반으로 나누는 순간 분수가 된다.

1인치를 반으로 나누면 1/2“

1/2“ 다시 나누면 1/4”

1/4“를 다시 반으로 나누면 1/8” 이렇게 해서 1/16“ 1/32” 1/64“까지 나누어 사용하게 된다. 필요에 따라서는 1/128”, 1/256“을 사용하기도 하나 극히 드물다. 인치를 반으로 나누지 않고 미터법의 기본인 십진수로 나누어도 소수점 이하로 되며 0.1” 0.2“ 0.3”는 분수로 1/10“ 2/10” 3/10“과 같이 표기된다. 가장 큰 특징은 미터법은 십진법에 기초한 양의 수(양수)인데 반해 미국단위계는 1인치 이하로 가면 분수 표기가 된다.

미국 단위계의 1인치는 25.4 mm로 미터법의 1 mm 보다 25배 이상 큰 수임에도 1인치를 반으로 나누면 분수 표기로 변경된다. 그래서, 미터법에 익숙한 우리에게는 가까이 하기에 너무 먼 미국 단위계다. 물론 미터법도 1 mm 이하는 소수점 표기를 하지만 십진법 표기로 인해 이해하기 쉽다. 반면 미국 단위계는 1 mm를 인치로 표기하면 0.03937“인데 일반적으로 39(40)라고 양의 수로 말하며 사용한다. 단, 표기는 정확하게 기록한다.

◎ 1 mm = 0.039397"

쉽게 이해되는가? / 아니면 이해하는가?

미터법 1 mm를 0.03937“ 소수점 이하 5자리까지 외우고 사용해야한다. 실상 작업자 간에는 39(삼십구)라고 양수로 불러서 소통한다. 반올림해도 39는 맞지만 기계에서는 불분명한 수치다. 그래서, 일반적으로 40(사십)으로 편리하게 사용하기도 한다. 40뿐만 아니라 39도 아니다 기다(맞다)라는 의견이 분분하다. 이는 우리뿐 아니라 미국 작업자들도 공감하는 부분이다. 미국의 엔지니어에게 반올림 방식에 이의 제기하면, ‘이것도 맞고, 저것도 맞다.’라는 식의 답변을 듣기에 그런가보다 한다.

첨부와 같이 미국에서 사용하는 인치 자는 2, 4, 8, 16, 32, 64등분을 한 자(ruler)를 기본으로 사용하는데, 아직까지도 가까이하지만 친숙해지기 어려운 자다. 그래서, 미국도 1인치를 십진수로 나누는 자(ruler)를 병행하여 사용하지만 이는 미터법에 익숙한 국가들에서 더 많이 사용하고 있다. 미국 단위계 인치의 한계로 인해 분수 표기와 십진법으로 병행하여 사용 중이다.

예) 0.1 inch= 0.100 inch / 1/8 inch= 0.125 inch

항공기에 사용하는 미국 단위계인 인치를 이해하는 것은 항공기 정비의 기본이다.

사진 출처:
https://nickcornwell.weebly.com/how-to-read-a-ruler.html

Terminology A ruler used to be called a rule , and rulers would be rules . Today, the more commonly found term is ruler . The dictionary defines both the term rule and ruler , so either can be used

인치자는 분수 체계이다.

in (인치)	mm (미터법)	in (인치) (분수 표기)
1	1.000	1
1/2	0.500	1/2,1
1/4	0.250	1/4,1/2,3/4,1
1/8	0.125	1/8,1/4,3/8,1/2,5/8,3/4,7/8,1
1/16	0.0625	1/16---1
1/32	0.03125	1/32---1
1/64	0.015625	1/64---1

in (인치)	mm (미터법)	mm (미터법)	in (인치)
1	25.4	1	0.03937
0.1	2.54	0.1	0.003937
0.01	0.254	0.01	0.0003937
0.001	0.0254	0.001	0.00003937

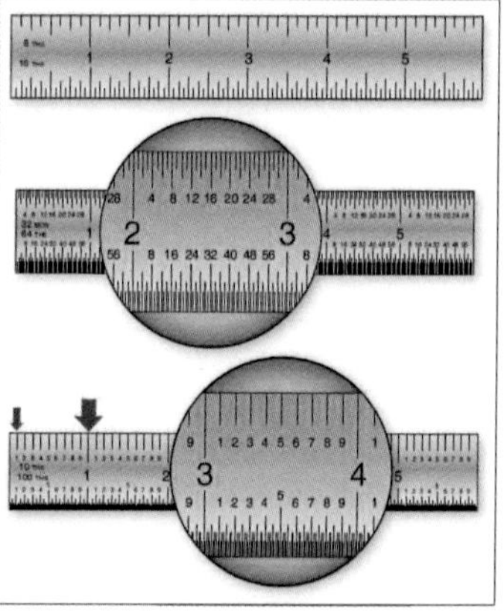

11. B737 항공기 역사

B737 항공기 개발 역사
개발안: B737-090
1세대(Original): B737-100/200
2세대(Classic): B737-300/400/500
3세대(NG): B737-600/700/800/900/900ER
4세대(MAX): B737-MAX7/MAX8/MAX9/MAX10

1960년대 초, BOEING사는 B727을 보완해서 여객 수요가 많지 않은 단거리 노선에 투입할 수 있는 여객기의 개발을 검토하기 시작했다. 이 항공기의 예비 설계는 1964년 5월 11일에 시작되었는데, BOEING사는 집중적인 시장 분석 결과 100 마일(160 km)에서 1,000 마일(1,609 km) 정도의 노선에 65~80명의 승객을 수송할 수 있는 항공기가 시장성이 있다고 판단했다. 사업 초기에 고려된 B737은 형상은 지금 우리가 알고 있는 모습과는 상당히 다르다. 아래 그림에서 보듯, 당시 B737은 후방동체 양쪽에 엔진을 장착하고 수평꼬리날개가 수직꼬리날개 상단에 설치된 T-tail 형식의 항공기로 구상되었었다. 동체 내부에는 5석의 좌석이 객실 통로 좌우에 2-3식으로 병렬 배치되는 전형적인 협동체 항공기의 객실구조가 고려되었는데, 당시 경쟁기종으로 개발되고 있던 미국 더글러스사의 DC-9, 영국 BAC사의 BAC 1-11, 네덜란드 포커사의 F28과 유사한 항공기였으나 이런 초기 형상은 곧 변경되었다.

엔진을 꼬리동체에 붙인 B737 초기 설계안(B737-090)

항공기의 엔진을 날개 아래에 설치하면 엔진을 기체 구조물에서 가장 튼튼한 스파(spar)에 별다른 구조보강 없이 직접 부착할 수 있기 때문에 후방동체에 설치하는 형식보다 기체 중량을 경감시키고 엔진의 정비를 용이하게 해준다. BOEING사의 수석 엔지니어 Joe Sutter는 이러한 점에 주목해서 B737의 엔진 위치를 후방동체에서 날개 아래로 변경하여 중량을 감소시켰으며, 동체 직경도 확대시켜서 더 넓어진 객실에 3-3식의 좌석 배치가 가능하도록 했다. (Joe Sutter는 훗날 747의 개발도 이끌었으며 'BOEING 747의 아버지'로 칭송되고 있다.) B737의 엔진 위치가 후방동체에서 날개 아래로 이동된 후 수평꼬리날개의 위치도 수직꼬리날개 위에서 후방동체로 이동되었다. (B737이 초기에 T-tail 형식을 취한 것은 후방동체에 위치한 엔진과의 간섭을 피하기 위해서인데, 엔진의 위치가 변경되었기 때문에 반드시 T-tail을 적용할 필요가 없다.) 1964년 10월에 있었던 'Air Transport Association maintenance and Engineering conference'에 서 BOEING사의 수석 프로젝트 엔지니어 Jack Seiner는 그동안 알려지지 않았던 B737의 디자인을 드디어 일반에 공개했는데, 당시 복잡한 고양력장치의 구동시스템이 노출되자 그 정비비용과 기계적 신뢰성 측면에서 우려를 제기하는 시각도 일부 있었다. B737 사업이 구체화되는 과정에서 독일 루프트한자와 BOEING사 간의 교섭도 있었는데, 루프트한자는 B737을 100석 급의 좌석을 수용할 수 있는 항공기로 개발할 것을 요구했고 BOEING사도 이를 수용했다. 1965년 2월 1일에 열린 BOEING사의 이사회는 B737 개발 사업을 승인함과 동시에 1억 5천만 달러의 예산도 배정했다. 1965년 2월 19일, 독일의 루프트한자는 BOEING사로부터 B737 개발 사업이 취소되지 않는다는 보장을 받은 직후, 6천 7백만 달러 규모의 B737 21대를 발주하면서 B737 사업의 최초 고객이 되었다.

1967년 12월 12일 FAA는 B737-100을 사업용 항공기로 인가했고, 형식인증 A16WE를 발부했다. B737은 형식인증 과정에서

CAT II 정밀 접근을 인가받은 최초의 항공기가 되었는데, 이것은 B737의 착륙과정에서 결심고도 (DH: Decision Height) 98~197 ft(30 m~60 m)의 정밀 계기접근(Precision Instrument Approach)이 허용됨을 의미한다. 1967년 12월 28일, 드디어 독일 루프트한자에게 B737 1호기가 인도되었으며, 루프트한자는 미국 이외의 국가에서 BOEING사의 신기종을 발주한 최초의 항공사가 되었다. B737-100은 단 30대만 생산되었는데, 유력 항공사중 이 기종을 도입한 항공사는 루프트한자가 유일하다. (B737은 이렇게 극소수가 생산되었지만 B737-200은 무려 1,114대나 생산되었다.) 동시 개발 중이었던 B737-200은 1967년 8월 8일에 초도비행을 실시했으며 동년 12월 21일 FAA 인증을 취득했다. 유나이티드항공은 1968년 4월 28일 시카고-그랜드래피즈 노선에 투입하기 시작했는데, 항공사들은 동체가 연장된 B737-200을 B737-100보다 훨씬 더 선호하는 경향이 뚜렷했다.

1세대 성공 후 1980년대에 이르자 BOEING사는 동체가 더욱 연장된 B737-300/400/500을 추가해서 B737 2세대(Classic) 계열을 완성했다. B737 2세대는 1세대와 달리 엔진 직경이 확대된 CFM56 터보팬 엔진을 사용하며 날개 역시 개선되었다. 1990년대에 등장한 B737 3세대(NG)들은 날개 길이가 연장된 '층류 에어포일'(Laminar flow wing), 개선된 글래스 조종석과 현대적 객실 인테리어(Interior)가 특징이다. B737 3세대 계열은 일련번호(600/700/800/900)가 커질수록 동체길이가 연장되는데, 가장 짧은 B737-600의 동체길이는 102피트(31.09 m)이고 가장 긴 B737-900의 동체길이는 138피트(42.06 m)에 달한다. 이외에도 B737NG를 기초로 개발된 비즈니스젯인 BBJ(Boeing Business Jet)도 존재한다. B737 계열은 2010년에 4세대(MAX)로 또 탈바꿈했는데, CFM LEAP-1B 엔진과 윙렛(winglet)을 사용해서 연료소비율을 더욱 감소시켰으며 2017년부터 취역하기 시작했다.

12. B737 기체의 변화

처음 1세대 B737-100은 30대만 생산되었지만, B737-200은 1,114대가 생산되면서, 기체에 다양한 변화와 발전이 있었다.

1. 그래블 키트(Gravel kit)

B737의 우수한 단거리 이착륙 능력을 최대한 활용하기 위해서 BOEING사는 B737-200용으로 개발된 Gravel kit을 선택사양으로 고객에게 제공했는데, 이를 사용하면 오지의 비포장 활주로에서도 B737-200의 이착륙이 가능하다. 최근까지 사용하다 이제는 모두 역사의 기록으로만 존재하게 되었다.

2. 엔진 흡입구(Inlet cowl)

초기 엔진은 Pratt & Whitney의 JT8D-1 터포팬 엔진으로 선정되었으며, 이 엔진은 추력 14,000 lbf (62.28 KN)급의 낮은 바이패스 비(bypass ratio) 엔진으로 공기 흡입구는 원형이었으나, CFM-56 계열의 고 바이패스 엔진으로 발전하면서 햄스터 볼주머니형(Hamster pouch)으로 변경되었다가 최근 MAX에서는 거의 원형에 가까운 형태로 변경되었다.

3. 추력역전장치(thrust reverser)

B737 Original(B737-100/200)의 엔진 나셀(nacelle)에 설치된 추력역전장치(Thrust reverser)는 B727의 후방 동체 측면에 위치한 나셀에 설치된 추력역전장치와 동일한 형식인데, 이 장치는 기본적으로 그 효율이 낮을 뿐 아니라 B737에 설치될 경우, 엔진 노즐의 제트를 상하방향으로 편향 시키게 되는데, 아래 방향으로 편향된 제트의 반작용으로 기체를 살짝 위로 들어 올리는 부작용까지 있었다. 동체에 엔진이 설치된 B727의 경우에는 엔진 나셀 위치가 높기 때문에 이러한 부작용이 별다른 문제가 되지 않았으나, 엔진 나셀이 낮게 설치된 B737에서는 무시할 수 없는 수준의 문제가 되었다. 추력역전장치가 기체를 살짝 위로 뜨게 하면 랜딩기어(landing gear) 타이어의 접지력이 낮아지면서 랜딩기어의 제동 장치(Wheel brake) 성능까지 저하되게 된다. 수직방향으로 설치되던 기존의 디플렉터(Reverser door)와 달리 수직방향에서 35° 기울어진 디플렉터가 설치되었는데, 이 장치의 작동에 의해서 위쪽으로 편향된 제트는 동체 쪽으로 기울어진 방향으로 향하고 아래쪽으로 편향된 제트는 동체에서 멀어지는 방향으로 기울어지도록 움직이도록 고안되었다. 이렇게 개선된 추력역전장치의 도입으로 제동장치의 문제가 해결되었으며, 1969년 3월 이후 표준화되어서 그 이후에 신규 생산되는 모든 B737에 적용됨과 동시에 이미 취역 중인 기체에도 개조 작업을 통해서 반영되었다. 현재는 Thrust Reverser(역추력 장치) 카울 엔진 중간에 위치하여 작동된다.

4. 화물기 개조(Cargo Convertible)

BOEING사는 B737의 판매 활로를 넓히기 위해 B737-100과 B737-200에 B737C를 고객들에게 제안했다. C는 Convertible

을 의미하는 두문자이며 B737을 화물기로 개조한 형식을 의미한다. 이 형식은 조종실 바로 뒤의 동체 측면에 134 in 87 in (340 cm 221 cm) 크기의 화물 적재구를 설치했으며, 적재된 화물의 중량을 견딜 수 있도록 화물칸의 바닥이 강화되고 화물 적재와 이동이 편리하도록 롤러가 설치되어 있다. 이후 B737은 화물기로도 활발하게 운영되고 있다.

<위치별 명칭>

1. 그래블 키트(Gravel kit)
2. 엔진 흡입구(Inlet cowl)
3. 추력역전장치(Thrust reverser)
4. 화물기 개조(Cargo Convertible)

13. 에어스테어(Airstair)

회사 항공기가 큰 결함이 발생하여 출근길에 갑작스럽게 이탈리아 로마로 해외출장을 가게 되었는데, 이탈리아 공항에 도착해서 작업장으로 이동하려다 라이언에어에 탑승하려 길게 줄지어 선 승객들이 스텝카(계단차)가 아닌 에어스테어(airstair)를 이용하고 있는 것을 보고 신기했다. B737 초기 오리지널, 클래식에서나 볼 수 있는 에어스테어를 이용하고 있는 것이다. 아시아나항공도 B737-400과 500을 운영할 때 승객의 불편함 호소와 중량문제로 탈거했었다. 본래 에어스테어는 승무원과 승객이 항공기에 타고 내릴 때 사용하는 항공기에 내장된 계단이지만 인천공항과 동남아에선 보긴 힘들었는데, 로마에서 보니 우리와는 다르구나 하는 생각이 들었다. 처음엔 B737 클래식(B737 2세대)인가 했는데, 검색을 해보니 B737-800이라 의외였다. 비행시간을 보니 한 시간 조금 넘는 곳으로, 비행기에 길게 줄지어 서서 당연하게 탑승하는 손님들을 보니 여행을 즐기는 사람들의 여유를 보는 듯 했다. 보통은 소형 여객기에는 에어스테어의 무게 때문에 항공사는 탈거하는게 일반적이고, 또, 승객의 입장에서도 임시 계단같은 느낌이라 기피하는데 자연스럽게 운영되는 걸 보니 비행기를 편리한 이동 수단으로 생각하는 사람들의 모습으로 보였다. 에어스테어는 소형기 기내의 내부 바닥 부분의 왼쪽에서 오른쪽까지의 많은 공간을 차지하고 있어서 정비 작업 발생할 때 그 부분을 먼저 탈거해야 하기에 불편했었다.

라이언에어 Ryanair DAC

설립년도: 1985년 보유 항공기 수: 283대,

아일랜드 기반 항공사로 유럽을 대표하는 저비용 항공사로, 그 규모도 유럽 1위이다. 게다가 탑승률도 전체 노선 평균 93 %로 세계적인 수준이다. 취항지는 대체로 서유럽 위주이나, 비유럽권에서는 유일하게 북아프리카의 모로코에도 취항한다.

제 2 장

B737 구조 및 특징

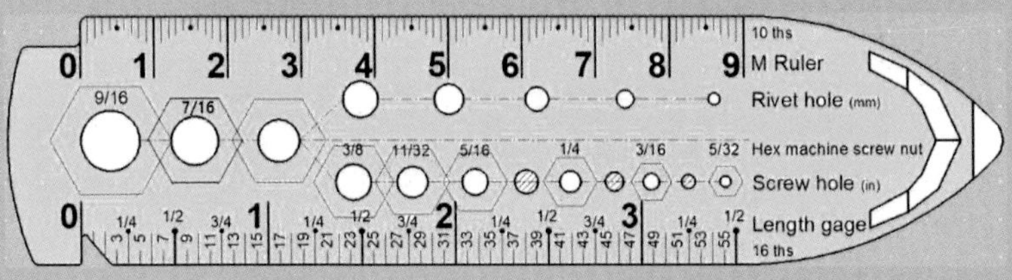

1. B737 동체의 역사

BOEING 707은 미국의 장거리 협동체 여객기로 BOEING 상업항공 (BCA: Boeing Commercial Airplanes)에서 개발 및 생산한 최초의 제트 여객기이다. 동체 단면적이 커서 6석 이코노미 좌석을 확보할 수 있었고, 이후 720, 727, 737, 757 모델에 유지되었다. B727-100 항공기 동체 프레임(frame) 간격은 20인치이며, B737-400 동체 프레임도 20인치 간격으로 제작되었다.

B727은 미국 BOEING사가 제작한 협동체 (narrow-body) 여객기다. 1958년에 B707 4발 엔진(quadjet) 항공기가 도입된 이후 BOEING은 더 작은 공항에서 더 짧은 비행거리에 대한 요구를 받아들였다. 1960년 12월 5일 유나이티드 항공과 이스턴 에어라인으로부터 각각 40대의 727기의 주문을 받아 취항했다. 최초의 727-100기는 1962년 11월 27일 출시되어 1963년 2월 9일 첫 비행을 했으며 1964년 2월 1일 이스턴에 취항했다. B727

의 동체의 외경은 148인치(3.8 m)로 B737과 같다. 이를 통해 18인치(46 cm) 너비의 표준 좌석을 설치할 경우 6개의 좌석(측면당 3개)과 통로 1개가 가능하다. 동체의 특이한 특징은 중앙부의 높은 동체 높이가 단순히 후방을 향해 유지되면서 날개의 앞쪽과 뒤쪽 아래쪽 로브 사이에 10인치(25 cm)의 차이가 있는 것이다. BOEING 737-100은 미국 BOEING사가 제작한 쌍발 엔진 여객기이다. BOEING 737-100은 30대가 생산되었는데, 그 중 22대를 구매한 루프트한자와 협의하여 개발되었다. 737-100은 Original-737 Family의 737-200과 함께 생산된다. 현재 737-100은 사용되지 않고 있다. 1967년 6월 12일에 첫 비행을 시작한 마지막 비행 가능한 모델인 737-100(L/N 3)은 2005년 페루에서 OB-1745로 운항되다가 마침내 페루에서 퇴역했다. B737-100은 길이가 94피트(28.65 m)였으며 115명의 승객을 태웠다. 잘 설계된 동체는 다음 사항이 충족되도록 보장하며, 동체 구조 설계에 널리 사용되는 세 가지 설계 방법 중에 세미 모노코크 동체는 일반적으로 다음과 같은 구조로 구성된다.

세미 모노코크(Semi-Monocoque)

공간 프레임 배열(스킨(skin)이 하중을 받지 않음)과 순수 모노코크 배열(스킨이 모든 하중을 받음) 사이 어딘가에 오늘날 항공기 구조를 구성하는 가장 일반적인 방법인 세미 모노코크 설계가 있다. 이 설계 방법론은 항공기 구조물 설계에 사용되는 주요 구조 재료로 강철이 아닌 알루미늄을 사용하는데서 탄생했다. 알루미늄은 강철에 비해 많은 장점이 있으며, 원칙적으로 밀도는 강철의 약 1/3이다. 일정한 구조 질량의 경우 알루미늄 섹션이 더 두꺼워져 스킨이 좌굴(buckling)에 대한 민감성을 줄여 결과적으로 보다 효율적인 구조를 생성할 수 있다.

참고: https://aerotoolbox.com/intro-fuselage-design/

https://aerotoolbox.com/category/intro-aircraft-design/

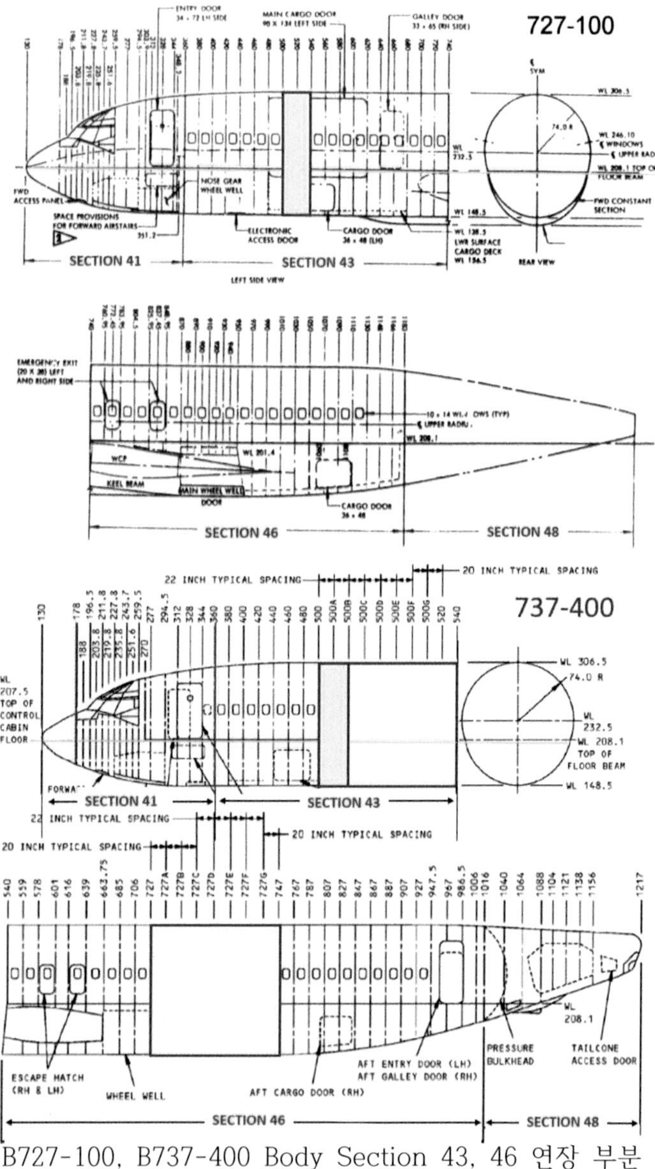

B727-100, B737-400 Body Section 43, 46 연장 부분

2. B737 항공기 수명

B737 항공기 수명은 어느 정도일까?
Aloha Airlines Flight 243를 통해 알아본다.

사건: 1988년 4월 28일, 힐로 국제공항에서 호놀룰루 국제공항으로 날아가던 BOEING 737-200 여객기가 금속 피로 파괴로 인해 공중에서 동체가 뜯겨 나간 사건으로 승객들은 모두 안전벨트를 매고 있어서 안전했으나 객실승무원 한 명이 기체 바깥으로 튕겨나가 사망했다.

사고 항공기 제원

- Type: Boeing 737-297
- Operator: Aloha Airlines
- Registration: N73711
- MSN/Line no: 20209/**152**
- First flight: 1969-03-28 (19 years 1 months)
- Total airframe hrs: 35,496 Cycles: 89,680
- Engines: 2 Pratt & Whitney JT8D-9A

  19.1년(229개월), 89,680 FC(Flight Cycles) &

35,496 (FH)Flight Hours.

89,680 FC/6,965일(229개월)=일일 12.875 FC (Flight Cycle) 주기적인 정비와 항공기 탑승 인원을 고려하면 일평균 15 FC, 1 FC에 25분 비행, 첨부된 동영상을 보니 4개 섬을 4회 순회 비행하는 유형이니 1일 16 FC의 일정한 비행을 한 것으로 보임

아시아나항공(OZ)의 B737-400, -500은 1988년에 도입하여 운영하다, 에어부산(BX)으로 보냈고, 이후 6만(FC)이 안된 상태에서 모두 매각 또는 폐기하였다. 대한항공(KE)의 737기종도 2000년 1월 도입 하였으니 5만(FC) 초중반 비행했을 것으로 예상되며, 다른 저비용 항공사도 대부분 비슷할 거로 본다. 항공기는 다른 기계와 달리 주기에 따라서 유지 보수 작업 뿐만 아니라 성능 향상 작업과 엔진과 바퀴다리 전체를 교환하기 때문에 일반 기계와 비교하는 것은 오류다. 한때 새 비행기, 헌 비행기 중고 비행기, 경년 비행기라는 표현을 쓰다 요즈음은 그런 표현을 거의 사용하지 않아 다행스럽게 생각한다. 2000년 후반부터 항공기 수명은 반영구적으로 사용하는 시스템으로 변경된 것도 이유 중 하나이며, 아주 사소한 결함도 비행기 수명과 함께 관리하고 반복 검사하는 방식으로 변경되었다. 비유하면 사람이 10대에 피부 찰과상을 입어 치료가 되었더라도 10년 주기로 검사하고, 넘어져서 다리가 부러졌었다면 완쾌되었지만 2~3년 또는 정해진 발걸음 횟수에 따라 영구적으로 반복적 검사한다고 보면 된다. 이처럼 항공기 기체 관리는 철저하다. 1세대인 B737-200 알로하 소속 항공기의 1988년 사고 발생 후 가장 많은 비행을 기록했던 아시아나항공(OZ)의 2세대 B737-400, -500 클래식 항공기로 국내 단거리 노선에 일일 10~15회(FC) 비행을 한 결과 동체의 가장 얇고 취약한 부분에 결함이 발견되기 시작했고 전면적인 검사가 시행되었다.

B737-200 동체 상부가 날아간 사건 후 까다롭고 철저한 비파괴(NDI)검사를 수행해야만 했고, 숨은 크랙(hidden crack)까지 찾아내야 했다. B737-400, -500 항공기들이 5만(FC)회 비행이 넘자 숨은 크랙들이 발견되었고, 작업은 계속되었지만 B737-200과 결함의 유형은 비슷하지만 발생하는 위치는 다른 곳이었다.

우리 나라에서 운영했던 2세대 B737-500(길이: 31 m)은 1세대 B737-200(길이: 30.53 m)과 거의 비슷한 크기였으나, 비행기 폐기 전에 윈도우 벨트 라인 모두를 비파괴검사(NDI) 했지만 결함이 단 한곳에서도 발견되지 않았다. 이는 알로하항공의 비행 패턴과 조금은 다르고 또, 향상된 기체 때문이 아닌가 한다. 그래서인지 B737 3세대인 NG는 이 결함에서 어느 정도 자유롭다.

1988년 알로하 항공 243편 항공기 지붕이 날아간 사건 이후 B737-200 항공기에 대해서 동체 사이드 윈도우 벨트 라인 보강 작업이 나오게 되었다. 지금까지 운영하고 있는 B737-200 항공기인 경우 사이드 윈도우 벨트 라인 보강을 했거나, 비행 횟수가 도달하지 않거나, 군용으로 사용하는 경우다. B737-300, -400, -500의 클래식도 동일한 비행기로 보강된 기체로 인해 유예가 되었으나, 비행 횟수가 증가함에 따라 보강 작업을 계획해야 했지만 한 달 넘게 작업하는 B747 대점검(D Check) 기간보다 더 많은 시간과 비용이 수반되어 항공사에서는 감내하기 어려운 작업이 되었다.

B737 1세대부터 4세대까지 동일한 동체 폭(3.76 m)을 가지고 있는 B737은 가장 안전한 기체중 하나다. B737-100(오리지널) 기체 28.65 m에서 B737 MAX 10에서는 43.8 m로 두 배 가까이 늘어난 길이는 또, 다른 변수지만 현재까지 검증된 결과로 볼 때 이 기체는 안전하다.

여러분이 생각하는 B737 수명은 어느 정도인가?

B737-200 N73712, N73713. 이 두 대 모두 사고기 N73711과 동년에 인도된 비행기로 그중 N73712는 해체 당시 **90,051 FC**를 기록하며 세계에서 가장 많은 이착륙(FC)을 기록한 B737이다.

영국(유럽)의 코메트(Comet) 비행기 캐빈의 사각형 객실 창문 피로 파괴 사고(코메트 동체 12시 방향 ADF 안테나 사각 창문이 최초 크랙 발생 지점이다)가 있었다면, 미국의 BOEING B737-200의 전방 기체 일부가 부식과 피로 파괴로 인해 날아갔던 사고가 있었다. B737 상부 동체 크라운((STGR-10R~10L) 구역 분리(떨어져 나감) 때문에 오버헤드 전선(wire) 묶음이 절단됐고, 조종석에 있는 회로 차단기 작동 되었으나 다행히 기내 서비스 품목이었으며, 천만다행으로 조종사의 산소 시스템은 손상되지 않아 긴급 강하 후 안전하게 착륙할 수 있었다. 이 사고로 항공기 기체 피로 파괴와 부식에 대한 전면적이고 대대적은 정비와 부식교육 프로그램이 만들어지는 계기가 되었다.

사고기 N73711, BOEING 737-297은 1세대로 1969년 제작되어 그 해 5월 10일에 인도되었다. 사고는 1988년 4월 28일, Aloha Airlines Inc가 243편으로 운항 한 Boeing 737-200, N73711은 24,000 피트에서 폭발적인 감압 및 기체 상부 구조가 뜯겨져 나가게 되었으며, 힐로 공항에서 하와이 호놀룰루까지 가는 도중에 사고가 발생했다. 기체 일부분으로 약 18 피트, 기내 출입구의 구조물 후미와 객실 바닥선(floor panel line) 위로 비행 중에 순간 분리 이탈 되었다. 미국 NTSB(국가교통안전위원회)는 알로하 항공사의 정비 프로그램이 심각한 결점 및 피로 손상의 유무를 감지하지 못해 결국 S-10L의 오버랩(overlap) 조인트와 동체 상부 기체 분리를 초래한 것이 이 사고의 가능한 원인이라고 발표 했다.

알로하 243 사고 원인으로는

1) 알로하 항공 경영진이 정비 인력을 적절히 감독하지 못한 점, 2) FAA가 Boeing Alert Service Bulletin SB737-53A1039가 제안한 모든 랩 조인트에 대한 감항 지침 87-21-08 검사를 요구하지 않은 경우; B737 콜드 본드 랩 조인트에서 초기 생산 문제가 발견 된 후 완전한 종결 작업 (Boeing에 의해 생성되거나 FAA에 의해 요구되지 않음)이 부족하여 본드 내구성, 부식 및 조기 피로 균열 발생했다. 사고기 알로하 N73711는 19년 동안 35,496 FH, 89,680 FC 이착륙을 수행 하였으며 정비 기간을 고려하면 일일 15 FC 비행을 한 것이다. 매번 30분 비행으로 단거리 비행이기에 고무줄을 빠르게 늘였다 원상태로 할 때 끊어지게 되는 현상과 비슷하다 보면 된다. 알로하 243편의 폭발적 감압은 동체의 두 패널을 고정시키고 있는 리벳의 상단 열을 따라 퍼져 있던 균열로 인해 발생했으며, 비행기에 탑승한 한 승객은 탑승교로 기내에 탑승할 때 문 오른쪽에 가로로 금이 가는 것을 목격했지만 이 사실을 조종사나 지상 직원에게 알리지 않았다고 한다. 사고기 N73711 Line No 152는 항공기 기체가 많은 비행 횟수(FC)와 부식과 피로 파괴가 발생하였지만, 근본적 사고 원인으로 Line No1-291까지 판재 두 개로 나이프 에지(knife edge) 발생 했으며, 랩 조인트 설계 및 접합 시 콜드 본드(cold bond)의 문제점이 컸고, Tear straps의 구조적 디자인도 부족 했다. Line No 292번 이후. 상판 판재를 두 장 핫 본딩(hot bonding) 나이프 에지(knife edge) 해결했으며, 핫 본딩으로 Chem milled-skin 제작 방법 개선하고, Tear straps이 오버 랩 조인트 된 Skin 하부까지 연장되어 Skin Crack이 발생하여도 통째로 떨어져 나가지 않도록 개선되었다.

B737-400/ -500 오버랩 조인트 부분 수리 경험으로 볼 때, 알로하 항공 737-200과 같은 사고는 재발하지 않도록 디자인이 개선되어 운영되었다. 다만 Chemical milled skin 0.036"(0.91 mm)인

치 두께의 변화는 없어 오버랩 조인트 부분 0.144"~0.160"(4 mm) 두께와 급격한 변화(0.9:4)로 인해 Chemical milled skin 0.036"(0.91 mm)에 Crack에 대하여 정기적으로 비파괴(NDI) 수행되었으며 Crack(hidden crack[2]) 포함) 확인된 경우 수리하였다.

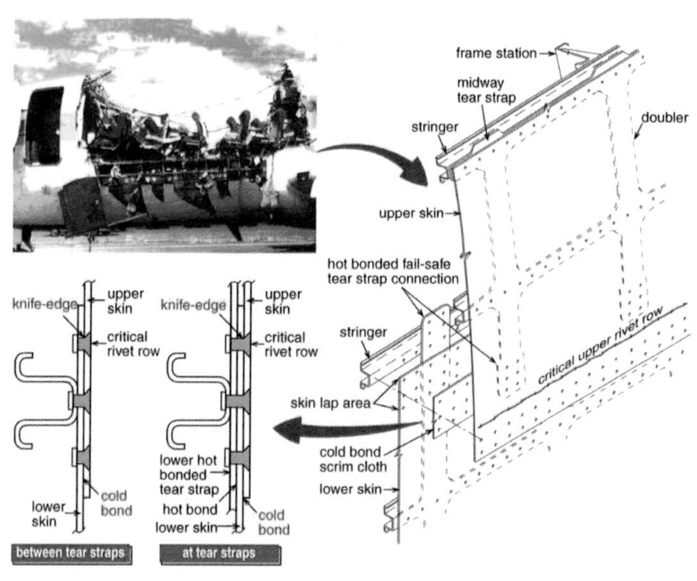

자료 및 영상

28 April 1988 | This Day in Aviation - https://www.thisdayinaviation.com/28-april-1988/

https://www.youtube.com/watch?v=nRuFJ9LoEW0&t=124s

---

2) Chemical milled skin에 대하여 와전류탐상검사(ECT: Eddy Current Testing) 임피던스 저항 값 15 % 초과 시 Crack 결함으로 수리한다.

3. 항공기 기계적접합

배와 비행기는 초기 제작 방법이 수작업과 천연소재를 이용하는 비슷한 면이 있었으나 현재는 제작에 있어 완전 다른 길을 가고 있다.

☞ 배: 야금학적 접합(용접)

☞ 항공기: 기계적 접합(파스너)

아마도 기술이 더 발전한다면 배나 비행기의 제작 방법이 같아질지 모른다. 지나온 역사를 돌아봐도 그게 언제일지는 가늠하기 어렵지만 그렇게 될 것이라 본다. 배가 비행기보다 접합 제작 방법에 있어서는 한 수 위다.

☞ 배: 자연 소재 → 리벳(파스너) → 용접

☞ 비행기: 리벳(파스너) → 본딩 접합(비금속)

1953년 영국의 코메트 비행기 사고가 구조적 디자인 한계로 인해 사고가 발생하였다 하나 펀치 리벳(punch rivet) 접합 방식이 가장 큰 문제였다고 본다. 이는 항공기 제작에 있어 지금까지 변화하지 않는 전통적인 영구 접합 방식인 리벳의 구조적 한계를 볼 수 있는 사건이었으며 결과적으로 연속된 코메트 사고가 비행기 창문의 모양을 바꾸게 되었다는 것이다. 일반적으로 코메트의 균열은 리벳을 박는(punch rivet) 과정에서 일어났고, 균열을 확대시킨 것은 사각형 모양의 창문이었다 하나, 개인적인 생각엔 펀치 리벳이 더 큰 구조적 문제였다고 본다. 항공기 펀치 리벳(punch rivet)은 코메트 사고 이후 사용하지 않으나 사각 창문(side window)은 둥근 형태로 변경 되었을 뿐이다. 현재 항공기는 여전히 사각 형태의 출입 도어를 사용 중이다. 이는 1988년 미국의 B737-200 항공기에서 발생한 동체 이탈 사건에서 찾아 볼 수 있다. 코멧, B737 모두 항공기 기체의 비슷한 지점에서 크랙은 비슷하나 더 큰 크기의 기체 일부가 떨어져 나갔음에도 기체 크랙이 더 확산되지 않고 B737은 안전하게 착륙했다는 것이다. 이는 리벳 접합 방식의 차이점이 아닐까 한다.

B737 기체의 더 큰 부분이 떨어져 나갔음에도 기체가 버틸 수 있었던 것은 파스너를 박는 Hole에서 찾을 수 있다. 항공기 파스너를 박은 Hole이 매끄럽게 가공됨으로 문제가 되었던 부분 이외의 구역이 잘 버텨주었기에 기체가 견뎠다고 본다.

B737 사고의 결정적 원인은 정비 부족, 그리고 이착륙 횟수가 권고 한계치를 넘어서 금속 피로 때문에 생긴 균열이었다. 이런 균열은 정비하면서 발견했어야 했지만, 발견하지 못한 채 기체는 비행을 계속하였다. 그래서 사고 당일, 비행 도중 더 이상 버티지 못하여 감압이 되자 동체 일부가 그대로 떨어져 나갔다는

사고 조사관들의 잠정적 결론이 나왔다. 그러나 근본적인 문제는 부족한 정비와 관리 프로그램이 사건의 주요 원인이라는 결론이 나왔으며, 항공사도 이에 대한 내용을 대부분 인정하였다. BOEING사가 사고 이전에 문제점에 대해서 여러 차례 항공사들에게 내용을 전파했으나 그 내용이 너무 복잡하고 일반 기술자들이 이해하기 어려웠다고 한다. 거기다 밤에 전깃불에 의존해 기체를 육안으로 점검 정비하는 등 작업 환경이 열악했으며, 내용을 제대로 이해하지 못한 항공사 정비사가 적합하지 않은 환경에서 일하다 생긴 참사라는 것이다.

항공기 제작의 기계적 접합(파스너) 방식은 크게 변화하지 않았으나 소재 측면에서 획기적으로 발전하였으며 이는 배와 비행기가 제작 방법이 같아지는 길로 가는 과정이 아닌가 한다.

☞ 배: 리벳(파스너) → 용접 → (?)
☞ 비행기: 리벳(파스너) → 본딩(비금속) → (?)

현재 탄소 섬유로 제작되는 A350, B787의 기체를 보면 기계적 접합의 한계인 체결 파스너 사용을 최소한으로 줄여 기체 결합 안정성을 높였다. BOEING과 AIRBUS를 대표하는 두 항공기의 가장 큰 변화는 기체를 고강도 탄소섬유로 제작한 것으로, 기존 알루미늄에서 탄소섬유로 제작한 것은 소재와 본딩 방식의 혁신이다. 현재 항공기는 이전 알루미늄 기체보다 제작에 있어 영구 결합 파스너를 반 이하로 줄였으며, 또한 항공기는 지난 과거 제작 실패를 거울삼아 최상의 안전을 추구하며 제작된다. 그래서 언제나 우리 모두 안전한 비행기와 함께 할 것이라 믿는다.

과거의 실패를 거울로 우리의 미래를 바라본다.
1953년 → (+35)1988 → (+35)2023 → (+35)2053

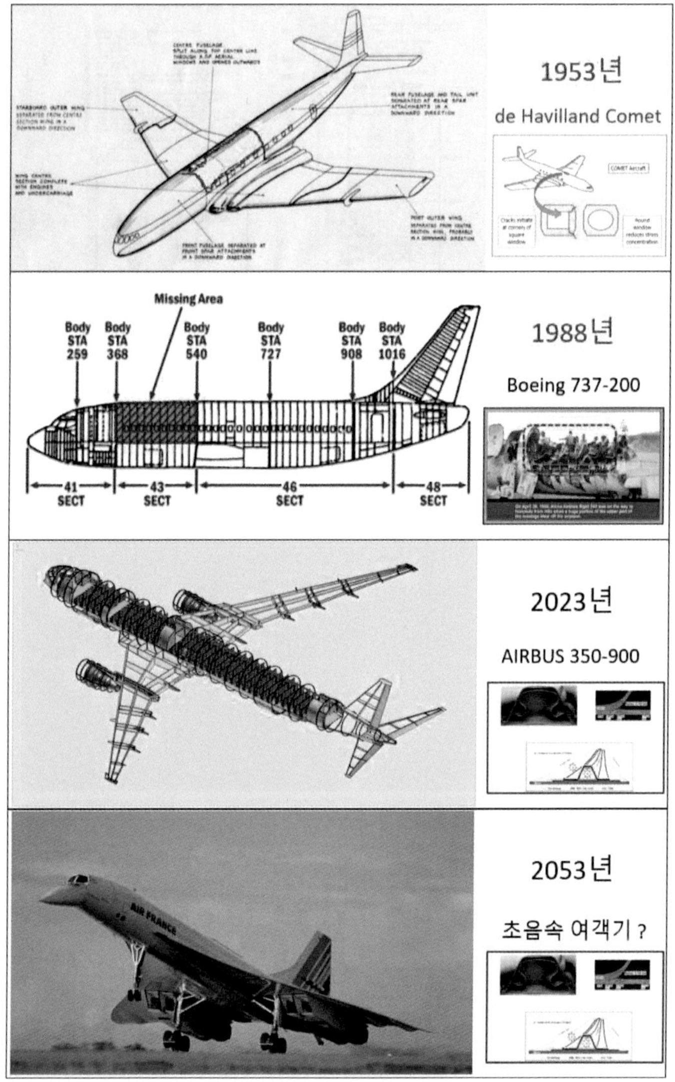

4. Nose Radome

Nose Radome은 항공기 가장 전방에 위치하며 압력 격벽(pressure bulkhead)의 상부에는 글라이드슬로프 안테나, 가운데는 기상 레이더, 하부에는 로컬라이저 안테나가 위치하는데, 그 기능을 방해하지 않도록 Honeycomb을 이용하여 제작된다. Honeycomb은 비금속 구조로서 벌집 형태를 기본으로 구성하는 비금속 스트럭처가 내부에 있으나, 전체적인 힘은 벌집 구조가 받는다. 상부 약 5 % 정도는 눈사람 모양의 Honeycomb cell을 사용하여 360° 방향의 유선형을 만들 수 있게 하며, 나머지 부분은 일반적인 육각형 벌집으로 제작된다. 이곳에 사용하는 B737의 경우 육각형의 Honeycomb cell의 크기는 미국은 미국단위계인 인치를 기준하여 제작되었으며, 그 크기는 3/32“ 1/8” 5/32“ 3/16” 1/4“로 셀의 크기를 나타낸다. 유럽의 AIRBUS는 2.4 mm(3/32“), 3.2 mm(1/8”), 4.0 mm(5/32“), 4.8 mm(3/16”),

6.4 mm(1/4")와 같이 미터법으로 셀의 크기를 표기한다. 우리가 보기엔 같아 보이지만 미국의 BOEING과 유럽의 AIRBUS는 확연히 다른 것이라 한다. 비금속 재질의 Nose Radome은 번개에 맞으면 전류가 흐르지 않고, Radome이 손상될 수 있어 diverter strip을 장착하여 번개가 외부로 흐르도록 유도한다. 신형기들은 Diverter strip이 외부로 돌출되지 않아 마치 없는 것처럼 보이나 Nose Radome에 숨겨져 있다.

Nose Radome의 특이함은 일반 기체 구조와 다르게 위치 표시인 Station을 잘 사용하지 않는다. 이유는 항공기 제일 앞부분에 위치하다 보니 빈번하게 손상되며, 작은 손상에도 비행에 큰 위해 요소로 작용해서 교환해야 하기 때문이다. 손쉽게 교환 할 수 있는 구조로 제작된 것도 특징이며, 그래서, 비행전후 가장 꼼꼼하게 점검하는 부분이기도 하다.

육각형의 크기는 10진수보다 12진수가 쉽다.

그림 출처:
:https://www.sciencedirect.com/science/article/pii/S0020768315004266

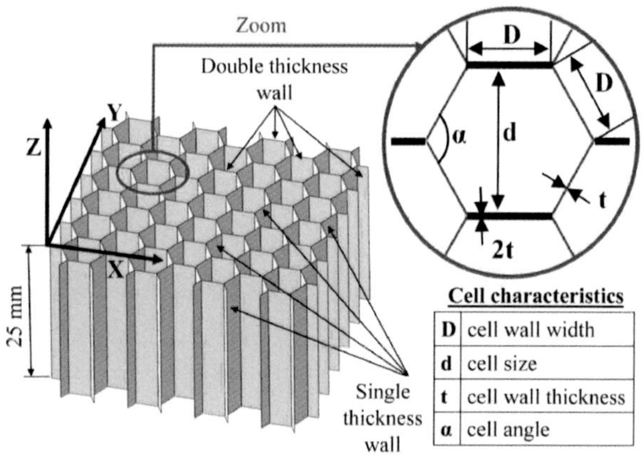

5. FWD Pressure Bulkhead

B737 1세대인 B737-100, -200 Originals이 1967년 성공 후, Classic인 B737-300이 1984년 초도 비행에 성공했다. 아시아나항공에 도입된 B737-400은 1988년 2월 19일 초도 비행에 성공했으며, 같은 해 10월 항공사에 취역했다. 아시아나항공 창립기념일이 1988년 2월17일로 B737 기종 선택은 탁월한 선택이었다. B737 2세대가 전 세계에 운영 되면서 다양한 기골의 문제점들이 노출되었고, 클래식 중 가장 먼저 개발된 B737-300은 클래식의 맏형으로 모진 풍파를 이겨가며 운항하면서 새로운 항공역사를 써 나갔다.

B737-500 1호기는 사우스웨스트에 1990년 2월 28일 인도되어 비행을 시작했다. B737-400/-500 도입 10년차 대점검기간(D CHK) 항공기 기체 수리 작업이 있어 문의하면 BOEING사는

B737-300 매뉴얼(SRM)을 보내주면서 참고해서 수리하라고 했다. B737-300은 같은 클래식이지만 -400/-500과는 다른 기체였던것 같다. B737-400/-500을 10년 정도 운영하니 구조적 개선이 필요한 부분이 나타나기 시작했는데, 그곳이 바로 Nose FWD pressure bulkhead다. 처음에는 특정 부분에 점검창(사진의 점검구 2개)을 만들어 점검 하라하더니 나중에는 전면부 모두 비파괴 검사를 하라고 했다.

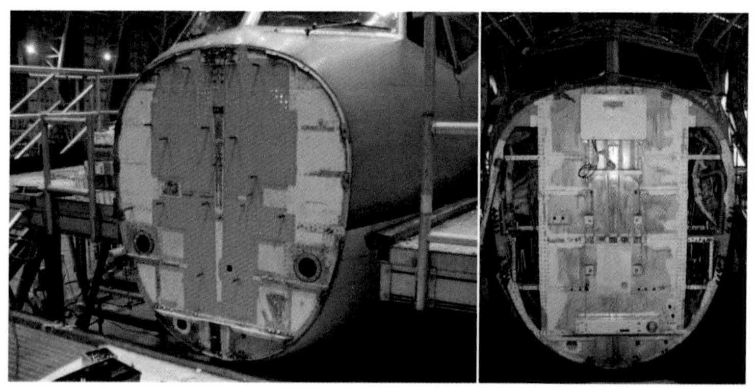

B737-400/-500 Nose pressure bulkhead repair

비파괴(NDI)검사를 해서 크랙이 발견되면(Hidden crack 포함) 그 부분에 일부 보강 작업을 했는데, 점차 여러 곳에서 크랙이 발견되자 사진처럼 구조적으로 힘을 받는 부분에 보강판재를 덧대는 작업지시가 내려졌다. 벌크헤드 보강 작업은 조종석 대부분을 들어내는 작업으로 긴팔, 작은 손의 신체적 특성이 있는 작업자가 선정되기도 했었다. B737-300은 클래식의 맏형으로 부식 피로에 대한 표준서를 제정하는 계기를 만들게 한 기종이기도 하다. 항공기 기체 수리 작업자로 수리 및 개조를 하던 당시의 작업 사진을 보니 B737 클래식이 B737 기체가 완성 단계로 가던 길목의 비행기였던 것을 확인하게 된다. 이후 개발된 B737 NG는 이 결함이 없어서 B737이 1967년 처음 운항되고난 이후 B737 NG의 최초 형식인 B737-700이 1993년 12월 8일 출고되었으니, 약 26년 만에 완벽한 기체가 생산된 것이라 볼 수 있다.

항공 기체의 산물은 기나긴 노고의 결과물임을 알 수 있다. 개선과 보강 작업이 미국과 유럽의 자본주의 방식이라면, 러시아(구소련)는 손상되면 손상 부분만 교체하는 방식으로 한다.

사진 출처: https://blog.naver.com/spsssjk/221430632058
보잉필드에서 조립중인 B737 1호기

좌: 중국/ C919 Nose pressure bulkhead
우: 유럽 AIRBUS / A320 Nose pressure bulkhead

B737-400은 1988년 2월 19일 초도 비행에 성공했으며, 같은 해 10월 항공사에 취역한 B737-400이 불안정한 Nose pressure bulkhead였다면, 1987년 2월 22일 초도 비행한 A320 1호기는, AIRBUS사가 A300의 중형기로부터 개발을 시작한 이유에서인지 Nose pressure bulkhead를 튼튼하게 제작했다.

A320의 Nose pressure bulkhead는 튼튼하게 제작한 이외에 추가로 다양한 외력에 의한 노우즈 레이돔 손상시 발생할 수 있는 최전방의 조종사를 보호하기 위해 보강 판재까지 덧붙였다.

추가로 중국에서 개발한 C919을 보면 A320을 빼다 박아 놓은 듯하다. 소형기 분야에서 B737이 선두에 서서 달리다가 A320의 출현으로 경쟁하게 되었고, 이제는 2017년 5월 5일 상하이에서 첫 비행한 C919까지 합세하는 형국이 되었다.

6. Nose

항공기 구조(Structure)는

① 트러스 구조(Truss Structure),

② 모노코크 구조(Monocoque),

③ 세미 모노코크(Semi-monocoque) 구조로 나뉘게 된다.

이 가운데 항공기 스트럭처 중 가장 다양한 특성을 가진 곳이 조종석이 있는 노우즈(nose)다. 항공기의 노우즈라는 명칭은 대부분의 민항기(B737 포함)의 경우 Section 41 승객 출입구 L1 도어까지를 노우즈(사진)라 한다.

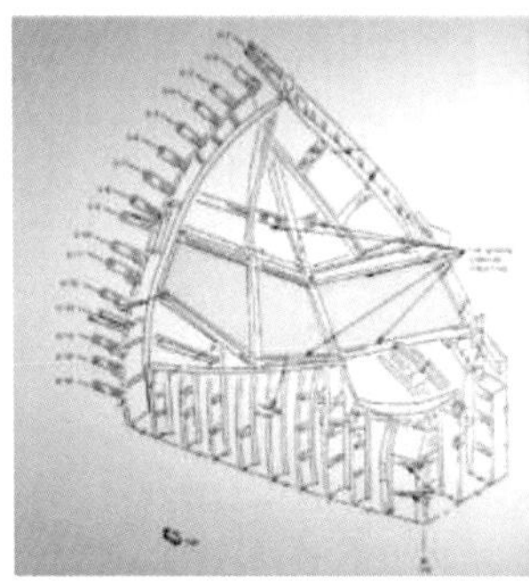

사진 출처: BOEING사 홈페이지

B737 항공기에 사용하는 미국 단위계를 기준으로 다시 항공기를 보겠다. 조종석은 트러스와 모노코크 구조이며 승객이 탑승하는 부분은 세미 모노코크 구조다. 동급의 항공기 BOEING과 AIRBUS는 같은 세미 모노코크 구조여도 AIRBUS는 동체 스킨이 더 하중을 많이 받도록 두껍게 제작되었다. 물론 서로의 장단점들이 있다.

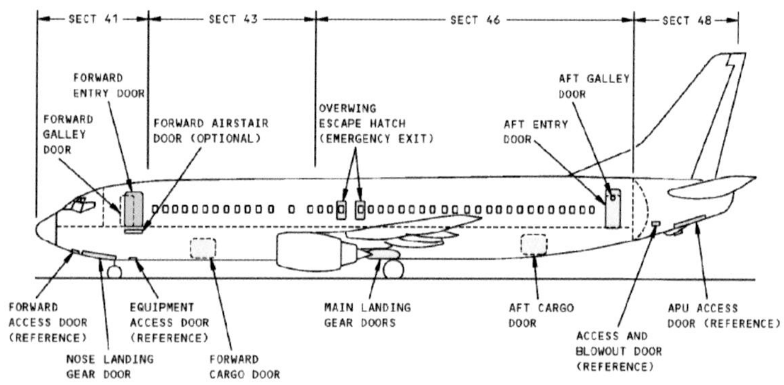

그림의 B737 Section 41이며 대부분의 항공기가 이러한 구조이며 노우즈(콘) 레이돔 후방부분은 공간이 작기 때문에 벌크헤드 구조로 되어있다. 사람의 머리에 해당하는 조종석과 앞바퀴가 들어가는 노우즈 랜딩 기어가 들어가야 할 공간도 있어야 하기에 튼튼한 트러스 구조가 필요하다. 좁은 공간에 항공기 전체를 조종하는 기계, 전기, 전자 장비로 인해 프레임(frame)이 8~10 인치 간격으로 배치되어 있고, 그 외 캐빈은 20~21 인치 간격으로 되어 있다. 항공기 치수단위가 크고 십진수이기에 보는데 부담이 없으나 실제 현장에서 사용하는 1인치 이하 공구와 치수들은 처음 접하는 경우에는 낯설지만 사용하면서 자연스럽게 익숙해지는 것 또한 사실이다. 항공기 노우즈는 사람 얼굴의 눈, 코,

귀, 입이 있듯, 보고, 듣고, 말 할 수 있다. 추가로 비행기의 스킨(skin)에는 외부의 상태를 감지할 수 있는 다양한 센서(sensor)들이 가득하며, 이들 센서들을 제어하는 장비들 또한 조종석 아래에 이중 삼중으로 빽빽하게 위치하고 있다. 이러한 항공기 동체 노우즈 구조는 세미 모노코크 구조가 기본이지만, 트러스와 모노코크를 조합한 구조로 보는게 더 이해하기 쉽다. B737 노우즈(nose)와 동체(body)가 연결되는 원형 부분은 일정한 간격으로 여압을 분담할 수 있게 내부 기골이 제작되었다. 노우즈 내부 기골은 다양한 센서와 장비의 크기와 용도에 따라 간격이 일정하지 않고 필요한 목적에 따라 간격이 정해진 것으로 보인다. 동급의 A320F도 일정한 간격이 아닌 B737과 거의 흡사한 불규칙성을 가지고 있는데, 불규칙성도 동급 소형기여서 그런지 비슷하다.

B737 Frame STA(BS) 178, 188, 196.5, 203.8, 211,,,

이런 불규칙한 구조의 노우즈 부분에 새가 부딪히거나(bird strike) 다양한 외력에 의해 기체가 손상될 때 수리 또는 교환하기가 매우 어렵다. 노우즈 부분 스킨 교환은 조종석 내부 전체를 들어내는 것(remove)이 기본이다. 스킨을 수리 또는 교환하면 내부 전자 장비 모두를 작동 점검을 해야 하는데, 이 작업의 경우 기체 수리나 교환하는 시간과 비슷하거나 오히려 더 많은 시간을 필요로 한다. 사람의 얼굴에 상처가 나면 원형을 추구하며 미용까지 고려하듯 항공기의 스트럭처 수리·개조도 그렇게 한다.

참고: 항공기 기체(스트럭처) 구조

1. 트러스(truss) 구조

항공기 제작에 제일 먼저 사용된 구조다. 구식 비행기로 트러스 구조는 목재 또는 강관으로 트러스를 이루고 그

위에 천 또는 얇은 합판이나 금속판으로 외피를 씌운 구조를 말한다. 트러스 구조에서는 항공기에 작용하는 모든 하중을 이 구조의 뼈대를 이루고 있는 트러스가 담당한다. 외피는 항공 역학적 외형을 유지하여 양력 및 항력 등의 공기력을 발생시키는 역할을 한다.

2. 모노코크(monocoque) 구조

모노코크 구조는 정형재와 벌크 헤드에 두꺼운 외피를 입혀 내부 공간 마련을 용이하게 제작하는 형태이다. 외피가 두꺼운 이유는 대부분의 하중을 외피에서 담당하기 때문이다. 이 때문에 항공기 자체가 무거워지고 작은 손상에 의해서도 전체 구조에 영향을 줄 수 있기 때문에 현대에서는 미사일에만 이 형태를 채택하고 있다.

<u>모노코크</u>:

모노코크("단일 쉘"을 의미하는 프랑스어) 구조는 알루미늄 음료 캔처럼 거의 모든 하중을 지지하기 위해 응력을 받는 외피를 사용한다. 모노코크 구조에서는 다양한 크기의 굴착 장치, 포머 및 격벽이 응력을 받는 외판 동체에 모양과 강도를 부여한다. 모노코크 구조는 매우 강력하지만 표면 변형에 대한 내성이 낮다. 예를 들어, 알루미늄 음료는 캔 끝 부분에서 상당한 힘을 지탱할 수 있지만, 하중을 지탱하는 동안 캔 측면이 약간 변형되면 캔이 쉽게 무너진다. 대부분의 비틀림 및 굽힘 응력은 개방형 프레임워크가 아닌 외부 스킨에 의해 전달되므로 내부 브레이싱의 필요성이 제거되거나 감소되어 무게가 절약되고 공간이 최대화 된다. 모노코크 구조를 사용하는 주목할 만한 혁신적인 방법 중 하나는 Jack Northrop이 사용했다.

3. 세미 모노코크(semi-monocoque) 구조

앞서 말한 모노코크 구조의 단점을 보완하기 위하여 모노코크 구조에 뼈대를 이용해 만들어진 것이 바로 세미 모노코크 구조다.

세미 모노코크 구조는 모노코크 구조와 달리 하중의 일부만 외피가 담당을 하고, 나머지 하중은 뼈대가 담당하게 하여 기체의 무게를 모노코크에 비해 줄일 수 있는데, 현대 항공기의 대부분이 채택하고 있는 구조형식으로 정역학적으로 부정정 구조물(不整定構造物)이다. 세로 부재(길이 방향)로는 세로대(longeron), 세로지(stringer)가 있으며, 수직 부재(횡방향)로는 링(ring), 벌크헤드(bulkhead), 뼈대(frame), 정형재(former)가 있다.

7. L1 Door

B737 항공기 승무원과 승객이 이용하는 출입문이 열리는 공정은 도어(L1 Door)가 안쪽으로 살짝 들어가면서 문 위아래의 작은 문(gate)들이 안으로 접혀 도어의 상하 길이를 작게 만든 다음 안에서 외부로 빠져나온다. 안쪽으로 살짝 들어간 도어는 두개의 지지 힌지(hinge) 피팅을 중심으로 180˚ 큰 원을 그리며 회전하면서 왼쪽 조종석 후방 쪽에 기대 고정되면서 완전하게 열린다. 출입문을 닫을 때는 다시 반대의 공정으로 이루어지기에 출입문은 항상 많은 힘을 받게 된다. 출입문을 닫을 때는 다시 반대의 공정으로 이루어지기에 출입문은 항상 많은 힘을 받게 된다. B737 Section 41 L1 Door는 문(Door)이 문(gate)을 열어 길을 터 주어야 사람들이 출입 가능하도록 완전하게 열고 닫히는 구조여서 사람이 출입하는 큰 도어이지만 도어 하나에 위아래로 두 개의 작은 문들이 추가로 설치되어 당연히 숨은 결함들이 다수 발생 할 수 밖에 없는 구조다.

B737 출입문의 정식 명칭은 Passenger/Crew Entry and Galley Door로 조종석 후방 왼쪽의 승객들이 탑승과 하기하는 곳은 Passenger/Crew Entry Door로 'L1 Door'로 표기한다.

대부분의 B737은 L1, L2, R1, R2 4개와 추가로 Overwing Escape Hatch(Emergency Exit) Door가 좌우측 2개씩으로 총 8개가 있는데 가운데 Escape Hatch 4곳은 항공기 정비와 비상시 사용되기에 일반적으로는 사용하지 않는다. 입사 후 얼마 지나지 않아 첫 야근에 B737 L1, Passenger/Crew Entry Door 하부 Gate hinge(경첩) 교환 작업을 하게 되었는데, 작업 지시 사항(note)을 정확히 이해하지 않고 작업을 수행하다가 결국은 탈거했던 경첩을 다시 원위치 해야 하는 작업 실수를 범했다. 일찍 출근한 관리자들은 원인 파악을 하고 난 뒤 크게 질책하거나 경위서 제출을 요구하지 않았지만 그런게 더 창피했다. 한편으론 항공기 스트럭쳐 기본과 경험이 없어 그런 것이라는 말이 뼈를 때렸다.

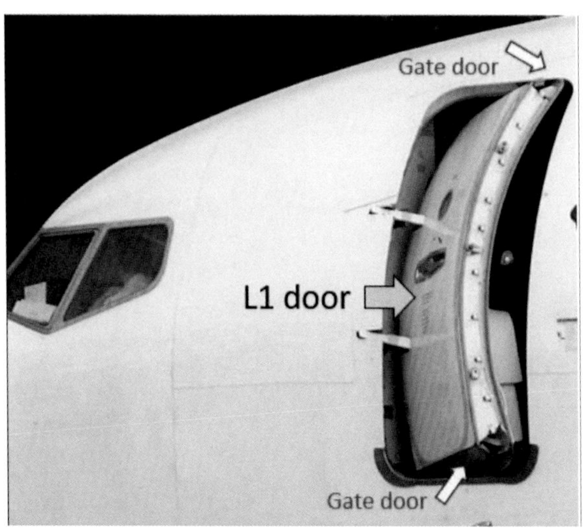

항공기 L1 Door and Gate door

입사하여 처음 야간에 단독으로 작업 수행하는 것으로 작업 지시서의 Warning과 Caution은 꼼꼼하게 읽고 이해했지만, 작업에 대한 지시사항(note)을 정확하게 이해하지 않았다. Note에서 언급한 항공기 도어(L1)의 힌지와 게이트 도어 간격 조절하여 Hole을 가공하라는 절차를 지키지 않았기에 작업 실수가 발생했다. 정확하게는 작업 지시사항(note)을 인지는 하였지만, 도어가 항공기에 장착 상태가 아닌 작업대 위에서 기존의 간격을 가늠하여 Hole을 가공했기 때문이다. 문과 문(gate)사이의 경첩(hinge)의 움직임은 중심점에서 양쪽이 다르게 이동하는 특성을 정확하게 이해하지 못한 상태에서 가늠한 측정치 위치에 Hole 가공을 했기 때문이었다. 하부 Gate door에 직각이 아닌 보강된 Hinge(경첩)을 장착하고 항공기 문을 닫자 L1 Door 자체가 닫히지 않는 것이다. 이로 인해 첫 비행이 취소되면 더 크게 문제될 수 있었기에 본래 파트를 장착하는 것으로 결정이 되었고, 아주 짧은 시간에 복원 작업을 마치고 첫 비행은 이상 없이 지원되었으나, 그때 실수했던 Hinge(경첩)는 버리지 않고 보관하고 있다가 공용 공구 박스에 접합하여 두고두고 봤다. 지나고 보니 신고식이 거창한게 나쁜건 아닌것 같다.

gate

1. 명사 (건물 담이나 울타리에 연결된) 문, 정문, 대문 (→lychgate, starting gate)
2. 명사 (문이 달린) 출입구
3. 명사 (물의 흐름을 통제하는) 수문

Warning: 사람과 기계 손상의 경고 사항.

Caution: 기계 손상의 경고 사항.

Note: 공정, 절차 참고 사항.

참고: https://www.youtube.com/watch?v=cxzLNBlDVbE

8. Winglets

아시아나항공(OZ)에서 B737-400/-500을 운영할 당시 블렌디드 윙렛(Blended Winglets) 장착을 고려했으나, 당시 유가가 배럴당 30달러 정도로 장착 비용대비 효과가 미비하여 장착하지 않았다. 블렌디드 윙렛으로 개조 장착하면 약 5년 정도 운영하고 그 이후 비용 대비 효과가 발생하나 당시의 유가는 현재에 비해 저렴했었다. 대한항공(KE)에서는 B737NG를 도입·운영하면서 블렌디드 윙렛(Blended Winglets) 장착을 자체적으로 했다. 대한항공(KE)에서는 예전부터 지금까지 대부분 민항기의 윙 팁을 항공기 제작사인 BOEING과 AIRBUS에 납품하고 있어서 자체 제작하여 납품한 블렌디드 윙렛(Blended Winglets)을 B737 항공기에 장착하는 작업은 수월했다. 대한항공은 당시 BOEING에서 권고한 개조 장착 시간의 절반에 작업을 한다고 하니 BOEING에서 실사를 왔는데, 이틀 만에 그냥 돌아갔다고 한다.

Blended, Split Scimitar, Split Winglets 모두 비행 안전성과 연료저감 효과를 가지지만 번개에 취약한 단점을 가지고 있다. 산꼭대기 나무가 번개에 가장 빨리 맞는 위치이듯, 항공기 날개 끝은 점검할 때 주의 깊게 살펴야 하는 곳이다. 추가로 정비나 조업의 지상 근무자들은 항상 주의 깊게 자신의 안전을 먼저 생각하고 이동해야 한다.

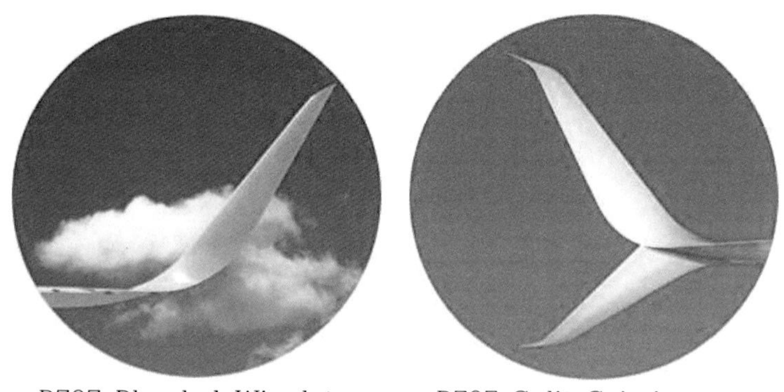

B737 Blended Winglets　　B737 Split Scimitar

Blended Winglet Technology was patented in 1994 by Dr. Bernie Gratzer, Chief of Aerodynamics at Aviation Partners - Patent No. 5348253

1. 블렌디드 윙렛은 반경이 넓고 날개가 윙렛과 결합하는 전환 영역에서 부드러운 코드 변화로 설계되었다. 이를 통해 최적의 공기 역학적 하중을 허용하고 항력을 생성하는 와류의 집중을 방지합니다. Aviation Partners의 블렌디드 윙렛은 각진 전환이 있는 비슷한 크기 윙렛에 비해 60 % 이상 더 큰 효과를 입증했다. Aviation Partners Boeing(APB)은 상업용 항공기용 첨단 기술 윙렛 시스템의 설계, 인증, 생산 및 마케팅 분야의 세계적인 선도업체다. BOEING사는 1990년대 후반에 BOEING 비즈니스 제트기에 블렌디드 윙렛 기

술을 처음 채택했다. 블렌디드 윙렛은 현재 737-BBJ, 737-800, 737-700, 737-300, 757-200, 737-500, 737-900ER, 737-900, 737-C40A, 757-C32, 767-300ER/F 및 757-300을 포함한 8,386대의 BOEING 항공기에서 운항 중이다(인증 순서대로). 연료 및 배기가스 배출량 절감은 진정한 "On The Wing!"이다.

2. Split Scimitar Advantage는 Boeing사가 개발한 항공기 날개 끝에 설치되는 공기역학 장치 중 하나다. 이 장치는 Split Winglet의 업그레이드 버전으로, 더욱 효율적인 비행을 가능하게 한다. Split Scimitar Advantage는 Split Winglet과 유사한 모양을 가지지만, 더욱 뾰족하고 날카로운 디자인을 가진다. 이것은 블렌디드 윙렛과 마찬가지로, 날개 끝에서 발생하는 소용돌이를 감소시키는 데 효과적이다. Split Scimitar Advantage는 또한 Split Winglet과는 다르게, 추가적인 공기역학 장치를 통해 더욱 효율적인 비행을 가능하게 한다. 이것은 대기 저항을 최대 2.2 %까지 감소시키며, 연료 소모를 최대 1.8 %까지 감소시킨다 한다. Split Scimitar Advantage는 Boeing 737NG와 Boeing 737 MAX 시리즈 등 다양한 항공기에 적용된다. 이 기술을 사용함으로써 항공사는 비행 중에 연료를 더욱 효율적으로 사용할 수 있으며, 이는 시간이 지남에 따라 큰 비용 절감을 가져올 수 있다.

B737 Blended Winglets

○ Blended Winglets

737-300, -500, -700, -800, -900

757-200, -300

767-300ER

Gulfstream G550

참 고:

B737MAX: BOEING은 B737MAX 스플릿 팁 윙렛이 시중의 다른 윙렛보다 더 효율적인 설계라고 주장하며 연료 사용량을 최대 2.2 %까지 줄여 항공사들이 매년 수억 달러를 절약할 수 있다고 주장한다. 737 MAX에는 BOEING의 트레이드마크인 스플릿 윙렛(스플릿 시미터 윙렛이라고도 함)이 장착되어 있다. B737 MAX AT 윙렛이라고 불리는 이 윙렛은 혼합형, 스플릿시미터형, 레이크형 윙렛의 특징을 통합한 독특한 디자인이다. BOEING은 이 디자인이 '모든 윙렛 중 연료 효율성 향상에 가장 큰 기여를 한다'고 자랑스럽게 주장한다.

참고:

Why Does The Boeing 737 MAX Have Split Winglets? - https://simpleflying.com/boeing-737-max-split-winglets/

http://www.aviationpartnersboeing.com/press_news_interview.php

http://www.aviationpartnersboeing.com/products_list_prices.php

http://www.aviationpartnersboeing.com/products_737_900_900ER.php

http://www.aviationpartnersboeing.com/press_news_interview.php

9. Nacelle/Pylon

SRM(classic기준)에 Nacelle/Pylon은 4개로 분류된다.

1. **INLET COWL SKIN**- CFM56-3 ENGINE 54-10-01

1. **FAN COWL SKIN**- CFM56-3 ENGINE 54-20-01
2. **FAN DUCT COWL AND THRUST REVERSER SKIN**- CFM56-3 ENGINE 54-30-01
3. **TURBINE EXHAUST STRUCTURE**- CFM56-3 ENGINE 54-40-02
4. **STRUT SKIN**- CFM56-3 ENGINE 54-50-01

B737 항공기의 가장 큰 특징은 찌그러진 엔진 공기흡입구로 공식 명칭은 Inlet cowl이다. 일반적으로 엔진 덮개로 표현되지만 엔진의 입이 더 맞을듯하다. 항공기 엔진 가장 전방에 위치해서 엔진에 사용되는 공기를 효과적으로 흡입하도록 하며, 추가로 고속의 공기와 다양한 대기 조건의 낮은 온도로 인해 엔진 흡입구 표면(Lip skin)에 얼음이 어는 것을 방지하기 위해 뜨거운 열

이 내부에서 순환하는 Thermal anti-icing system 구조로 되어있다. B737 비행기가 등장했을 때, BOEING 737은 둥근 엔진 공기흡입구를 가지고 있었다. 하지만 1985년에 BOEING은 더 많은 승객들을 태울 수 있도록 B737을 재설계하기로 결정했으며, 그것을 할 수 있는 유일한 방법은 기체를 늘리는 것이었다. 그래서 둥근 엔진을 가진 BOEING 737-200을 늘렸고 BOEING 737-200의 확장된 버전의 생산을 시작했다. 그 결과 BOEING은 B737 클래식 시리즈라고도 불리는 737-300/-400/-500 모델을 출시했다. 문제는 디자인과 성능을 향상한 후속 모델에서 나타났다. BOEING사는 클래식 기종을 선보이며 엔진을 키우고 성능을 높였는데, 기존의 기체 크기 변화가 없는 상태였기에 날개에 장착된 엔진의 크기가 커지다 보니 크기가 커진 엔진이 땅에 닿는 문제가 발생했다. BOEING사 항공기 설계 엔지니어 팀이 짜낸 묘안은 바로 찌그러진 엔진 공기흡입구다. 엔진 공기 흡입구 아랫부분을 최대한 평평하게 만들고 옆으로 늘려 타원형을 만들고, 엔진 위치 또한 날개 '아래'가 아닌 날개 '앞쪽'으로 이동시켰다. 그 결과 새로운 엔진을 장착한 B737기는 지면과 엔진까지 공간을 기종별로 46 cm~ 56 cm까지 확보할 수 있었다. 항공기 엔지니어들은 찌그러진 엔진 흡입구 모습이 마치 햄스터의 볼록할 볼을 닮아 '햄스터 볼 주머니'라고 부른다. B737 엔진의 찌그러진 흡입구 Lip skin 재질은 알루미늄 2219T62이며, 두께는 0.100"(2.5 mm)로 외부 충격과 고열에도 잘 깨지지 않는 특성이 있다. 비행중 발생하는 버드 스트라이크에도 잘 견디게 설계 되었는데, 특히나 엔진으로 흡입되는 공기에 영향을 줄 수 있기에 눌림(dent)에 허용하는 손상 범위가 0.050"(1.2 mm)매우 작다. 엔진의 위치가 날개 하부가 아닌 날개 앞에 있어 다른 기종보다는 엔진에 발생하는 버드 스트라이크가 다소 덜한듯 하나, 일단 발생하면 찌그러진 모양으로 인해 수리하기가 더 어렵다. 버드 스트라이크 외에도 작업대, 기내 음식 서비스 차량, 그리고, 다양한 원인으로 큰 눌림(dent)이나 찌그러짐이 발생하기도 한다. 이 경우 B737 Lip skin은 4조각으로 되어 있는데, 큰 손상의 경우 해당 부분의 Lip skin을 교환하는 작업을 우선하며, 작은 손상이 발생하여 허용치(Allowable limit) 초과한 경우는 손상 부분을 절단하고 내부에 보강 판재를 대고 외부는 돌출하지 않는 방식으로 수리를 한다. 이러한 수리 방식은 항공기 기체 외부에 덧대는 방식과 다르게 엔진 내부로 흡입되는 공기 흐름을 방해하지 않게 매끄럽게 수리해야 하는게 원칙이다. Inlet cowl lip skin repair는 내부 접근이 불가하나, 접근이 가능한 보강 판재와 필러는 Solid rivet BACR15GF5D( )을 사용하고 표면을 매끄럽게 하는 부분은 Blind rivet NAS1399CW5-( )으로 장착하고 마무리한다.

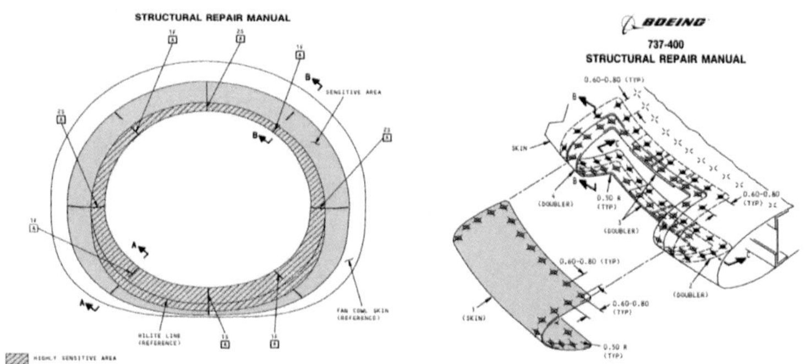

B737 Inlet cowl flush repair

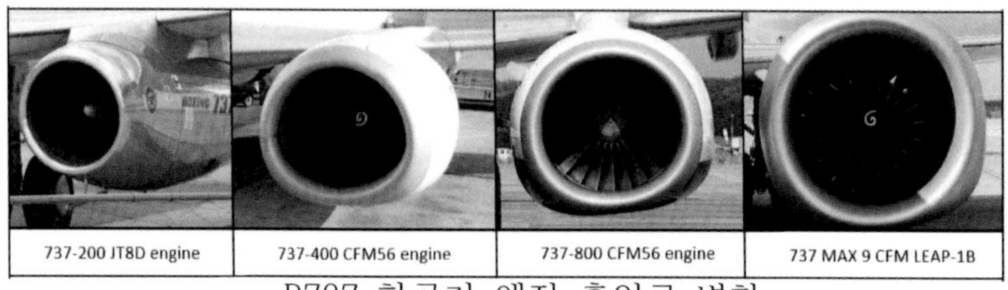

B737 항공기 엔진 흡입구 변화

10. SRM 이해

SRM Numbering system

CHAPTER 51

- GENERAL INFORMATION 정보 제공
- GENERAL REPAIR PROCEDURE 제공
- CHAPTER 51 - GENERAL
- CHAPTER 52 - DOOR
- CHAPTER 53 - FUSELAGE
- CHAPTER 54 - NACELL PYLON
- CHAPTER 55 - STABILIZER
- CHAPTER 56 - WINDOW
- CHAPTER 57 - WING

CHAPTER 52 - 57

PAGE BLOCK 1 - IDENTIFICATION

PAGE BLOCK 100 - ALLOWABLE DAMAGE

PAGE BLOCK 200 - REPAIR

ALLOWABLE LIMIT의 적용

허용 손상은 구조적 본래의 형상에 영향을 미치거나 구성 요소의 기능을 저하시키지 않는 경미한 손상으로 허용 손상은 다른 비행 제한 없이 허용되는 손상으로 정의됩니다.

ALLOWABLE LIMIT 적용을 위해

항공기 손상(DAMAGE)의 종류

ABRASION: 문지름, 마찰, 긁힘 또는 기타 표면 침식작용으로 인해 단면적의 변형을 유발하는 결함

EROSION: 기체 또는 액체의 흐름에 의해 표면이 점차적으로 마모되는 현상

SCRATCH: 날카로운 물체에 의해 선 모양의 결함이 생기는 현상

GOUGE: 날카로운 물질에 의해 발생한 연속적이고 예리한 또는 날카롭고 매끄러운 홈으로 단면적의 변화를 유발함

CRAZING: 열 변화나 모재 변형으로 인해 코팅된 표면에 나타나는 머리카락과 같은 Crack Line들. 모재까지 영향을 미치지 않음

CRACK: 금속피로나 정적 응력파괴로 인해 발생되는 비정상적인 선으로써 부분 깨짐이나 금속의 완전한 분리를 유발함

DENT: 정상 외형(윤곽)보다 표면이 눌린 현상

CEASE: 눌리거나 접힘으로 발생하는 날카로운 경계면 또는 솟은 부분. Crack과 같은 결함으로 간주됨

NICK: 날카로운 물체로부터의 압력이나 충격으로 인해 발생하는 예리한 굴곡을 가진 표면 홈
HOLE, PUNCTURE: 물체 두께를 완전히 통과하는 결함
CORROSION: 금속 표면이나 표면 아래층에서 발생하는 화학적/전기화학적 파괴 현상
BURN: 모재가 견딜 수 있는 한계 온도 이상이 가해져 빠른 산화작용이 발생하는 현상으로 색깔 변화를 동반함
VENT: 측면으로 가해지는 힘에 의해 원형 또는 외형에 생기는 뚜렷한 이탈 현상
BROKEN: 물질이 부서지거나 깨지는 결함
BUCKLE: 압력, 외부충격, 구조적 응력, 국부적인 과열,압력차이 등으로 인해 발생하는 큰 범위의 변형(Deformation)
CHAFING: 문지름(간섭)으로 인해 닳는 현상
CHIP: 강한 외부 충격으로 인해 모재의 모서리 부분이 깨져나가는 현상
CURLED: ENG CASE와의 간섭으로 인해 COMPRESSOR BLADE 또는 TURBINE BUCKET 끝단이 휘어지는 상태
FATIGUE: 반복 하중으로 인해 발생되는 지속적인 균열 또는 피로 파괴
MIGRATION: 부품이 정상위치에서 벗어나 이탈되는 현상
DEFORMATION: 응력이나 결함으로 인해 외형이 변화되는 결함
DISTORTION: 비틀리거나 굽혀지는 결함
DELAMINATION: 충격이나 접합재 이상으로 인해 다중 층 재질의 표면이 벗겨지는 결함
DISBOND or DEBOND: 접합 재질에서 두 개 이상의 PLY 사이가 분리되는 현상
MISALIGNED: 일렬로 정열 되지 않거나 제대로 장착되지 않은 상태

PITTED: 모재 표면에 발생하는 작고 비정상적인 Hole들

RUPTURE: 높은 응력, 압력 차이 또는 국부적으로 가해진 힘에 의해 발생하는 광범위한 깨짐 현상

SPALLING: 표면으로부터 작은 금속 조각이 부서지거나 벗겨져 나가는 현상

리벳 장착을 준비할 때 첫 번째 작업 중 하나는 핸드 드릴로 정확한 Hole을 찾아 뚫는 것이다. 이론적으로 드릴링은 회전 트위스트 드릴을 원하는 지점에서 재료를 통과시키는 간단한 작업이다. 그러나, 중요한 부품과 높은 응력을 받는 부품을 성공적으로 접합하려면 최상의 품질의 Hole이 필요하다. 나쁜 품질의 Hole은 시간과 돈을 낭비하며, 폐기된 자재 및 부품의 회수는 품질의 가치가 매우 낮아진다. 더 중요한 것은 Hole이 잘못 배치되어 구조물을 직접 약화시키거나 피로 파괴의 위험이 있는 응력점을 설정할 수 있다는 것이다.

51 STRUCTURES

STRUCTURES - GENERAL 51-00-00

AERODYNAMIC SMOOTHNESS AND INSPECTION AND REMOVAL OF DAMAGE 51 51-10-00

PROCESSES AND PROCEDURES 51-20-00

SHEET METAL MATERIALS 51-30-01

FASTENERS - GENERAL 51-40-01

SYMMETRY AND INCIDENCE CHECK AND SUPPORT OF AIRPLANE 51-50-00

GRAPHITE COMPOSITE CONTROL SURFACE BALANCING 51-60-00

REWORK OF MINOR DENTS IN SHEET METAL MATERIALS 51-70-01

EME EVALUATION AND PROTECTION 51-80-03

이 부분은 SRM에서 가장 중요한 부분이나 대부분 훑어보고 이해하는 정도로 넘어가게 되는데, 어느 정도 Structure Mechanic으로 경력이 쌓이면 다시 보게 되는 곳이다. 이 장에서는 매뉴얼의 다양한 장에 걸쳐 적용 가능한 일반적인 수리 관행, 재료 및 일반적인 수리에 대해 설명한다. 또한 지그(JIG) 위치에서의 비행기 지지, 대칭 확인, 공기역학적 평활도(smoothness) 및 제어 표면 균형에 관한 데이터가 포함된다.

STRUCTURES - GENERAL 51-00-00

항공기의 가장 일반적인 사항으로 미국의 BOEING사에서 제작한 B737 항공기로 미국단위계인 인치로 모든 치수들로 기록되어 있다.

BOEING

737-400
STRUCTURAL REPAIR MANUAL

GENERAL - PRINCIPAL DIMENSIONS

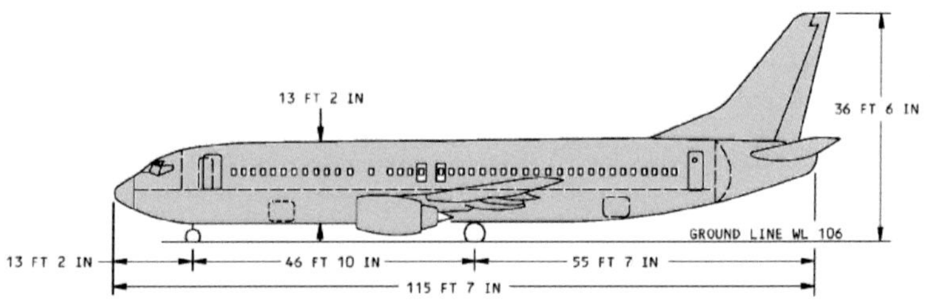

STRUCTURES - GENERAL 51-00-00

SRM 51-00-07 일반적인 약어 및 축약

A. 다음은 SRM(구조 수리 매뉴얼)에서 볼 수 있는 일반적인 약어 및 축약어의 정의다

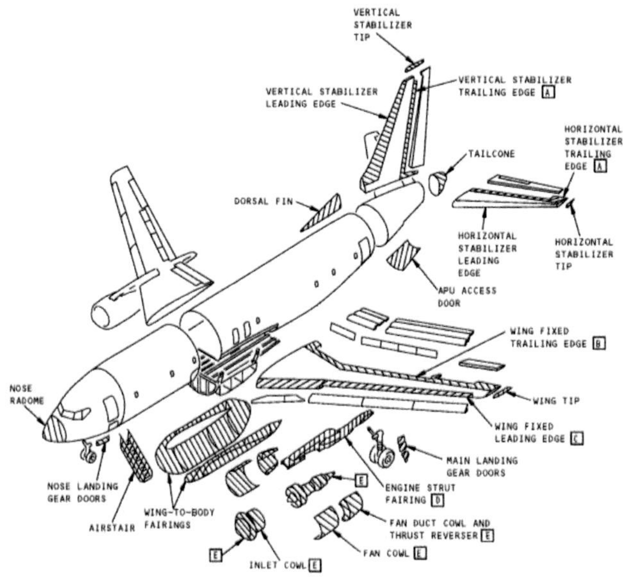

참고: SRM, Boeing 도면 시스템 또는 Boeing 메시지에서 뒤에 오는 문제점과 단축을 찾을 수 있으며, 회의 또는 대화에서 언급할 수 있다. 일부 두문자어와 축약어는 영어 또는 항공우주 기술 언어(레이더, 라돔, 플라페론, 밀리언 및 마이크론 등)에서 일반적인 단어가 되었으며 음성적으로 발음됩니다. 일부 약어와 축약어는 철자에서 대문자로 남아 있지만 음성적으로 말하기도 합니다(AMOC, BOLD, CAS, EASA, FSDO, 글레어, HIRF, IATA, MIDO, PACS, PEEK, RAT, REDARS, SACO 및 SATCOM 등)

(1) ACO: FAA Aircraft Certification Office.

(2) AC: Advisory Circular.

(3) AD: Airworthiness Directive.

(4) ADL: Allowable Damage Limits.
(5) AEG: FAA Aircraft Evaluation Group.
(6) AFRP: Aramid Fiber Reinforced Plastic
(Aramid prepreg, also known as Kevlar, a TradeMark of Dupont).
(7) AIR: SAE Aerospace Information Report.
(8) AMM: Aircraft Maintenance Manual.
(9) AMOC: Alternative Method of Compliance.
(Often pronounced phonetically as "eh-mock").
(10) AMS: SAE Aerospace Material Specification
(11) AOA Sensor: Angle of Attack Sensor.
(12) APU: Auxiliary Power Unit.
(13) APS: Auxiliary Power System.
(14) ARM: Assembly Requirement Model.
(15) AR: Authorized Engineer of the BDCO.
(16) ARP: SAE Aerospace Recommended Practice.
(17) ASTM: American Society for Testing and Materials.
(18) ATA: Air Transport Association of America.
(19) ATC: Amended Type Certificate.
(20) BCA: Boeing Commercial Airplanes.
(21) BDCO: BCA Delegated Compliance Organization.
(22) DER: Designated Engineer of the FAA ACO.
(23) BAC: Boeing Process Specification.
(24) BDM: Boeing Design Manual.
(25) BMI: Bismaleimide. The chemical compound
with the formula H2C2(CO)2NH.
(26) BMS: Boeing Material Specification.

(27) BMT: Boeing Materials Technology.
A Boeing organization that has been merged with Manufacturing, Research, and Development, and has been renamed "Boeing Research and Technology (BR&T)".
(28) BOLD: Boeing Digital On-Line.
(29) BR&T: Boeing Research and Technology
(30) BSS: Boeing Specification Support Standard.
(31) CACRC: Commercial Aircraft Composite Repair Committee. A joint aerospace committee of ATA, IATA, and SAE.
(32) CAPRI: Controlled Atmospheric Pressure Resin Infusion.
(33) CAPRI: Controlled Atmospheric Pressure Resin Infusion.
(34) CC (cc): Cubic Centimeter.
(35) CDCCL: Critical Design Configuration Control Limitations
(36) CFR-14: United States Code of Federal Regulations - Aeronautics and Space.
(37) CFRP: Carbon Fiber Reinforced Plastic (Carbon prepreg)
(38) CM (cm): Centimeter - One hundreth (1/100) of a meter (metre).
(39) CMM: Component Maintenance Manual.
(40) CRN: Current Return Network.
(41) CSMS: Boeing Customer Services and Material Support.

(42) DAS: Designated Alteration Station.
(43) DMC: Data Module Code
(44) DOA: Delegation Option Authorization.
(45) DTA: Damage Tolerance Analysis (Same as DTE).
(46) DTE: Damage Tolerance Evaluation (Same as DTA).
(47) DTI: Damage Tolerance Inspection.
(48) DVD: Double Vacuum Bag Debulk.
(49) EASA: European Aviation Safety Agency.
(Often pronounced phonetically as "ee-ah-saw").
(50) EIS: (Airplane) Entry Into Service.
(51) EME: Electromagnetic Effects.
(52) EMI: Electromagnetic Interference.
(53) ERM: Engineering Requirements Model.
(54) FAA: Federal Aviation Administration.
(55) FAR: Federal Aviation Regulation.
(56) FCBS: Fatigue Critical Baseline Structure.
(57) FEP: Fluoroethylene- propylene. A type of PTFE.
See Paragraph 6.A.(106)/GENERAL.
(58) FLAPERON (Flaperon): Flap-Aileron -
A flight control surface that can function as a wing trailing edge flap or as an inboard aileron.
(59) FSDO: FAA Flight Standard District Office.
(Often pronounced phonetically as "fizz-doe").
(60) FTD: Fleet Team Digest.
(61) GFRP: Glass Fiber Reinforced Plastic
(Glass prepreg or Fiberglass).
(62) GLARE: Glass-Reinforced Fiber Metal Laminate, made of several alternating, very thin layers of metal (usually aluminum) with one or more layers of GFRP between each layer of metal.

(63) GPN: Ground Plane Network.
(64) HEPA: High Efficiency Particulate Air
(65) HF: High Frequency.
(66) HF: Hydrofluoric Acid.
(67) HIRF: High Intensity Radiated Fields.
(68) HVAC: Heating, Ventilating, and Air Conditioning.
(69) IATA: International Air Transport Association. (Often pronounced phonetically as "I-ah-ta")
(70) IML: Inner Mold Line.
(71) IRM: Installation Requirements Model.
(72) IWWF: Interwoven Wire Fabric
(73) KG (Kg or kg): Kiliogram
- One thousand (1000) grams.
(74) KPA (KPa or kPa): KiloPascal
- One thousand (1000) Pascals.
(75) KSI: One thousand (1000) pounds per square inch.
(76) LIE: Lightning Indirect Effects.
(77) LRU: Line Replaceable Unit.
(78) M&PT: Boeing Material and Process Technology renamed "Boeing Research and Technology (BR&T)"
(79) MBF: MyBoeingFleet.com.
(80) MEK: Methylethylketone. A wipe solvent used for cleaning. Classed as "Seriously Flammable" with a flash point of 208 °F(-78 °C).
(81) MIBK: Methylisobutylketone. A less commonly used solvent similar to MEK but with a higher flash point (648 °F(188 °C) and a lower evaporation rate.
(82) MICRON (micron, m): One millionth (1/10000) of a meter (metre).

(83) MIDO: FAA Manufacturing Inspection District Office. (Often pronounced phonetically as "mydoe").
(84) MIL (mil): Milli-inch - One thousandth (1/1000) of an inch.
(85) MIL-SPEC: Military Specification.
(86) ML (ml): Milliliter - One thousandth (1/1000) of a liter (litre).
(87) MM (mm): Millimeter - One thousandth (1/1000) of a meter (metre).
(88) MPD: Maintenance Planning Data.
(89) MRB: Materials Review Board.
(90) MSDS: Material Safety Data Sheet.
(91) NDI: Nondestructive Inspection.
(92) NDT: Nondestructive Test.
(93) NDTM: NDT Manual.
(94) OEM: Original Equipment Manufacturer. (Boeing is an OEM. An engine manufacturer is an OEM).
(95) OML: Outer Mold Line.
(96) OMT: FAA Organization Management Team.
(97) PAA: Phosphoric Acid Anodize (or Anodized).
(98) PACS: Phosphoric Acid Containment System. (Often pronounced phonetically as "packs").
(99) PANTA: Phosphoric Acid Non-Tank Anodize. (Often pronounced phonetically as "pan-ta").
(100) PEEK: Polyether Etherketone. A linear aromatic crystalline thermoplastic.
(101) PET: Poly Ethylene Terephthalate - A type of polyester - Also known as Mylar, a Dupont trade name.

(102) PPE: Personal Protective Equipment.
(103) PSI: Pounds per square inch.
(104) PSE: Principal Structural Element.
(105) P-Static: Precipitation Static.
(106) PTFE: Polytetrafluroethylene
- Also known as Teflon, a Dupont trade name.
(107) PVF: Polyvinyl Fluoride - Also known as Tedlar, a Dupont trade name.
(108) QPL: Qualified Products List
(109) RADAR (Radar): Radio Detection and Ranging.
(110) RADOME (Radome): Radar Dome - A domed shaped fairing that protects the radar but permits the transmission of radio waves.
(111) RAT: Ram Air Turbine.
(112) RDL: Repairable Damage Limits.
(113) RVSM: Reduced Vertical Separation Minimum.
(114) SACO: Seattle ACO.
(Often pronounced phonetically as “say-koh”).
(115) SDST: Structural Decision Support Tool.
(116) SAE: Society of Automotive Engineers.
(117) SATCOM: Satellite Communication.
(Often pronounced phonetically as “sat-kom”).
(118) SE: Simplified Technical English.
(119) SFAR 36: Special Federal Aviation Regulation 36.
(Occasionally pronounced phonetically as “es-far 36”)
(120) SOPM: Standard Overhaul Practices Manual.
(121) SQFT: Square Feet.
(122) SRM: Structural Repair Manual.

(123) SSI: Structural Significant Item.

(124) STC: Supplemental Type Certificate.

(125) SWPM: Standard Wiring Practices Manual.

(126) TAT Probe: Total Air Temperature Probe.

(127) TC: Thermocouple.

(128) TC: Type Certificate.

(129) TG (Or Tg): Glass Transition Temperature.

(130) TFE: Non-porous tetrafluoroethylene. Also known as Armalon, a non-porous PTFE coated fiberglass, used as a vacuum bag aid to prevent resin adherence.

(131) UHF: Ultra High Frequency.

(132) UV: Ultraviolet Light.

(133) VHF: Very High Frequency

11. B737NG STA 663.75 Frame Fitting

B737 1세대와 2세대의 동체에서 피로 균열로 Hole이 나는 결함이 있었다면, 3세대인 B737NG에서는 동체 스킨과 내부 공기 순환 장치와 직접적 간섭을 배제하는 구조적 개선으로 인해 동체 표피의 결함은 어느 정도 완전하게 해소되었다. 그러나 엔진 성능과 기체의 신뢰성 향상으로 비행 거리가 늘어남에 기체 구조물에 더 영향을 주게 되었고 이로 인해 더 빨리 B737NG STA 663.75 Frame Fitting(일명: 피클 포크: Pickle fork)에 Crack 결함이 발생된 것으로 본다. B737 클래식에서도 비슷한(같은) 부분에 결함이 있어 수리 한 적이 있는데 크게 이슈화되지 않았지만 MAX는 연이은 2대의 어이없는 불운한 사고로 인해 엎친 데 덮친 격으로 피클 포크(이후 피클 포크로)의 결함이 이슈화되었다.

B737NG 6,937대

B737 10,906대 (1967~2022년)

B737NG의 성공 기반으로 제작한 MAX는 지나친 과신과 새로운 AI의 합작이 불러온 사건이라 본다. 한편으론 2018년 10월, 2019년 3월 B737MAX 사고 원인은 보이지 않는 결함이라면, 2019년 10월 B737NG의 프레임 피팅(Frame Fitting) 결함은 보이는 결함으로 대중(전문가 포함)에게는 더 쉽게 이목을 집중시키며 MAX 사고에서 멀어지게 하지 않았나 한다. 피클 포크(Pickle fork)의 결함이 인체의 중심 '배꼽'의 반대편 척추 손상이라 비유하면 B737MAX 조종특성향상시스템(MCAS) 결함은 머리의 뇌 손상으로 비유된다. B737 사고를 발생케 한 이후 BOEING의 개혁이 어떻게 진행되고 있는지, 어떻게 신뢰를 회복하는지 과정을 지켜보는 것 또한 사용자들의 몫이라 본다.

B737MAX 사고는 전 세계 항공시장을 얼어붙게 한 코로나19가 오히려 BOEING에게는 재기의 기회를 제공했고, 피클 포크 결함은 크게 이슈화 되었으나 사실 작업하면 되는 그런 결함이었다. BOEING사는 2018년 10월, 2019년 3월 연이은 B737 맥스 사고가 났음에도 코로나19가 한창이던 2021년 6월에 이익이 났다고 발표했다. B737NG 항공기 주요 골격의 크랙은 당장 비행을 중지해야하는 중대한 사건이나 비행기의 안전을 보장하기 위해 페일 세이프 구조로 디자인되어 있는 항공기이기에 절차에 따른 수리 또는 교환만하면 된다. 현재는 BOEING사가 감항성개선 명령(AD)을 발행해 추락의 원인으로 분석된 조종특성향상시스템(MACS)을 개선했고, 조종사 교육 훈련 여부를 철저히 확인하는 가이드라인을 마련하는 등 운항 재개를 위한 노력의 결과로 B737맥스가 2020년 미국, 유럽에서 운항을 재개하여 국내에서도 2021년 11월부터 정상 운항하고 있다.

참 고: 피클 포크(Pickle fork)

피클 포크 어셈블리는 동체를 날개에 고정한다.

날개 구조물, 랜딩 기어, 동체를 연결하는 부품인 「피클 포크」라고 불리는 비행기의 중요한 부분에서 실금의 균열이 감지되었다. B737NG에는 두 개의 전방 부착 프레임 브라켓(bracket)과 두 개의 후방 부착 프레임 브라켓의 4개의 피클 포크가 있다. 부품의 하부 섹션은 날개의 하중의 대부분을 동체로 전달하는 역할을 한다. 피클 포크는 날개와 몸체 사이의 연결에 대한 믿을 수 없는 토크, 응력 및 공기역학적 압력을 관리하는데 도움이 된다. 균열은 센터 윙 박스의 후방 스파에서 항공기의 동체 측으로 통과하는 바로 곳에서 리어 포크와 누운 안전 스트랩의 외부 코드에서 형성된 것으로 보인다.

AD 2019-10-22- FAA는 모든 BOEING사 모델 B737-600, -700, -700C, -800, -900 및 -900ER 시리즈 비행기에 적용된 Airworthiness Directive(AD) 2019-02-20을 대체하고 있다.

AD 2019-02-20은 고정 장치 2개 주변의 특정 위치에서 프레임 피팅과 페일 세이프 스트랩의 좌우 지정된 코드 균열을 반복적으로 검사하고 균열이 발견되면 수리해야 했다.

2019년 10월 10일까지 810대의 항공기 중 38대(약 5 %)에서 균열이 발견되었다. 그동안 검사는 주로 가장 오래된 항공기에 집중돼 왔기 때문에 신형 항공기를 검사할수록 균열이 발견된 항공기의 비율이 줄어들어야 한다는 점에 유의해야 한다.

2019년 10월 30일까지 50대의 항공기에 균열이 발견되었다. Fail-safe 설계는 본질적으로 안전 수명 개념의 확장이었다(오늘날 계속 사용되지만 상업용 운송에 대한 USAF 및 FAA Part 25 규정에서 독립형 설계 방법론은 아니다). 이러한 규제 환경에서 안전장치 설계는 여전히 손상 허용 요구사항을 충족해야 한다.

페일 세이프(fail safe) 구조의 종류

1) 다경로하중 구조(redundant structure)
2) 이중 구조(double structure)
3) 대치 구조(back-up structure)
4) 하중 경감 구조(load dropping structure)

참 고:B737NG STA 663.75 Frame Fitting[3)]
http://www.b737.org.uk/picklefork.htm
- https://www.yna.co.kr/view/AKR20210729015700072

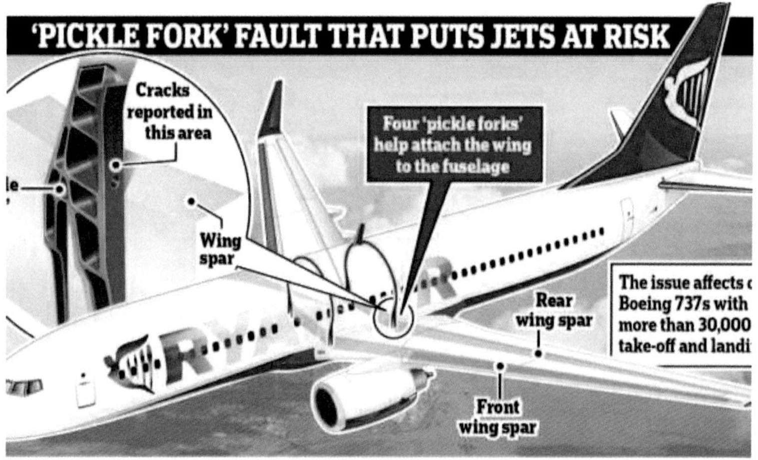

2세대 B737-400 SRM 53-60-08 Section 46에서는 STA(BS) 663.75 Bulkhead Fitting으로, 3세대인 NG계열 포함 B737-900은 항공기 길이가 증가하면서 Section 44 추가 되었고, Frame Fitting으로 명칭 변경됨.

B737-400 Body Section 41, 43, 46 ,48

B737-900 Body Section 41, 43, **44**, 46 ,48

---

3) B737-900 SRM 54-40-07 Section **44** Fuselage Frames

12. Cargo

B737은 오리지널인 1세대에서 클래식인 2세대로 원형이 그대로 유지되었다. 물론 다방면에 많은 발전이 있었지만 여전히 승객 구간이 아닌 화물칸은 여압(Pressurization)이 되지 않았고, 급기야 화재가 우려되어 화물칸 연기 탐지 및 화재 진압이 개발되었다. B737 개발 후 여압이 되는 객실(Cabin)에 비해 아래의 화물칸(Cargo)은 화재의 위험을 통제하기 위해 산소 부족에 의존해 왔었다.

그러나, 상업용 비행기에서 발생한 화물 화재로 인해 기체 손실이 발생하면서 화물 화재 위험에 대한 인식이 커지고 이에 대응하여 미국연방항공청(FAA)은 1998년 3월 18일에 연기 감지 시스템, 화재 진압 시스템 또는 둘 모두를 설치하여 D등급 구획을 C등급 또는 E등급 구획으로 전환하도록 의무화하는 규칙 변경을 발표했으며, BOEING은 2001년 3월 18일 항공사들이 필요로 하는 정보와 설치 하드웨어를 공급했다. B737 여객 공간 아래 화물칸이 비여압 공간임을 아는 사람은 많지 않다. B737 화물칸에 몰래 숨어서 밀항하면 안되는 이유이기도 하다.

항공기 생산 당시 화물칸은 완전하게 기밀 작업이 수행되어 기밀로 밀폐가 유지되나 운영중에 화물칸은 많은 손상들이 발생한다. 항공사는 낮은 화물칸으로 인해 승객의 화물과 짐을 신속하게 싣고 내리는게 가장 큰 장점이지만 항공기로서는 단점이다. 다양한 규격의 수하물(Baggage)과 승객들의 다양한 짐(Luggage)들이 항공기 내부의 바닥과 원통형 유선형의 기체 측면 공간에 부딪히면서 다양한 결함들을 쏟아 내는데 이런 결함들은 작업하기에 쉽지 않다. 특히나 화물칸 높이는 113 cm로 화물칸 바닥부터 천장까지 낮은 공간이다. 첨부 그림의 사람과 전방 카고 높이를 비교하면 쉽게 이해가 된다.

카고 내부 인테리어를 모두 제거하고 소화기 감지, 진압 시스템을 장착하기 위해 하루 종일 작업하는 것은 어려웠다. 작업은 전후방 카고 모두 수행하고 배선 작업까지 해야 하기에 당연 많은 시간이 소요되었다. 항공기를 운영하면서 설계 이론과 현실이 다른 경우다. 화물칸의 아래 바닥(floor) 수평 공간 48”(121.92 cm)와 상부의 천장(ceiling) 수평 120”(304.8 cm)로 측면 45° 유선형으로 기울어진 각도는 작업을 더 어렵게 했었다. 바닥의 48"는 알루미늄 판재의 미국 표준 규격(48"x 144")이기도 하다. 한국은 48" 대신 120 cm x 240 cm를 표준 규격으로 생산하여 사용한다.

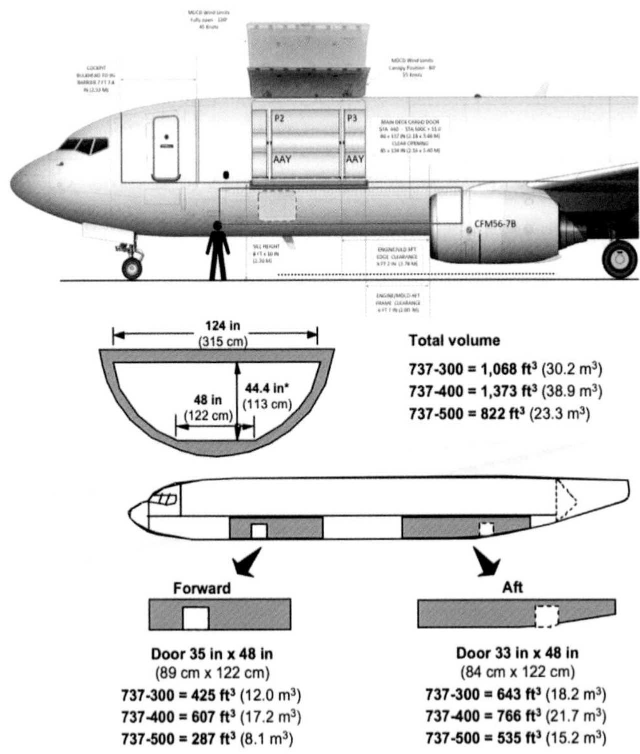

B737-100 30대

B737-200 1,114대 Original 총 1,143대

한서대학교 B737-200 교육용으로 2014년 도입.

B737-300 1,113대

B737-400 486대

B737-500 389대 Classic 총 1,988대 생산

대한민국 공군 2호기(737-300) 1대 운항 중.

대한민국 공군 737-500 임차도입 및 개조해서 KF-21 보라매의 AESA 레이더 시험기

B737 동체 폭 3.76 m

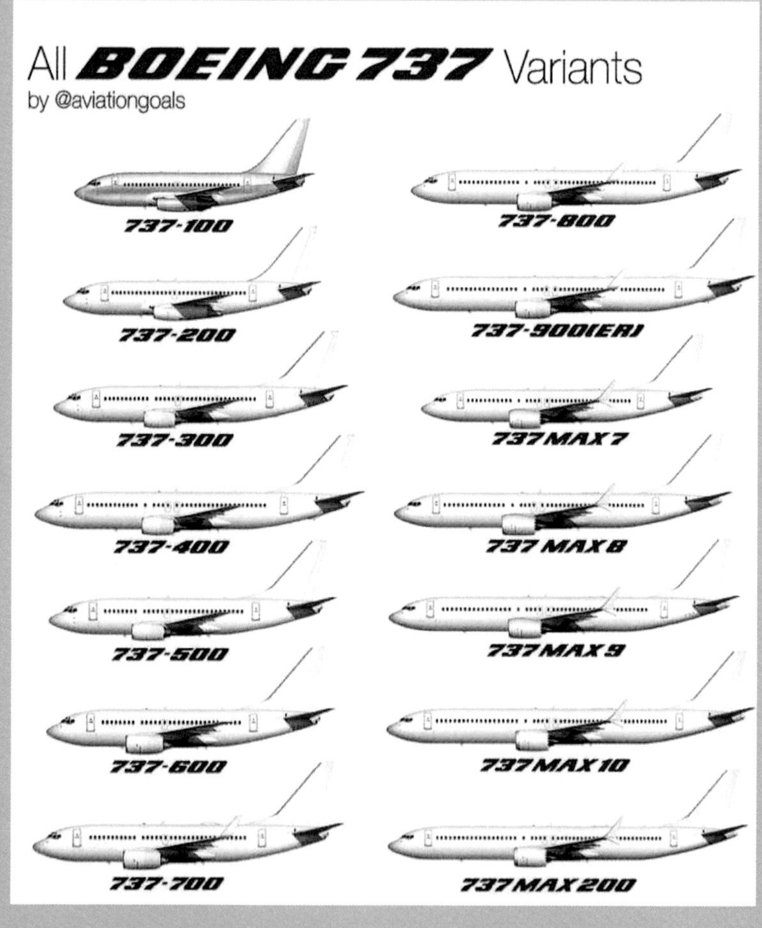
All BOEING 737 Variants
by @aviationgoals
737-100
737-200
737-300
737-400
737-500
737-600
737-700
737-800
737-900(ER)
737 MAX 7
737 MAX 8
737 MAX 9
737 MAX 10
737 MAX 200

제 3 장

항공기 결함과 작업

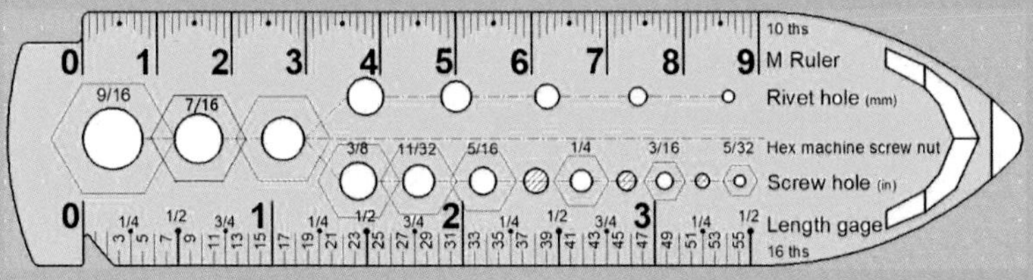

1. Authorization

Authorization

항공기 APG(Airframe Powerplant General) **확인정비사**를 일반적으로 Auth(오쓰)로 줄여 부르는데, 해당 비행기가 최종적으로 비행 가능함을 승인하는 행위를 가진 자를 말한다. 작업자는 작업자이면서 본인 작업에 대한 1차 승인자이며, 추가로 권한이 있는 오쓰에게 작업에 대한 적합한 정비행위였음을 승인받아야 한다. Structure Mechanic는 1차 Structure Mechanic 본인으로 작업을 수행과 승인하고, 2차로 스트럭처 오쓰 권한이 있는 스트럭처 승인자에게 오쓰를 받아야 하는데, 보통 항공기 기종 오쓰가 있는 허가권자에게 작업에 대한 승인을 요청한다. Structure Mechanic(특기)이 항공기 기종 오쓰가 있는 경우는 드물기에 해당 기종 확인정비사에게 작업에 대한 승인을 받아야 하는데 일반적으로 작업을 확인하는 행위이고, 기본부터 전문적인 교육까지 이수한 상태이기에 적절한 공정 절차이기도하다.

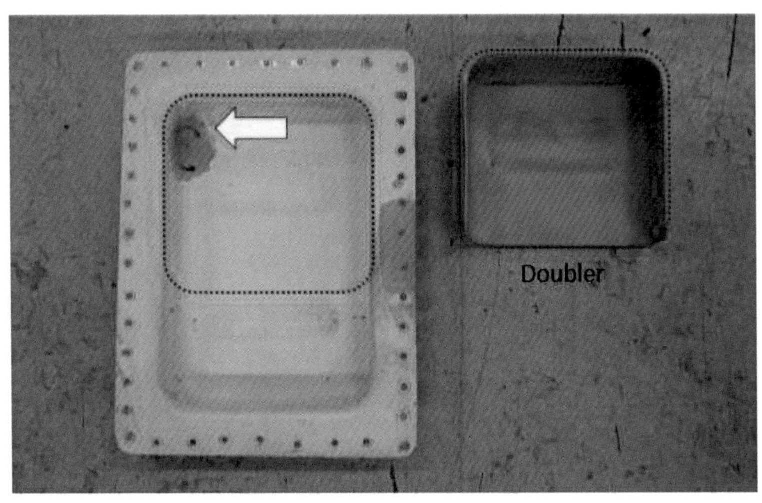

아시아나항공(OZ)에서 B737 항공기 운영 시 사진의 파트에 크랙 결함이 발생했고, SRM의 수리 매뉴얼의 일반적인(typical) 절차를 적용하여 수리 작업을 완료했지만, 오쓰에게는 승인을 받지 못했다. 아마도 항공 분야에서 타출 판금(craftsman impact extrusion sheet metal) 방법을 적용하여 수리한 사례를 본 적이 없다 보니, 작업에 대한 신뢰가 적었을 것이다. 위 사진의 작업을 했을 당시는 항공사에서는 자격을 인정 해 주지 않지만 판금•제관기능장을 취득한 이후이기에 기존 알루미늄 파트의 강도와 비교하여 수리한 보강재 강도 계산 값을 제시 할 수 있었지만 오쓰가 불허하기에 권한에 승복했다. 운항하는 항공기의 신뢰성(감항성) 인정은 기종 오쓰의 권한이지만, 항공기 스트럭처 기골을 개조하거나 대수리하는 경우는 스트럭처 확인정비사의 권한이 기체(APG) 확인정비사의 권한과 비슷하게 가지게 된다. 물론 비행할 수 있는 최종 권한을 가진 해당 기종 확인정비사도 함께 동시 승인해야 한다. B737 항공기 기종 오쓰(auth)의 항공기 신뢰성을 보는 시각이나 지식은 Structure Mechanic보다 폭 넓고 전문적이기 때문에 수리를 했지만, 그의 권한을 인정하

고 파트를 구매하여 교환했다. 물론 수리에 대해 인정받지 못한 아쉬움을 부정하진 않는다. 그때를 기록한 사진이 나의 뒤끝을 말하는 듯하다. Structure Mechanic도 항공기 전문 지식을 넓히고자 기종 기체(APG) 확인정비사(auth) 교육을 받아 확인정비사 오쓰 권한을 받기도하지만 일반적이지는 않다. 현장 작업자에서 사무실 근무로 변경 된지 3년 만에 갑자기 기종 교육 기회가 주어져서 준비 없이 기종 교육에 입과해서 정말 밤낮없이 열심히 공부해야만 했다. 2015년 3월 A320F 기종교육 수료하고 B1 확인정비사 자격을 취득했다.

APG: Airframe Powerplant & General
AVI: Avionics
SRM: Structure Repair Manual

참고: 확인정비사 및 관련 근거

◐ 확인정비사: 항공기가 안정적으로 운항하기 위해서는 비행 전후 점검 및 주기에 맞춰 매뉴얼에 따라 정비를 진행하고, 확인정비사의 승인이 있어야만 이룩할 수 있다. 확인정비사는 항공기의 최종 정비 자격으로 한정 자격을 갖춘 정비사를 말한다.

◐ 관련 근거: 정비규정(확인정비사)과 정비운영규칙 '정비종사자 자격관리 및 임명절차' 항공안전법 시행규칙 제69조(항공기등의 정비등을 확인하는 사람). 항공운송사업자 또는 항공기사용사업자에 소속된 사람: 국토교통부장관 또는 지방항공청장이 법 제93조(법 제96조제2항에서 준용하는 경우를 포함한다)에 따라 인가한 정비규정에서 정한 자격을 갖춘 사람으로서 제81조 제2항에 따른 동일한 항공기 종류 또는 제81조 제6항에 따른 동일한 정비 분야에 대해 최근 24개월 이내에 6개월 이상의 정비 경험이 있는 사람

2. Structural Repair Definitions[4)]

항공기 결함이 발생하면 비행 안전성에 기초하여 Temporary or Permanent repair를 수행할지 배정된 작업자는 정확하고 신속한 판단으로 매뉴얼에 근거하여 결정해야한다.

1. Applicability

이 주제는 해당되는 손상에 견딜 수 있는 1차 및 2차 구조물에 대한 수리 분류 및 검사와 관련된 정의를 제공한다.

2. References

51-00-04 STRUCTURAL CLASSIFICATION

51-10-02 INSPECTION AND REMOVAL OF DAMAGE

SOPM 20-20-01 Magnetic Particle Inspection

SOPM 20-20-02 Penetrant Methods of Inspection

3. General Information

A. SRM에는 두 가지 수리 분류가 있다:

1) 손상 허용 능력을 평가하고 분석한 수리는 범주 A, B, C 수리로 분류된다.

---

4) B737NG SRM 51-00-06 GENERAL-STRUCTURAL REPAIR DEFINITIONS

참고: 손상 허용오차 분석이 필요한 모든 737 SRM 수리는 이미 A, B 또는 C로 평가, 분석 및 분류되었으며 A, B 또는 C의 정의는 Category A, B, C 참조하라. 주요 기체 구조 요소에 대한 모든 SRM 수리와 피로 임계 기준선 구조(SRM 51-00-04)에서 손상 허용오차 범위를 평가해야 한다.

2) 손상 허용에 중요하지 않고 수리의 예상 내구성에 따라 Permanent, Interim or Time-limited로 분류되는 수리의 정의는 3.C. 일반을 참조하라.

B. 손상에 대한 내성(tolerance)을 평가하고 분석한 수리..

1) Category A Repair: Maintenance Planning Data(MPD) 문서에 제시된 검사로 충분하며 다른 조치가 필요하지 않은 영구적인 수리.

2) Category B Repair: 지정된 시작점 및 반복 간격으로 보충 점검이 필요한 영구 수리

3) Category C Repair: 지정된 시간 내에 교체 및 재 작업을 해야하는 시간 제한 수리. 또한 지정된 시작점 및 반복 간격으로 추가 검사가 필요할 수 있다.

C. 손상 허용 범위에 중요하지 않은 수리.

참고: 수리가 임시 또는 한시적 수리로 식별되지 않는 경우 영구 수리에 해당한다.

1) Permanent Repair: 작업자의 정상적인 유지보수 외에는 아무런 조치가 필요 없는 수리.

2) Interim Repair: 필요한 구조적 강도를 가지고 있어 무한정 그대로 둘 수 있는 수리다. 이 수리는 정해진 간격으로 점검해야 하며 손상이 감지되거나 발견되면 교체해야 한다.

3) Time-Limited Repair: 필요한 구조적 강도를 갖췄지만 충분한 내구성을 갖추지 못한 수리로 충분한 내구성이 없다. 이 수리는 일반적으로 비행횟수(FC), 비행시간(FH) 또는 날짜로 지정되며 먼저 도래 하는 것을 기준해야한다.

3. Bird Strike

버드 스트라이크(Bird Strike) 손상

버드 스트라이크(Bird Strike)란 비행기와 새가 부딪히는 항공 사고의 하나로 우리말로 조류 충돌(鳥類衝突)이라 한다. 일반적으로 버드 스트라이크가 항공기 동체 노우즈에 발생되면 B777 이상 대형기의 경우 비교적 피해가 적으나 B737 소형기 경우 동체 스킨이 얇아서 동체가 움푹 들어가 수리가 필요할 수 있다.

항공기 정비(aircraft maintenance)는 계획된 제반 요구 조건을 수행하기 위하여 운용중인 항공기를 사용 가능한 상태로 유지하거나, 구조적으로 복귀(원상)시키기 위한 일련의 활동을 말한다. 이러한 정비활동에는 일상의 항공기 점검, 고장 탐구, 손질, 세척, 검사, 교정, 조절, 수리, 제작 등이 있는데, 버드 스트라이크의 경우 수리가 필요하며 경우에 따라서는 항공기 개조도 병행된다.

최근 발생한 버드 스트라이크 사례로는 2009년 'US 에어웨이스 1549편(US Airways Flight 1549) 불시착 사고'를 들 수 있다. 이 사고는 2009년 1월 15일 미국 뉴욕에서 출발한 에어웨이스 1549편이 이륙 직후 새떼와 충돌해 엔진 2개가 손상되어 허드슨 강에 비상 착륙했다. 기장의 침착한 대응으로 사망자가 나오지 않아 일명 허드슨강의 기적(Miracle on the Hudson)이라 불린다. 한국의 경우 2010년 이후 매년 140건 정도의 크고 작은 버드 스트라이크가 일어나고 있다.

또 다른 사고의 유형으로 버드 스트라이크와 비슷한 헤일(hail) 스트라이크가 발생하기도 한다. 우박(hail)은 구름 내의 작은 구름 물방울이 구름 빙정 입자에 충돌·결착되어 생기는 얼음덩어리이며 우박덩이(hailstone)는 개개 우박 입자를 가리키며 우박의 지름은 5 mm(0.20“) 이상으로 우박은 15 cm(6 in)까지 자랄 수 있으며 무게는 0.5 kg(1.1 lbs) 이상으로 이 또한 항공기 기체에 악영향을 준다. 항공기 전방 동체 표피(skin)에 손상이 되면 기계적인 접합으로 수리를 하면 아래 치수와 같이 BOEING 항공기는 철저하게 인치 규격을 따른다.

3/16“(0.1875")를 분수로 소수점 이하 표기시 애매한 부분은 그들도 인정하는 불합리한 부분이지만 허용 공차를 ±0.003을 두어 합리화한다. 그러기에 우리가 인치의 속성을 철저히 배우고 익혀야 하는 이유다. 도긴개긴이긴 하나 AIRBUS는 리벳 부분에서 미터법으로 변경하여 새롭게 표준화했다. AIRBUS는 다르다 하지만 인치 공구를 대부분 같이 사용된다.

◐ 참고 1 : 항공기, 비행기, 화물기 용어 정리

항공기[aircraft] : 비행기, 글라이더, 헬리콥터, 비행선, 기구(氣球) 등 공기 중을 비행할 수 있도록 만들어진 모든 기계를 가리킨다. 공기의 반작용으로부터 대기 중에 지지될 수 있도록 고안된 기계.

비행기는 Airplane, 항공기는 Aircraft, 화물기는 Freighter로 표기하며 항공법 제2조(정의) 1항에 항공기라 함은 '민간항공에 사용하는 비행기, 비행선, 활공기, 회전익항공기(헬리콥터), 기타 대통령령이 정하는 것으로서 항공에 사용할 수 있는 기기' 라고 적고 있다. 쉽게 말하면 여객기는 비행기의 한 종류이며 대분류에 해당하는 명칭인 항공기라고 불러도 틀리지 않다.

◐ 참고 2

1) 라이트닝 스트라이크(Lightning strike)
2) 버드 스트라이크 (Bird strike)
3) 헤일 스트라이크 (Hail strike)

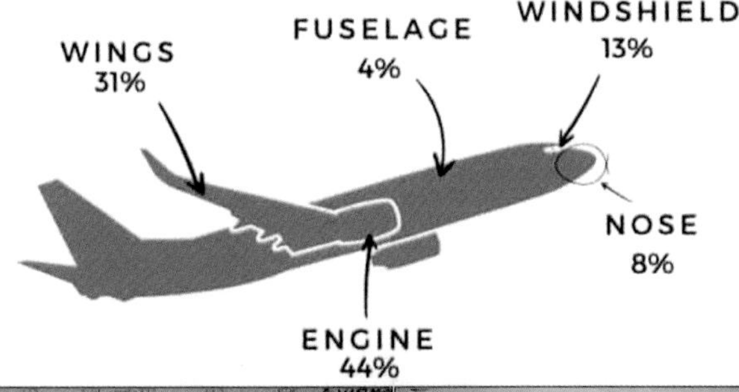

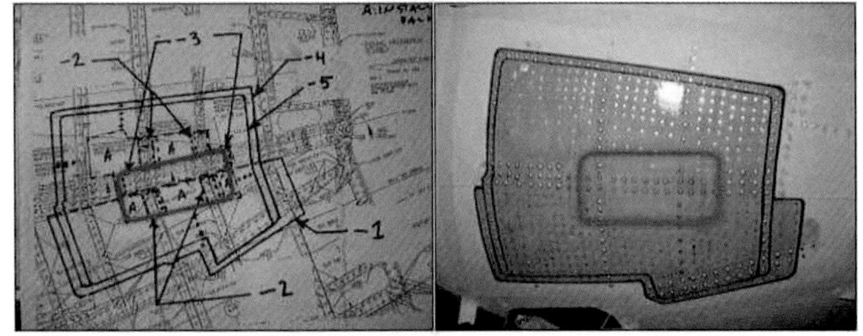

4. Tail Strike

비행 중 항공기 손상은 대부분 자연적인 요소로 불가항력적으로 발생한다.

1. 버드 스트라이크(Bird aircraft strike hazard)
2. 헤일 스트라이크(Hail strike)
3. 낙뢰(Lightning strike)

위에 3가지 현상은 공통적으로 항공기 이착륙 중에 대부분 발생하고, 이보다 더 크고 위험한 결함이 발생하는 경우가 있는데, 이것은 바로 테일 스트라이크(Tail strike)다. 테일 스트라이크는 항공기의 꼬리 부분이 활주로에 부딪히는 현상이다. 테일 스트라이크는 이륙 또는 착륙 중에도 발생하지만, 지상에서 멈추어 선 경우에 무게 중심(Center of Gravity)을 맞추지 않아 발생하기도 하는데, 이 경우는 정상 위치로 하는데 많은 어려움이 발생한다. B737 테일 스키드(TAIL SKID)는 항공기 기체 손상을 방지하는 목적으로 장착되어 있다. 테일 스키드는 경미한 손상이 발생했으나 항공기 동체가 심하게 손상된 경우는 항공기 제작 당시의 설계 이론과 실제 비행(기) 특성이 다른 부분이다. A320F는 테일 스트라이크(tail strike)가 발생할 수 없는 구조로 설계되었기에 테일 스키드(TAIL SKID) 자체가 없다. 그러나, 가끔 테일 스트라이크가 발생하기도 한다. 테일 스트라이크는 항공기 기체 결함 중 중대한 결함으로 손상의 정도에 따라서 장기간 그라운드 되며 이에 수반되는 비용도 막대하다.

다행히 B737의 경우는 손상 부분만 잘라내고 수리를 하는데 이럴 경우에는 수작업이나 폼 블록(form block)으로 보강 판재(doubler) 제작은 할 수 없다. 테일 스트라이크(tail strike)가 발생하면 일반적으로 **Kraftformer**라는 장비를 이용하여 보강판을 제작하여 수리하고, 그 정도가 아주 심한 경우는 손상 부분의 수리가 아닌 교환을 진행해야 한다. 이 경우는 BOEING의 AOG(Aircraft-on-Ground)팀만이 해결할 수 있다. 2004년 BOEING 프레젠테이션에서 발췌한 데이터에 의하면 이륙할 때보다 착륙할 때 더 많은 테일 스트라이크가 발생한다. 737-400 테일 스트라이크의 82 %가 착륙 중 발생했으며, 737-400은 착륙을 위한 테일 스키드 예방 기능이 없기 때문에 손상도가 더 높다. 737-800도 테일 스트라이크 70 %가 착륙 중에 발생했으며, 737-800/900의 테일 스키드도 착륙 시 항공기 본체를 보호하지 않는다.

1994-1995년은 항공기 인도 증가 및 신규 조종사로 인해 모든 BOEING 모델에서 테일 스트라이크가 가장 많이 발생한 시기였었다고 한다. B737-400은 테일 스키드(TAIL SKID)가 장착되어 있음에도 불구하고 테일 스트라이크 발생하여 6일간(12 shift) 작업을 한 경험이 있다.

테일 스트라이크 발생 후 항공기 격납고에 입고 후 작업 진행.

1. 손상 부분 내부 탈거, 외부 페인트 제거
2. 손상부분 mapping
3. 위치 별(skin, frame, stringer, tie) 결함 크기 확인
4. 내부와 외부 비파괴 검사 후 손상 부분 절단
5. 기체 내부 골격(frame, stringer, tie) 제작과 수리
6. 동체 skin(2 m x 55 cm) Kratformer 이용 제작
7. Skin 보강판 드릴 작업 및 프라이머
8. Skin 보강판 장착 후 실링, 페인트
9. 내부 탈거한 파트 장착 후 테스트
10. 마무리(문서 정리 및 3중 확인)
11. 비행 투입

B737-400에 테일 스키드(TAIL SKID)는 있었지만(이륙만 보호), 테일 스트라이크가 발생하여 동체를 긁고 지나갔기 때문에 눌림으로 인한 추가 손상을 검토하기 위해 후방 기체 포함 항공기 전체를 점검했다. 다행히 추가 결함은 없어서 가장 안쪽 손상된 구조물인 프레임과 스트링거 제작과 수리를 진행했다. 기체 수리에서는 작업공정에 영향을 미치는 열처리와 관련된 파트들은 SRM 참조로 제작하고 열처리 진행하며 전체적인 작업 계획은 제작사(BOEING) 회신 접수 후 일정을 수립했다. 내부 구조물들은 크기가 작아 위치에 순서를 정해 하나하나씩 공정에 따라 작업을 수행했다. 어느 정도 내부 수리가 진행되면서 동체 스킨 전체를 하나로 보강하는 판재를 제작해야 했는데, 다행히 회사는 Kraftformer-ECKOLD(power forming machine)라는 기계가 있어 제작이 가능했는데, 사실 이 장비는 1993년 구매 당시 전국에 4대만 있는 특수하고 고가인 기계로 현재도 국내 항공사 2곳만 보유하고 있다. 테일 스트라이크로 손상된 기체 후미의 스킨은 길게 볼록한 배 모양으로, 길이 2 m X 폭 55 cm의 크기

로 알루미늄 판재를 늘이고 줄여서 기체 모양으로 볼록한 유선형으로 소성 가공해야 하기에 포밍 기계를 보유한 회사는 자체 제작과 수리가 가능하지만, 기계를 보유하지 않은 회사는 비용을 지불하고 포밍 기계를 사용해야만 수리 가능한 어려운 작업이다.

참 고: 테일 스트라이크

흔히 고정익 항공기가 이륙할 때 급격한 상승을 하거나, 착륙 시 동체의 후미가 활주로에 접촉할 때 발생한다. 착륙 시 기수를 너무 많이 들어 올리거나, 활주로의 시작 지점에 지나치게 가까이 착륙하려 할 때에도 발생한다. 대개 앞바퀴 착륙 장치가 장착된 항공기에서 발생하며, 꼬리바퀴 착륙 장치를 장착한 항공기에서는 발생하지 않는다. 테일 스트라이크는 그 자체로도 위험할 수 있으며, 발생 이후에는 철저하고 정밀한 정비가 이행되어야 한다. 균열이나 가해진 압력이 큰 경우 막대한 수리비용이 들 수도 있으나, 항공 사고 역사를 통해 밝혀진 바에 따르면 정밀한 정비가 이행되지 않는 경우 균열로 인한 폭발적 감압으로 항공기는 공중 분해되는 경우도 발생한다. 그 피해를 줄이기 위해 콩코드는 꼬리에 작은 바퀴 하나를 더 달기도 했다.

5. Hail Strike

유리창 깨짐, 레이돔 손상, 우박 엔진과 기체 손상

항공기의 경우, 우박은 항공기들이 운항하는 광활한 하늘에 비해 상대적으로 사소한 문제처럼 보일 수 있다. 그러나, 항공기 작업을 하는 사람이라면 누구나 우박이 비행기에 큰 타격을 줄 수 있다는 것을 알고 있다. 조종사는 가능한 한 우박을 피하는 것을 목표로 하지만 예상치 못한 만남이 여전히 발생하여 놀라운 피해를 입힐 수 있다. 항공기 부품은 우박을 포함한 다양한 충격을 견딜 수 있도록 설계되었다. 그럼에도 불구하고 우박 폭풍의 여파는 사소한 외관 문제부터 심각한 문제로 나타나며 그런 결과로 항공기 부품 교환 또는 항공기체 수리가 필요하다.

우박이 항공기에 미치는 영향:

우박 관련 우려는 특히 우박 폭풍(hailstorm) 위험이 닥칠 때 항공편이 취소되거나 지연되는 주요요인이다. 우박 폭풍은 특히 가시성이 제한된 야간 비행 중에 조종사를 당황하게 할 수 있다. 우박 폭풍의 독특한 역학은 우박을 여러 방향으로 흩뿌릴 수 있으며, 고속의 얼음덩어리인 우박의 영향은 상당할 수 있다.

우박으로 인해 발생하는 일반적인 문제는 다음과 같다.

1. **금이 간 앞 유리(Cracked Windscreens)** : 우박 폭풍으로 인해 앞 유리가 종종 깨진다. 내부 윈드 스크린은 구조적으로 견고하지만 외부 레이어의 손상으로 인해 가시성이 저하되어 비상 착륙이 필요할 수 있다. 항공기 윈드 스크린은 하중을 받는 구조물을 보호하기 위해 더 큰 충격을 견디도록 설계되었고 발열층(heating layers)이 있다.
2. **레이돔 손상(Radome Damage)** : 항공기의 전면 레이돔은 우박의 영향을 받는 경우가 많다. 시각적으로 눈에 띄기는 하지만 레이돔의 주요 기능은 레이더 신호에 대한 투명성을 유지하는 것이다. 손상을 입히는 것은 항공기의 비행 능력에 아무런 영향을 미치지 않는다. 심각하게 손상되거나 분리되더라도 유일한 결과는 소음 수준이 증가하고 레이더 안테나 손상 위험이 약간 높아진다. 레이더를 보호하는 레이돔은 아래 사진과 같이 심각한 손상의 경우 수리 범위를 초과한 경우 자체 수리가 불가하며 제작사 수리 또는 폐기된다.
3. **엔진 침입(Engine Intrusion)** : 엔진에 우박이 유입되는 건 놀라울 수도 있지만 이는 드문 일이다. 항공기 엔진은 엔진 카울링을 보호 장벽으로 사용하여 이러한 가능성을 방지하도록 설계되었다. 이 엔진은 조류 충돌 및 기타 고속 충격을 견딜 수 있는지 확인하기 위해 엄격한 테스트를 거친다. 그럼에

도 불구하고 엔진에 우박이 들어가면 엔진에 심각한 손상을 초래하며 비행 안전성에도 커다란 영향을 미친다.

4. **항공기체 손상(Aircraft Structure Damage)** : 우박 피해를 입은 항공기 기체를 복구하는 것은 다소 시간이 걸릴 수 있으며, 약간의 표면 채우기 및 페인트 작업부터 상단 표면의 스킨을 완전히 다시 칠하는 작업까지 다양하다. 항공기 날개와 기체 노우즈 표면의 스킨을 교체하는 것은 상당히 어렵고 시간이 많이 소요된다. 특히 복합 항공기의 경우 구조 수리에 대한 특정 기술 수준과 지식이 필요하다. 우박 피해의 경우 충격 지점 중심에서 금속이 늘어나는데, 알루미늄 기체가 충격을 받은 곳은 금속이 늘어나 금속의 표면적 앞뒤에 차이가 생긴다. 이런 결함을 덴트(dent)라고 하며 제거하는 유일한 방법은 금속을 원래 모양으로 다시 압축하는 방법인 드레스 아웃(dress out) 방법을 사용하나 불가한 경우 패치 수리나 교환 작업을 수행해야한다.

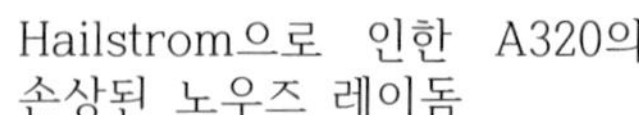 Hailstrom으로 인한 A320의 손상된 노우즈 레이돔	Above: Harrier Jump Jet damaged by hail. Image: Reddit

6. Lightning Strike

갑작스럽게 하는 모임을 '번개'라 하기도 한다. 그러나, 번개가 하도 무서워 '번개'가 아닌 '벙개'라고 표기한다.

항공기가 비행 중에 번개를 맞고 착륙하면 조종사는 로그(Log)에 기록하고 운항(라인) 정비사는 항공기 전체를 점검한 후 결함이 확인되면 NRC(Non Routine Card)를 발행하게 된다. 이후 작업 부서에 배당(assign)이 되면 기체 수리 작업을 수행한다.

입사 초 NRC 결함 처리 공간에

1. APG 점검 기록 재확인

2. AVI(항공전기전자) 시스템 체크

3. 기체수리 작업 기록

4. NDI 확인 이라고 미리 연필로 기록하고 번개로 인해 발생한 결함에 대한 임시 또는 영구 수리 작업을 수행했다. 그런데, 이런 결함 처리 방식은 공식적인 업무 절차가 아니어서 통일된 작업 공

정(규정)서가 필요했다. 그래서, 필자는 번개로 인한 손상 기록을 명확하게 개정하자는 제안을 했고 기체정비팀에서 회의체를 구성하여 이를 정형화했다. 이후 개정을 통해 현재와 같은 양식으로 정비규정에 포함되었다.

업무 개선 과정

▷ 1991년 항공기 결함 자료 관리 절차 제정
▷ 2002년 결함 발생 시 처리의 명확한 지침
▷ 2010년 Structure Repair List 관리 절차 3차 개정
▷ 2013년 Lightning Strike 발생 시 업무프로세스 개선 협의
▷ 2015년 Lightning Strike 수리 기재 사항 변경

이런 정형화된 규정에도 불구하고 현실은 운항(라인)정비사(APG)가 번개에 의해 발생한 항공기의 결함 위치를 정확하게 표기하고 문서로 기록하는 것은 쉽지가 않아, 문서 기록은 항공기 프레임(Frame) 표기와 시계 방향을 결합하여 번개 점검 문서(Lightning strike inspection card)에 표기하는 방식으로 여러 차례 회의를 거쳐 만들어지게 되었다. 그러나, 실제 작업 부서인 기체 수리는 점검에 따른 결함 위치 표기가 불분명하였기에 작업 수행과 문서 처리에 어려움이 많았다. 1차 임시 작업을 간단하게 수행해도 2차 영구 수리를 위해 결함 위치 표기는 정확하게 기록해야만 했다. 그래서 항공기 프레임(Frame)과 좌우측 스트링거(Stringer) 위치를 기록하는 방식을 채택하여 운영하고 계속 보완하여

▷ Paint Only, Skin Only,
▷ Riveted/stiffened Area, Unriveted/Unstiffended Area,
▷ Fastener Only, Fastener & Adjacent Skin으로

세심하게 표기하여 분류하게 되었다. Structure Mechanic이 초도 검토와 작업 시 편리하게 개정된 최신 Lightning Strike 양식

은 제작사 Report(Defect/Damage Evaluation Sheet) 시 제작사와 항공사 간에 편리하고 사용하고 영구 보관하는 Structure 서류로 신뢰가 높아졌다.

2017년 11월 26일, 회사 동료들 몇 분과 비록 갑자기 추워진 날씨에도 맑은 날이라 계양산 산행을 시작했는데, 검은 구름이 밀려오더니 눈이 내리기 시작했다. 순간 내려갈까 고민했는데 햇살이 있어 계양산 정상을 목표로 부지런히 올라갔다. 계양산은 김포공항과 인천공항을 양쪽 모두 볼 수 있는 좋은 산행 장소다. 오랜만에 만난 지인들과 계양산 정상에 오르자 번개가 번쩍 번쩍, 천둥은 우르르 쾅쾅 울려댔다. 눈발이 조금 잦아들자 준비해간 막걸리 한 사발씩 하는데 번개는 끊이질 않았다. 번개가 수없이 치더니 잠시 후 카톡도 수없이 '까톡 까톡'거리며 Lightning strike 발생되었음을 알려왔다. 계양산에 오르고 막걸리 한잔하는 짧은 시간에 수십 대의 비행기들이 번개를 맞았다. 국내선, 국제선 할 것 없이 많이도 두들겨 맞았다. 하도 많이도 많으니까, 나중에는 카톡 알림도 들어오지 않았는데, 내일 출근하면 산더미 같이 쌓여있을 작업들이 눈에 선했다. 그날 번개 맞은 비행기들을 임시 조치하는데 2달이 넘게 소요되었고, 온전하게 영구적 수리(Permanent repair)로 마무리까지 하는데 3년이 소요되었다. 필자는 Lightning strike 초도 결함 접수부터 영구 수리 작업 공정 관리까지 담당하였다. 그래서 인지 먹구름 소식과 번개만치면 하늘을 쳐다본다. 어제 늦은 저녁 굵은 비가 내렸지만 다행히 번개와 천둥은 없어 편안하게 금요일 밤을 맞았다. 날씨가 좋든 흐리든 하늘을 자주 보게 되는 것은, 공군에선 비가 오면 비행을 안해서이고 민항에 와서는 번개가 무서워서이다.

시시각각 변화하는 하늘을 자주 본다.
일출은 일출대로, 노을은 노을대로 좋기만 하다.
오랜만에 가족과 함께 여유 있는 주말을 즐긴 후,

2013년 Lightning strike 개정(필자) 전 양식

[별첨1]

Lightning Strike Repair (Detailed Damage & Action List)

Notification No	3001324824	Work Order No	4001947091

A/C No	HL7508	LOG NO	B04259902	DATE	09-Sep-13

No	DISCREPANCY				CORRECTION						
	Body Station	Stringer No			Repair Method						
	Sta(Fr/Ws)-Sta(Fr/Ws)	SL-SL	L/R	CHK Normal	Blend Out	Blind Fstnr	Solid Fstnr	Fastener Part No	Interval F/C F/H	Permanent F/C F/H	Complete Check
1	500C-500D	28	R			V		CR3213-6-3	500	6,000	
2	500D-500E	27-28	R			V		CR3213-5-2	500	12,000	
3	500E-500F	27-28	R			V		CR3213-5-2	500	12,000	
4	500E-500F	27-28	R			V		CR3213-5-2	500	12,000	
5	500F-500G	28	R			V		CR3213-6-3	500	6,000	
6	500G-520	28-28	R/L			V		CR3213-5-2	500	12,000	
7	520	28-28	R/L			V		CR3213-5-3	500	6,000	
8	540	28	R		V						V
9	559-578	28-28	R/L			V		CR3213-6-3	500	6,000	
10	559-578	28-28	R/L			V		CR3213-5-2	500	6,000	
11	613-639	28-28	R/L			V		CR3213-5-2	500	6,000	
12	727-727A	28-28	R/L			V		CR3213-5-2	500	12,000	
13	727-727A	28-28	R/L			V		CR3213-5-2	500	12,000	
14	727A-727B	28-28	R/L		V						V
15	727B-727C	28-28	R/L			V		CR3213-5-2	500	12,000	
16	867-887	28-28	R/L			V		CR3213-5-2	500	12,000	
17	867-887	27-28	L			V		CR3213-5-2	500	12,000	
18	887	28-28	R/L			V		CR3213-6-2	500	6,000	
19	887-907	27-28	L			V		CR3213-5-2	500	12,000	
20	927	28-28	R/L			V		CR3213-6-3	500	6,000	

1. Lightning strike 위치가 정확하지 않을 경우 예와 같이 기록하라. (예: Sta 380-400, SL12-13L)
2. Blend Out Repair를 수행하였을 경우 Blend Out 항목에 체크하라.
3. Temporary Repair일 경우 해당 항목에 체크하고 Matrial No를 기록한 다음 Interval insp'(FH / FC)을 기입하라.
4. Permanent Reapir일 경우, 해당 항목에 체크하고 Matrial No를 기록한 다음 Completion에 체크하라.
5. Permanent Reapir 완료 후 해당 항목에 Completion V 체크하라.

2015년~현재, 개정된 Lightning strike 양식

Lightning Strike Repair (Detailed Damage & Action)

HL No.		Notification		W/O	

No	Damage Location & Size				Temporary Repair					Permanent Repair					Remark
	Frame (ex: FR25 + 20mm)	Stringer (ex: STGR19L - 17mm)	Damage on	Blend Out Size (L x W x D)	Time & Cycle	Fastener P/N	Repetitive Inspection & Repair Life Limit	MECH Stamp	NDI Result / Stamp	Time & Cycle	Fastener P/N	Repetitive Inspection	MECH Stamp	NDI Result / Stamp	
			☐ Paint Only ☐ Skin Only ☐ Riveted/stiffended Area ☐ Unriveted/Unstiffended Area ☐ Fastener Only ☐ Fastener & Adjacent Skin		• F/C: • F/H:		☐ Inspection Interval ☐ Repair Life Limit		☐ Normal ☐ Abnormal	• F/C: • F/H:		☐ Category A ☐ Category B (Ref. Docu. No.)		☐ Normal ☐ Abnormal	
			☐ Paint Only ☐ Skin Only ☐ Riveted/stiffended Area ☐ Unriveted/Unstiffended Area ☐ Fastener Only ☐ Fastener & Adjacent Skin		• F/C: • F/H:				☐ Normal ☐ Abnormal	• F/C: • F/H:				☐ Normal ☐ Abnormal	

7. Aircraft Skin Repair

사람의 피부(skin)와 같이 항공기의 기체구조에 스킨(skin)이 있으며 같은 용어를 사용하며 비슷하게 수리한다. 차이점이라면 인체의 피부는 아주 약한 긁힘 정도면 스스로 재생되지만 비행기의 스킨(skin)이 긁혀서 손상되면 본래 상태로 돌아가지 못한다는 차이점이 있다. 사람 피부의 경우 표피(Epidermis)에 아주 경미한 긁힘(scratch)은 그냥 두거나 빨간 소독약 바르는 정도라 보며 항공기도 비슷하게 해당 부분 페인트를 다시 수행하는 정도다. 그러나, 사람의 경우 진피가 손상되었을 때와 같이 항공기 스킨에 경미한 긁힘이라도 표피층 아래 베이스 메탈이 작게라도 손상이 되면 이때부터는 재생되지 않는 Metal 특성상 손상 부분을 절단하고 수리 할지, 허용치 이내라서 그대로 둘지를 고민하게 만드는 복잡한 상황이 된다. 그래서 본래와 같은 수준으로 항공기 스킨을 회복 시켜주는 수리(allowable damage repair)을 한다. 기존 스킨 두께에서 손상부분을 약 10~15 % 정도 갈아내었기에 재생하지 못하는 메탈 특성상 얇아진 스킨은 갈아낸 만큼 약해져 제 구실을 하지 못한다. 인체의 피부는 재생하면서 흉터가 나지 않도록 연고를 바르면 되지만 항공기 스킨이 긁혀서 약해지면 집중 하중을 받기에 비행중 아주 위험 요소가 된다. 고무풍선을 예로 들면, 가장 많이 팽창한 부분에 약간의 긁힘(Scratch)이 발생되면 터질 수 있는 것처럼 항공기 스킨의 경미한 긁힘은 가볍게 넘길 수 없는 이유다. 그러면 이렇게 항공기의 가벼운 긁힘(scratch)을 어떻게 처리할까?

아마도 인체의 재생하는 피부보다는 덜 복잡하지만 까다로운 수리(repair)를 한다. 이 방법은 월남전 때 개발된 방법으로, 기계 부품에 경미한 긁힘이 있는 경우나 손상된 부분 또는 강도 보강을 위해서 플랩 피닝(flap peening)이라는 방법으로 수리(repair)를 한다. 기존 손상되지 않은 스킨 두께에서 손상 부분은 약 10~15 %정도 얇아짐으로 두께를 갈아내지 않은 부분과 동일한 강도로 만들어 주는 방법이다 일반적으로 상온 상태에서 수행하는 냉간 단조다. 항공기 스킨에서 Alclad 손상과 AL base metal 손상을 중요하게 다루는 이유이기도 하다. Alclad는 고순도 알루미늄 표면층에서 고강도 알루미늄 합금 코어 재료에 금속 접합(롤링)하여 형성된 내식성 알루미늄 시트이다. Alclad는 500 ℃ (932 ℉)의 녹는점을 가지고 있으며, Alclad는 Alcoa의 상표이지만 일반적으로 명칭으로 사용된다. 1920년대 후반부터 Alclad는 항공용 재료로 생산되었으며, ZMC-2 비행선의 제작에 처음으로 사용되었다. 이 재료는 대부분의 알루미늄 기반 합금보다 부식에 대한 내성이 상당히 좋으며, 무게가 약간 증가할 뿐이므로 Alclad는 기체, 구조 부재, 피부 및 카울링과 같은 다양한 항공기 요소를 구축하는데 매력적이다. 이에 따라 항공기 제작에 비교적 인기 있는 소재가 됐다.

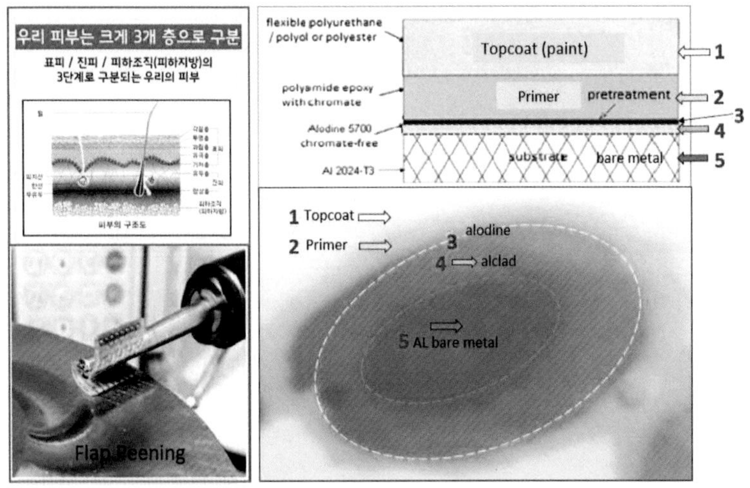

1.Topcoat 2.primer 3.alodine 4.alclad 5.bare metal

플랩 피닝 프로세스란?

로터리 플랩 피닝(Rotary Flap Pening)은 1960년대에 3M 사가 베트남 전쟁 당시 미군의 헬기 야전 수리를 위해 처음 개발한 것이다. 로터리 플랩 피닝은 오늘날 항공우주 산업에서 널리 사용되고 있는데, 구성 요소의 분해 및 운반에 시간이 덜 소요되고 비용도 적게 든다. 이는 새 부품이나 수리 부품의 작은 영역에 피닝 하는데 이상적이기 때문이다. 사진과 같이 항공기 스킨이 손상되어 Sanding 후 남은 Bare metal 부분에 회전 플랩 피닝을 수행하면 스킨 강도가 향상되기에 사용이 편리하다.

플랩 피닝의 장점은?

1. 재료 특성을 개선함
2. 편리한 휴대와 서비스 재작업의 정밀도에 특히 효과적임
3. 또한 플랩 피닝 회전체를 가위로 잘라서 작은 공간에 효율적으로 작업을 할 수 있음

8. RVSM(수직 분리간격 축소 기법) 구역 수리

2005년 제주공항에 주기되어 있던 B737-400 항공기가 돌풍으로 인해 날개에 양력이 발생하여 그 자리에서 들떠서 탑승교 쪽으로 약 10 m 정도 밀리면서 비행기의 좌측 동체(body)가 공항 탑승교와 부딪혀 RVSM 구역에 눌림(dent) 손상이 발생하였다.

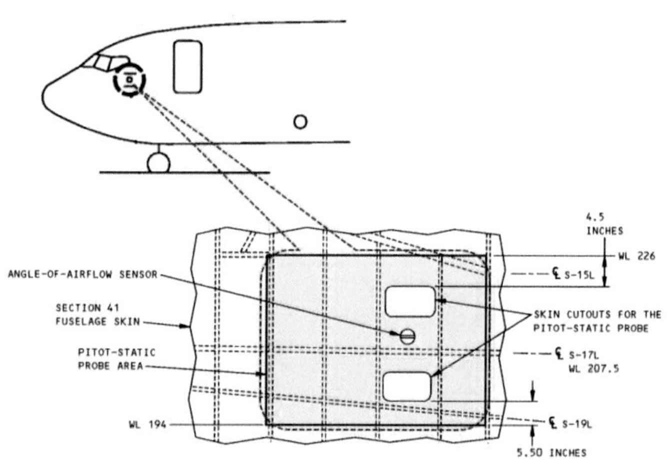

Skin Waviness Inspection for RVSM Operation

탑승교와 부딪혀 손상된 부분은 동체 노우즈 부분의 RVSM 관리 구역으로 각종 비행 센서들이 있는 곳으로, 다행히 동체에는 Hole이 나지 않았고, 비행에 필수인 각종 센서들도 모두 멀쩡했다. 그래서 제작사의 페리 비행(ferry flight) 인가를 얻어 항공기를 김포공항으로 이동하였고, 곧바로 격납고로 이동하게 되었다. 격납고 입고 후 긴급하게 외부와 내부 기체를 확인 후 자체 수리를 하기로 결정하였다.

우선 외부 점검 후 손상된 부분 동체 위치 별(Body Station, Water Line) 마킹(marking)과 번호 표기, 내부 점검은 손상된 프레임, 스트링거, 기골 보강재의 위치 별 표기를 했다. 이 당시만 해도 1988년 12월 10일 첫 항공기인 B737-400 1호기 도입 이후 줄곧 BOEING 항공기 위주로 대부분 미국 단위계인 인치만을 사용했다. 1998년 3월 18일 AIRBUS A321-100 항공기 첫 도입이 있었지만, 대부분 BOEING사 항공기로 B737 항공기는 인치만 사용했기에 인치로만 생각하고 인치를 기준하여 작업을 계획하고 수행했다.

B737은 인치 기준 항공기로, 여기에 사용되는 공구 또한 모든 기준이 인치였다. 당시 손상된 부분은 그림에서 보듯 클래식인 B737-400의 RVSM 구역 중 하나인 PITOT-STATIC PROBE 전방에 부딪혔는데 안쪽에 프레임에 있었고, 내부 프레임은 비행기가 돌풍에 밀려 날아가 접촉했음에도 커다란 Hole은 나지 않았지만 단단한 내부 프레임을 손상케 하는 결과를 낳았다.

PITOT-STATIC PROBE 부분은 공기 흐름에 영향을 주기에 중요 구역(critical zone)으로 외부로 돌출되는 수리 방법은 허용되지 않는다. 그래서 프레임을 잘라 보강판재 두께만큼 프레임의 안쪽을 자르고 잘라진 프레임을 보강한 후 공기 흐름에 영향 없도록 수리해야만 했다. 물론 해당 부분은 중요 부분이라 제작사에서 수리 방법이 인가된 후 작업할 수 있었다.

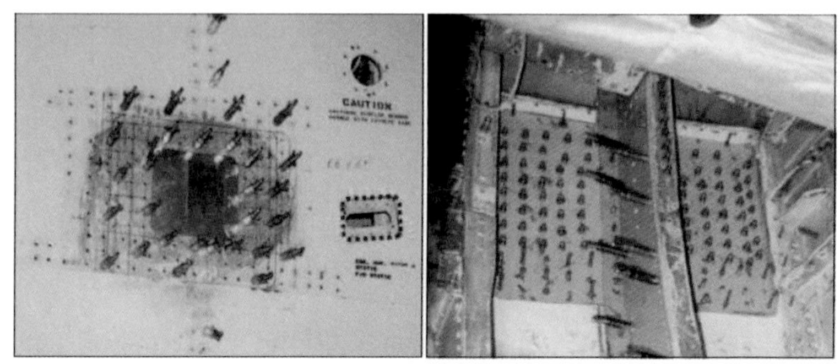

(동체 외부와 내부 수리 사진)

당시 대한항공(KE) 국내선 비행기도 동일한 사고가 있었는데, 손상된 동체 노우즈 스킨 전체를 교환하는 것으로 결정되었다고 한다. RVSM 구역은 동체 수리 후 첫 비행에 고도 값이 정상적으로 지시하는지 확인한다. B737 클래식의 PITOT-STATIC PROBE를 보니 조종석 옆 창문(lateral window)의 아래 노우즈 옆에 있었고, 이후 B737 NG에서 동체 노우즈 전방으로 이동되었다.

RVSM 개념 및 운영지침5)

RVSM(Reduced Vertical Separation Minimum)은 수직 분리 간격 축소 기법(RVSM)으로 쓸 수 있는데, 비행고도 29,000피트~41,000피트 사이의 고고도 공역에서 항공기 간 수직안전거리 분리 간격을 2,000피트에서 1,000피트로 축소 적용하여 효율적인 공역 활용을 도모하고 공역수용능력을 증대 시키는 기법을 말함.

공기 흐름에 영향이 없도록 스킨(skin)을 평면으로 수리하기 위해서 내부 프레임을 탈거하여, 스킨 내부에 보강하는 판재 두께만큼 프레임 절단한다. 절단된 프레임은 보강재로 수리 후 항공기에 장착한 상태에서 사진과 같이 외부 스킨을 수리해야 한다.

---

5) 국토교통부 https://www.molit.go.kr/USR/policyData/dtl?id=301

9. Lap Splice Repair

항공기 기체 제작을 하는데, 가장 기본이 되는 방법은 '이음' 이다. 겹침 이음(lap splice)은 단어의 뜻 그대로 판재에 겹치게 해서 이음 하는 방법으로 현재까지 가장 많이 사용하는 방법으로 항공기 양력에 영향을 받지 않는 동체 제작에 사용하는 방법이다. 최근 탄소 섬유로 제작된 B787의 경우는 동체를 하나의 원통으로 제작하다 보니 겹침 이음이 없는 것이 가장 큰 특징이자 혁신이다. B737이 기계적 접합인 겹침 이음을 하다 보니, 겹침 이음 하는 곳의 접합 방법인 리벳(rivet)을 사용하기 위해 그렇지 않은 부분과 약 5배 이상의 두께 차이가 나게 된다. 그런 이유로 고공을 비행하는 항공기 특성상 동체의 팽창과 수축을 반복하는 경계면에 지속적인 힘이 가해진다. 그래서 B737 오리지널, 클래식의 항공기 동체의 겹침 이음 한곳에서 비행 중 기체나 일부가 뜯겨져 나가거나 Hole이 발생하는 사례가 B737-200, B737-300에서 발생했는데, 이런 결함이 발생하는 곳은 B737 항공기의 크라운 구역(crown area)에서 반복적으로 발생했다. 항공기 동체 크라운 구역은 다른 부분에 비해 상대적으로 지상 접촉을 포함하여 다양한 외적, 내적 손상을 입을 염려가 없기 때문에 무게 경감이 중요한 항공기는 이 부분을 가장 얇게 제작한다. 동체 2시에서 10시 방향은 외부에서 수행하는 지상 조업, 기내식 공급, 유류 공급, 정비 작업, 이착륙 시 다양한 외부 이물질에 의한 손상을 예방해야 하기에 일정 두께 이상의 강도를 보장해야 한다. 그러나 10시에서 2시 방향의 크라운 구역은 이러한 외적 위험 요소가 없기에 가장 얇게 제작하는데, B737 크라운 구역은 내부 스트링거 기준 S-10L에서 S-10R이다. 이곳 크라운 구역의 양쪽 4L, 4R과 10L, 10R의 4곳은 겹침 이음을 한 곳인데 이곳에서 다양한 결함들이 발생했다.

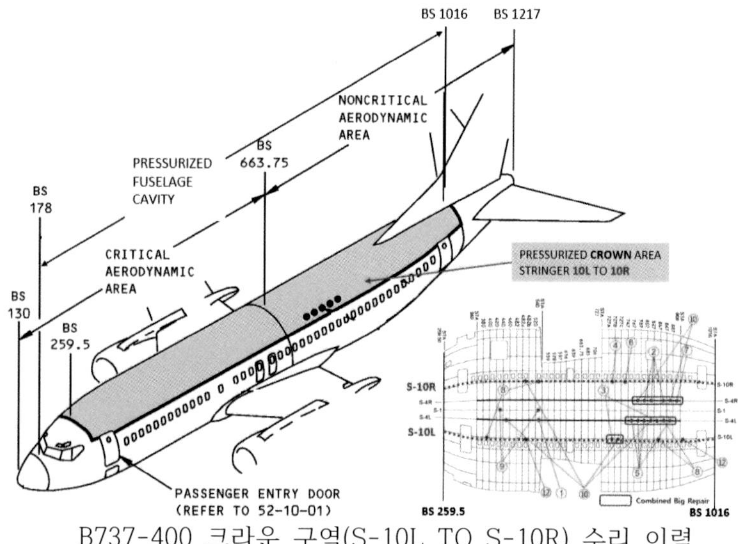

B737-400 크라운 구역(S-10L TO S-10R) 수리 이력

왜! 항공기 상부 이곳을 Crown(왕관, 머리, 꼭대기 뜻) 구역이라 하는지는 정확한 어원까지는 확인하지 못했지만 소형기인 B737 Classic의 경우 B737NG 이전까지 고질적인 결함을 안고

있었는데 이착륙 비행 횟수가 많은 비행기에서 모두 발생했다. B737NG 이후 항공기들은 크라운 구역의 보강과 내부 에어 컨디션 관의 위치를 변경하면서 많이 개선되었으나 결함은 발생한다.

EXAMPLE OF HOW TO LAYOUT REPAIR DETAILS AND COMBINE REPAIRS

Part 1 : Introduction

Assume you have four damages (A, B, C and D) on the skin as shown below.

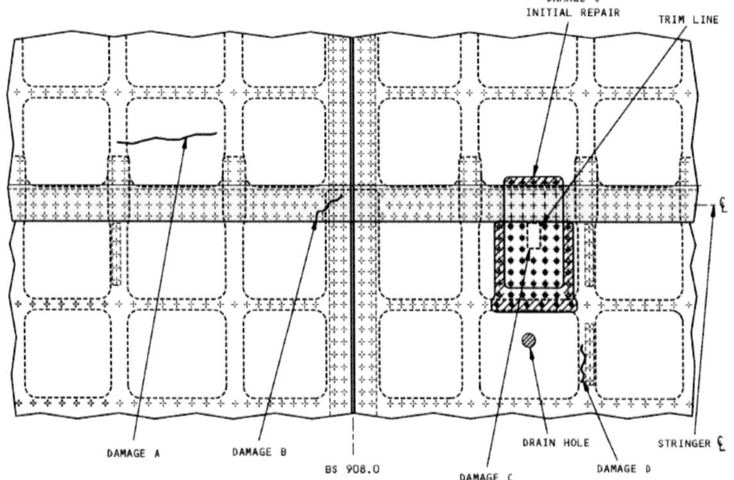

Metal 소재 항공기 동체 제작은 Lap Splice 접합이 일반적이다.

10. Chem-milled Repair

B737 동체 켐밀 스킨(Chem-milled skin) 점검이 계획되어 있는 날은 일찍 잠자리에 들었다. 500 FC의 점검 주기는 왜 이리 빨리 돌아오는지, 자고나면 6시 되자마자 핸드폰이 울린다. 정비통제 야간 근무자로부터 '켐밀 크랙이 발생하여 김포로 출근하셔야 합니다'. 거의 매일 받는 전화지만, 오늘 해야 할 일들이 번개처럼 스치듯 지나간다. 김포공항 출근은 인천공항 출근보다 1시간 더 늦게 집에서 출발해도 더 일찍 도착하지만 미리 항공기 확인, 업무 파악과 주간 업무 조율을 해야하기 때문에 인천공항 출근과 같은 시간에 출근한다. 7시가 채 안 되어 김포공항에 도착해서 야간에 확인된 정확한 결함 위치와 작업을 위해 탈거해야 할 캐빈 의자(seat)와 오버헤드 빈(overhead bin)과 실링판넬(ceiling panel) 위치를 확인한다. 김포공항은 캐빈 정비사가 한 명만 근무하기 때문에 인천에 인력 파견을 요청해야 한다.

가장 시급한 캐빈 정비사를 전화로 요청하고, 내부 인슐레이션과(insulation) 케이블 분리를 위해 김포의 운항 정비부서로 기체(APG)정비사를 추가 요청하고, 작업의 범위가 대작업인 경우 주간 인력 배정을 추가로 조정해야 한다. 항공기 작업 확인과 작업 조정이 유선으로 조율되면, 이제는 메일을 작성해서 관련부서에 협조 요청을 한다. SRM에 따른 방법으로 작업수행이 가능하면, 작업 전 점검부터, 시작, 진행, 완료까지 계획하고 초도 보고를 모두가 출근하는 08시 주간 근무 시간 전에 발송해야 한다. 매뉴얼에 따른 결함 허용 범위를 초과한 경우 제작사에 레포트(report)하고 회신 받을 시간을 예상하고, 비행 가능 시점은 제작사 회신 후 보고라고 추가한다.

1. 작업 계획은 NDI 점검부분 확인
2. 작업 부분 탈거(특기별 인천 분배 시간 산정)
3. 수리 공정 및 인력 산정

   Cutting & initial hole NDI check -> drawing -> fabricate doubler -> drilling -> primer -> cure -> surface sealing -> rivet installation -> paint
4. 탈거한 부분 복원(특기별 역 분배 시간 산정)
5. 비행 지원(towing, in service)

작업 계획을 보고하고, 잠시 후 08시 아침 미팅을 마친 기체 정비사들이 항공기에 도착하면 작업할 부분을 알려주고 인천으로 이동한다. 작업이 단순하면 업무지시 후 바로 인천으로 이동하지만, 작업이 3일 이상 소요되고, 인천에서 인력 지원이 이루어지는 경우는 지원팀이 도착할 때까지 기다렸다가 작업이 시작되면 인천으로 이동한다. 17시 인천에서 퇴근하면서 김포공항에 도착하여 주간 작업 공정 확인하고, 다음날 아침은 다시 김포공항으로 출근하여 야간작업의 공정과 비교 확인 후 인천으로 이동한다. 처음엔 힘들었지만, 이런 작업을 자주 하다보니 익숙해졌다.

그런데, 그것도 잠시 결함이 반복적으로 발생하게 되자 제작사에 보고 후 작업해야 하는 경우와, 결함이 발생한 곳 옆 부분 또는 구조적 간섭이 있는 곳에 결함이 발생한 부분은 작업 계획을 어렵게 만들었다. 처음 한두 곳 결함이 발생하다 너무 많은 비행 횟수로 결함 양상이 전혀 예상외로 발생하자 처음 사용하게 되는 파트가 생기면, 바로 초도 구매신청까지 하게 되었다. 파트 신청부터 구매, 통관 시점까지 확인하고 작업을 계획했다. 작업 지원 오는 정비사들도 출근하여 근무하는 곳이 변경되다 보니 불만들이 늘었다. 그래서 궁여지책으로 야간에 켐밀 점검이 있으면 미리 관련 부서에 메일로 통보를 하였다. 결함이 발생하면 출근 조치를 해 달라는 의미였지만, 배정된 작업에 추가로 작업을 수행해야 하는 AOG 작업이라 작업 조율 담당으로서는 매번 쉽지는 않았으나, 어려운 조건에서도 늘 지원했던 동료정비사들이 있었기에 작업은 순조롭게 진행 되었다.

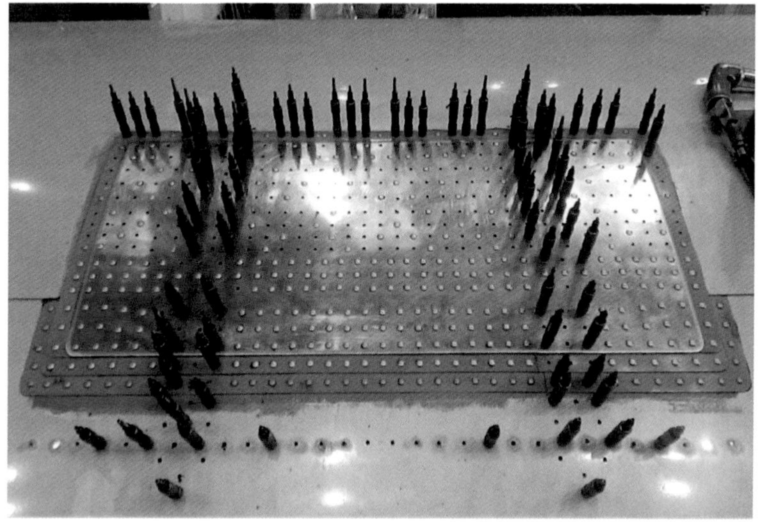

B737-400/-500 Chem-milled area doubler repair

11. Chem-milled[6] Repair 및 사고 사례

1. 항공기 격납고 입고
2. 50일(일일 10 FC)마다 동체 비파괴검사 수행
3. 동체 허용 범위(limit) 이상 발견 시 크랙(crack)으로 봄
4. 크랙 발견되면 그라운드 조치 후 작업 계획
5. 수리를 위해 작업대 및 안전 보호 장비 준비
6. 수리부분 내부(seat, overhead bin, air duct, etc)제거
7. 결함부분 기체(동체) 스킨 절단
8. 스킨 절단 부분 비파괴검사(NDI)
9. 외부 수리 부분 드로잉
10. 미국단위계로 드릴링(drilling)
11. 미국단위계 게이지(gage) 보강판재 제작(fabricate)
12. 보강판재(doubler) 부식 방지 처리
13. 보강판재 Cleco로 임시 고정

---

6) Chemical milling은 온도 조절 에칭 화학 물질 용액을 사용하여 필요한 형상을 만들기 위해 재료를 제거하는 절삭 가공 공정이다.

14. 보강판재(doubler) 항공기 장착
15. 기밀 유지와 공기 저항 감소를 위해 실런트 마무리
16. 내부 파트(seat, overhead bin, air duct, etc) 장착
17. 페인팅(도색 작업)
18. 항공기 견인
19. 손님맞이(비행 투입)

사고 사례: Southwest 2294 손상된 동체 부분

NTSB는 2009년 7월 13일 동체에 Hole이 뚫린 후 급격한 감압을 겪은 사우스웨스트 항공 737-300(N387SW), 2294편의 다음 사진 두 장을 공개했다.

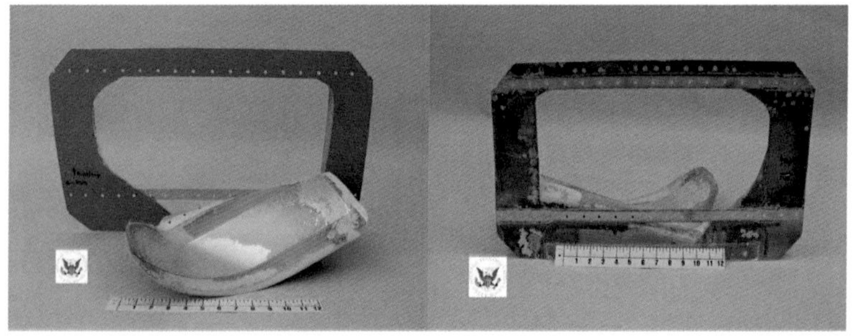

사진: NTSB

손상된 항공기 스킨 부분을 NTSB 재료 연구소에서 육안으로 검사했다. 손상으로 인해 약 17인치 x 8인치 크기의 Hole이 생겼다. 동체의 이 영역에 있는 스킨의 두께는 0.036인치이며, 선택한 영역의 내부 표면에 추가로 0.036인치 두께의 층이 접착되어 있다. NTSB에 따르면 초기 육안 검사에서 균열 상태가 양호하고 추가 분석에 적합한 것으로 나타났다. 심각한 부식이나 명백한 기존 기계적 손상은 발견되지 않았다. 스킨 단면과 파손 표면에 대한 자세한 야금학적 검사는 앞으로 며칠 안에 안전 위원

회에서 완료될 것이다. 사우스웨스트 항공은 현재 웨스트버지니아주 찰스턴의 예거 공항에서 항공기 수리를 했다.

스킨 어셈블리 부품은 전체 어셈블리를 덮는 스킨의 외부 시트와 부품의 내부 표면에 열 접합된 와플 패턴 더블러 시트로 구성된다. 두 부품 모두 0.036인치 두께의 2024T3 클래드 알루미늄 시트였다. BOEING은 스킨 어셈블리가 두 개의 전체 시트를 함께 형성하고 결합한 다음 와플 패턴을 만들기 위해 내부 더블러 시트의 포켓(베이)을 선택적으로 마스킹하고 화학적 밀링으로 제조되었음을 나타냈다. 파열부에 바로 인접한 베이는 비상위치지시용 무전표지설비(ELT) 안테나의 가능한 설치를 제공하기 위해 화학적으로 밀링 되지 않는다.

사우스웨스트 항공 812편은 2011년 4월 1일 애리조나 주 유마 근처 34,000피트(10,000 m) 상공을 순항하던 중 급격한 감압을 겪어 유마 국제공항에 비상 착륙한 BOEING 737-300 여객기이다. 탑승자 123명 중 2명은 가벼운 부상을 입었다. 해당 항공기는 애리조나주 피닉스에서 캘리포니아주 새크라멘토까지 사우스웨스트 항공의 국내선 정기편을 운항하고 있었다. 감압은 동체 외피의 구조적 결함으로 인해 발생했으며 이로 인해 동체 상부에 약 150 cm(60인치) 길이의 Hole이 생겼다. NTSB 조사에서는 기존의 금속 피로에 대한 증거가 밝혀졌으며 사고의 가능한 원인은 동체 크라운 스킨 패널 접합을 위한 제조 공정의 오류와 관련이 있는 것으로 판단되었다. 이 사건은 2009년 사우스웨스트 항공 2294편의 구조적 결함 이후 2년 이내에 발생한 두 번째 사건으로, FAA는 특정 기체에 대한 검사를 높였다. 유마(Yuma)에서 항공기를 검사한 결과 동체 외피 일부가 파손되고 펄럭이는 현상이 발생하여 급속한 감압이 발생한 것으로 나타났다. 개구부 길이가 약 150 cm(60인치), 너비가 20 cm(8인치)였다. 사우스웨스트는 사고 후 검사를 위해 BOEING 737-300 항공기 80대의 운행을 중단했다. 접지된 항공기는 동체의 외피를 교체하지 않은 항공기였다. 5대 항공기에 균열이 있는 것으로 발견되었고, 항공기는 수리되어 다시 운항하였다. 2011년 4월 3일 현재 BOEING은 유사한 항공기 검사를 위한 서비스 게시판을 개발 했다. 2011년 4월 5일, FAA는 737-300/-400/-500 항공기 운영자에게 많은 비행 주기 기체의 랩 조인트 검사 빈도를 높이도록 요구하는 긴급 감항성개선 명령(AD)을 발표했다. AD는 30,000 FC을 초과하는 항공기는 AD 수령 후 20일 이내에 또는 30,000 FC에 도달하면 검사를 받도록 요구한다. 35,000 FC 이상의 주기를 가진 항공기의 경우 5일 이내에 검사를 받아야한다. AD는 또한 30,000 FC이 넘는 항공기의 경우 500 FC 마다 동일한 조인트를 정기적으로 검사하도록 요구한다.

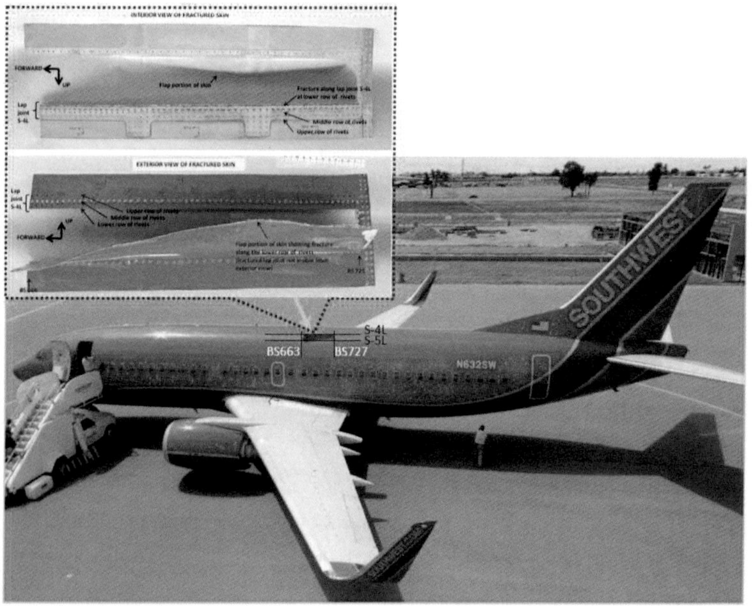

B737-300 사우스웨스트 항공 812편(손상부분 절단)

12. Fuselage Repair

회사 근무자로부터 전화가 왔다.

B737-400 동체 리벳 Hole이 어긋나(miss match) 작업 진행이 안 되니 확인 후 후속 조치하라고.

고향 동창 모임으로 충주에 내려왔으니 작업 할 수 있는 부분만 진행하라고 했는데, 근무자는 더 이상 작업 진행이 안 된다고 한다. 아니 할 수 없다 한다. '나 지금 술 한잔해서 못 올라가니 알아서들 하세요.' 말은 이렇게 했지만 불편했다. 토요일 아침 고속버스로 내려와 예약한 펜션에서 점심과 함께했던 술기운의 도움을 받아 알아서 하라고 했지만, 시간이 흐를수록 불편했다.

결국 저녁 무렵 친구들에게 올라가야한다고 하고 출근 아닌 출근을 했다. 그 당시 AOG(Aircraft On Ground) 작업 전체 공정 계획과 진행을 맡고 있었기에 어쩔 수 없는 상황이었다. 늦은 밤 격납고 항공기에 엔지니어는 먼저 도착해서 현장의 문제점을 확인 중이었다. 동체의 강한 부분을 기준하여 파스너로 당기면 될 것 같아 파스너 수백 개를 장착하여 시도 했으나, 동체 길이의 2/5에 해당하는 지금까지 경험하지 못한 보강판(doubler) 크기라 동체 위 스킨과 아래 스킨의 리벳 Hole이 5 % 정도 모두 어긋나 있었던 게 본래의 위치로 돌아가지 않았다. 작업 전 워낙 대형의 보강 작업이라 작업을 위해 항공기 기체를 제로 스트레스(zero-stress)로 만들었지만 지금까지 작은 결함을 수리했었고 이들 작은 결함들이 모여져서 엄청난 크기의 보강판을 장착해야 하는 결함이 되었다. 작업 공정을 세울 때, 부분, 부분 나누어 분리 작업하는 것도 잠깐 고려했지만 전체 공정 단축을 위해 동시에 작업 수행하도록 계획했다. 작업을 빨리 마치고 비행에 투입하면 그만큼 회사 이익에 기여하게 되어 최대한 신속한 작업 진행 방법으로 계획했다. 늘 하던 일이었고 이번에도 크기만 커져 그만큼만 시간이 더 소요 되리라 쉽게 생각했다.

토요일 늦은 밤 시작하여 자정을 훨씬 넘겨 엔지니어와 함께 시도한 작업은 허사가 되었고, 일요일 아침 긴급회의를 소집해서 제로 스트레스를 맞추고 있는 잭(jack)을 다시 확인하고 제작사 허용 범위 내에서 양쪽 날개에 받치고 있는 잭의 힘을 다르게 하여 시도했다. 양쪽 힘의 차이로 순간 리벳 Hole이 맞지만 이내 아주 조금 어긋난 상태는 계속 유지 되었다. 처음 시작부터 모든 작업 행위를 재검토하여 기록하고 검증했지만 리벳 Hole은 본래와 같이 맞출 수 없었다. 제작사에서 파견 온 엔지니어도 함께 지원을 했지만 더 이상 작업 진행을 할 수 없었다. 제작사에서도 다양한 의견으로 리벳 Hole을 일치하게끔 기술 지원했지만 안 되었다. 결국 제작사는 다른 회사로 파견 온 엔지니어를 현장으로 급히 보냈다. 다행이 이 엔지니어는 항공기 제작 시 기체 무게 중량과 중심(Weight & Balance)을 연구하고 시행하는 전문가였다.

파견 엔지니어는 튼튼한 군용 노트북에 항공기 위치별 데이터 값을 입력하고 제작사에서 보낸 힘보다 3배 더 높은 값을 우리에게 제시했다. 곧바로 제시한 값을 재확인하고 잭을 올리자 5% 부족하게 어긋나 있던 리벳 Hole들이 바로 일치했다. 3일을 헤매었는데 단 2시간 만에 해결되었다. 한국과 미국의 거리에서 오는 소통의 문제점에 더해 근본적인 기술의 한계를 느꼈다. 아마도 이런 작업으로 인해 B737-500 클래식 항공기의 윈도우 벨트 라인을 모두 비파괴 검사했을 것이라 보여진다. 알로하 B737은 일정하고 동일한 비행 루트로 인해 동체 상부가 날아가는 결함이었으나, 클래식 항공기는 보강된 기체와 비행 유형이 달라 윈도우 벨트 라인에 결함이 발생하지 않았을 것으로 예상된다.

B737-400/-500 Fuselage Repair

B737-400 마지막 수리 후 기념 촬영

13. Wing Fuel Tank Repair

B737-400/-500 클래식 항공기의 경우, 날개 상판은 알루미늄 7000계열 12.5 mm(0.5") 두께이고 하부 판재는 2000 계열로 19.8 mm(0.78")이다. 상판 두께가 상대적으로 얇지만 인장 강도는 훨씬 강해 하부 판재와 비슷하다. 지상보다 비행 중 양력에 의하여 날개가 상부로 휘어지기에 상부보다 연성이 좋은 재질의 알루미늄을 하부에 사용한다.

Outer Wing Upper Skin: 7150-T651 0.500"
Outer Wing Lower Skin: 2324-T39 0.780" SRM 57-20-01

B737 날개가 비행중 상부로 휘어지면서 하부에 많은 스트레스가 가해지지만, 실상은 항공기 착륙시 랜딩하면서 날개 하부에 충격이 가해지고 순간적으로 볼트와 너트로 체결된 바퀴다리와 연결된 피팅(fitting)의 기계적 접합 부분에 힘이 가해지고 이로

인해 너트 풀림을 포함한 다양한 손상을 유발시킨다. 그래서 B737 클래식 항공기 경우 날개 안에 들어가 기계적 접합으로 되어 있는 피팅을 분리하고 이전보다 보강된 새로운 피팅 파트로 교체하는 작업을 5일(10 shift)에 걸쳐 수행했다.

항공기 Fuel Tank 진입 전 LEL(연료 농도) Check하고 기록을 제일 우선한다. 날개 속에 있는 연료를 완전하게 배출하기는 현실적으로 어렵기에 기준치 연료 농도 이하에서만 연료 탱크에 진입하게 되어 있으며, 잔존하는 연료에 의한 유증기를 배출하기 위한 퍼징 작업은 계속 수행한다. B737 날개는 상하부 공간이 좁기에 점검 창 입구에서 방폭 방지를 위한 보호복 착용과 공기 주입 장비를 모두 착용하고 들어가기조차 힘든 작은 공간이기에 신체적 제한이 있으며, 아주 드물지만 협소하고 좁은 공간이기에 폐쇄공포증을 유발하기에 들어가지 못하는 작업자도 있다. 항공기 날개 속에 들어가는 것은 휴식시간을 고려하여 오전 2회, 오후 2회로, 보통 3회 차 들어갈 때는 약간 주저하게 된다. 이는 날개 연료탱크 내부 바닥에 한 시간 이상 엎드려 있어야 하고, 앞뒤 칸칸이 있는 스티프너(stiffener)에 몸이 닿으면 고통을 유발하기에 사이사이에 스티로폼을 깔아 놨기에 움직일 수 있는 공간은 더 작아져 있는데 시간이 지날수록 더 좁게 느껴진다. 그리고 연료 탱크 하나하나의 점검창마다 격벽을 구성하는 리브(rib)가 있어 신체가 연료 탱크 안으로 들어가면 겨우 손만 움직이는 상황에서 작업이 원활하게 진행되지 않으면 더 그렇다.

날개 연료 탱크에 장착하는 볼트 or 하이록(Hi-lok)들은 기본적으로 연료 누설 방지를 위해 실런트를 발라 장착하기에 잘 빠지지 않아 경우에 따라서는 에어 해머(air gun)로 안에서 강한 힘으로 때려야 하는데, 이 경우 스파크가 날 수 있어 접촉(마찰) 부분에 테잎을 감싸고 치는데 많이 치면 테잎이 떨어져 나가고, 딱 하는 경쾌한 큰 소음이 들리면 가슴이 철렁한다. 스파크(spark)가 우려되기에 바로 테이프를 감싸고 다시 작업을 이어간다.

항공기에 사용하는 공구의 대부분은 100PSI 정압의 에어 공구를 사용하는데, 다양한 원인으로 고착된 볼트는 볼트 머리나 나사 부분에 계속 힘을 가하면 추가 손상이 가기 때문에 순간적으로 큰 힘을 가하기 위해 질소를 사용한다. 에어 공구에 무리가 가지만 볼트에 지속적인 충격은 2차 손상의 큰 결함을 초래하기에 신속한 선택이 필요하다. 물론 안전 절차도 추가로 필요하다.

항공기 연료 탱크 격벽과 직접적으로 연결되는 피팅의 Hole은 정밀 공차 Hole로 가공되어 있어 볼트 제거가 쉽지 않다. 좁은 공간으로 인해 외부 작업자와 호흡이 맞지 않아 순서를 잘못하면 빼던 볼트를 다시 집어넣고 순서에 맞게 작업을 해야 하는데, 연료탱크 안에 있는 작업자는 두 세 배로 힘들어지며 휴식 시간에 나오려고 하면 힘이 빠지고, '못 나가면 어떻게 될까'하는 공포가 몰려오며 허둥댄다. 이런 경우를 대비하여 연료탱크 입구에는 항상 내부를 관찰하는 작업자를 두며, 특이 상황이 발생하면 우선 안에 있는 작업자 신체를 붙들어 안정시키는 일을 먼저 한다. 본인도 일이 잘 안되어 다리부터 나오려 하는데 공포가 밀려와 눈을 감고 그대로 5분 이상 긴장을 풀고 나온 적이 있는데 다시 들어가기 싫은 마음이 앞선 경험이 있다. 특히나 공기 공급기는 신체를 움직이는데 많은 방해가 되어 난이도가 높은 곳을 작업하는 경우 방독면만 하고 들어가 작업하고 나와 다시 공기 공급기를 메고 다시 들어가 작업을 수행한다.

Hazards of Airplane Fuel-Tank Entry

1. Fuel-tank hazards.
2. Preparation for entry.
3. Conditions required for entry.
4. Emergency response plan.

FUEL TANK SEALING 방법

FUEL TANK의 STRUCTURE의 수리나 부품교환을 할 때, FULLY SEAL을 하여야하며 아래 사항을 준수해야 한다.

1. 해당 부위로 부터 최소 2.953" 주위에 남아있는 SEALANT를 제거한다.
2. 만나는 모든 면을 세척한다.
3. 점착 촉진제(PR147)를 바른다. PR147은 PR146, PR148로 대체가 가능하다.
4. PR1422B1/2 혹은 PR1422B2 SEALANT를 준비한다.
5. FAYING SURFACE에 최소 0.472" 두께로 SEALANT를 한 겹 바른다. 확실히 하기에 충분한 두께의 SEALANT는 수리한 주위로 스며 나오게 된다. 단, 얇은 PART의 경우 BUCKLING이 발생되어서는 안 된다.
6. 수리용 조각들이나 새로운 부품에 SEALANT를 바르자마자 올바른 위치에 조립한다.
7. 수리나 새로운 부품에 사용할 FASTENER를 즉시 넣는다. 만약 이것이 불가능할 경우 SCREW-PIN이나 CLAMP를 사용하여 단단하게 고정한다. 이렇게 조립하면 접합부의 길이를 따라 SEALANT가 밀려나온다.
8. 밀려나온 SEALANT를 자연스럽게 BEAD를 형성한다.
9. TACK FREE 상태로 CURE 될 때까지 둔 다음, PR1422A 1/2 이나 2 SEALANT를 준비한다.
10. JOINT AREA를 붓을 사용하여 SEALANT를 한 겹 바른다. D214 이것은 공기방울이 없어질 때까지 계속 발라야 하며, BAED SEALANT보다 최소 0.472" 이상 커야만 된다. 또한, 이 SEALANT를 모든 RIVET HEAD에도 발라야 한다.
11. TACK FREE 상태가 될 때까지 그대로 유지한다.
12. PR1005CH SEALANT를 적용하여, 0.98" 정도 오버랩하여 둘러싼다.
13. 모든 SEALANT가 CURE 되었을 때, FUEL LEAK에 대해 테스트 한다.

참 고:

1. 퍼징(purging): 전기·전자 전기 기계、기구에 전압을 인가하기 전에 폭발성 가스 분위기의 농도를 폭발 하한 값 아래로 낮추기 위하여 압력 밀폐함 및 그 덕트(duct)를 통하여 충분한 양의 보호 가스를 공급하는 것.
   ⇒ 규범 표기는 미확정이다.
2. 폭발(연소) 하한선, LEL(Lower Explosive Limit)
3. 재료사항:
   합금 2324-T39는 합금 2024의 합금 2024-T351의 고강도, 순도 제어 조성 버전이다. 장력이 지배적이고 피로 및 파단이 중요한 플레이트 응용 분야를 위해 개발되었다. 특수 제작 방식을 통해 개발된 T39 열처리는 알루미늄 합금 2024 플레이트보다 강도와 파괴 인성 특성을 모두 향상시킨다. 합금 2324-T39 플레이트는 상업용 항공기의 하부 날개 스킨 및 중앙 날개 박스 구성 부품에 사용되었다.

정보 제공: 알코아. Aluminum 2324-T39 (matweb.com)
Stress-strain curve of the 7150 T651 alloy and fitted curves of the... | Download Scientific Diagram (researchgate.net)
http://afbase.com/ac1/aircraft/kit/b-wing.html

p173 대점검 기간(D CHK) B737 날개 하부 도어 장탈 작업 사진과, 날개 연료 탱크 내부 사람은 인터넷에서 가져온 사진으로 안에서 외부를 볼 수 있을 정도의 큰 항공기 날개다. B737은 날개에 들어가면 공간 협소하여 그대로 나와야한다.

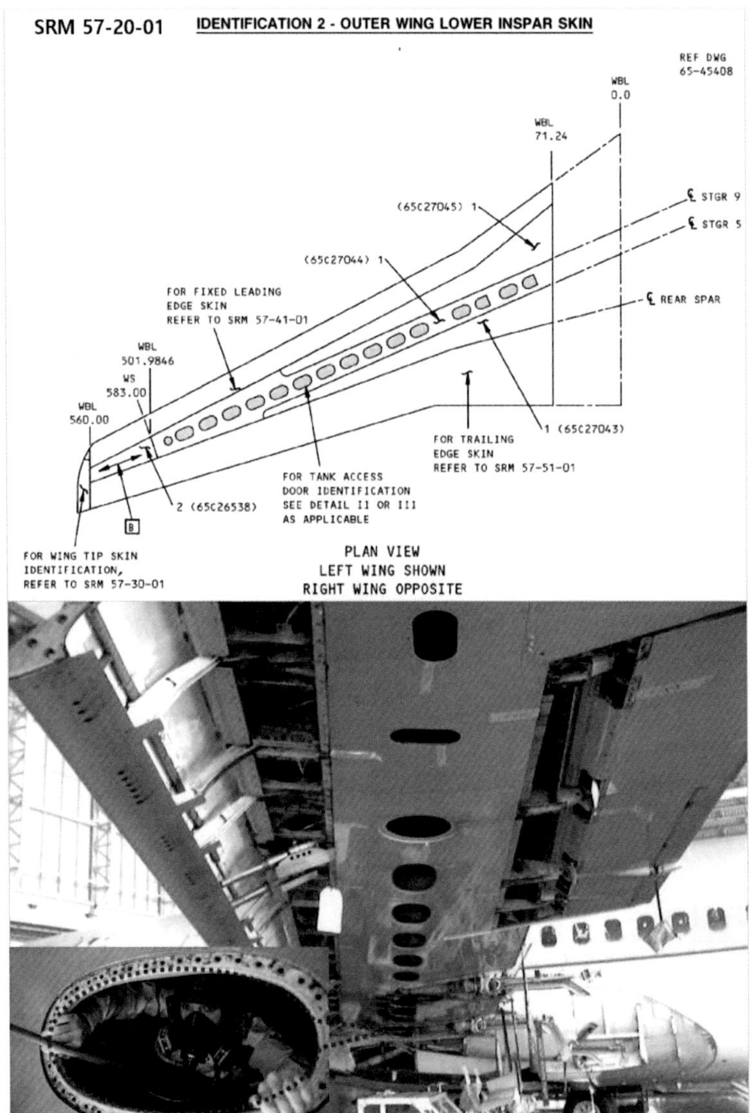

출처: https://airwaysmag.com/aircraft-fuel-tank-diver/

14. Wing-to-Body Fairing

Wing-to-Body fairing은 동체와 날개 상부의 루트(root) 페어링과 항공기 날개 하부에 동체와 날개 사이의 유선형 페어링이다. Wing-to-Body Fairing은 동체에 날개 사이에 2차 구조부재를 이용하여 고정하는 구조이며 비금속 재질로 만들어졌다. 날개와 동체 사이의 페어링은 전방 및 후방 에지를 포함한다. 전방에지는 날개 루트 페어링의 후방 부분의 미리 결정된 위치에 인접하도록 구성되었으며, 트레일링 에지는 동체 후미 부분에 미리 결정된 위치에 인접하여 배치되도록 구성되었다. 볼록한 유선형 모양의 페어링의 전방 부분은 미리 결정된 위치에서 날개 루트 페어링의 후방 부분에 부합하도록 구성된다. 날개와 동체를 연결하는 페어링의 외부 표면은 곡률을 최소화하도록 경사가 최적화된 구배이며, 페어링 트레일링 에지는 동체의 후미 부분과 동일한 각도와 윤곽으로 구성된다.

B737 Wing-to-Body Fairing은 크기가 큰 위아래 두개로 구성되었으며, 다른 기종에 비해 상대적으로 크다. 그러다 보니 항공기에서 탈거하려면 동체의 알루미늄 스킨과 비금속 재질의 Wing-to-Body Fairing을 분리해야 한다. 이때 넓은 면적에 밀착되어 있는 실런트를 제거해야 하는데, 비금속 재질의 두꺼운 Wing-to-Body Fairing과 동체 사이 단차를 실런트를 이용하여 공기흐름(air flow)에 영향이 없도록 완만하게 만들어주는데 이때 폭 0.7~1인치에 가까운 실런트를 하게 된다. 이후 실런트가 완전하게 굳으면 페인트 작업까지 수행한다.

항공기 점검을 위해 Wing-to-Body Fairing을 탈거하려면 우선 이 부분의 실런트를 제거해야 하는데, 비공식적으로 구두칼과 커터 칼을 사용했다. 공식적으로는 사용이 금지되었지만 많은 양으로 밀착된 Wing-to-Body Fairing과 공기 흐름을 원활하게 하는 실런트를 모두 제거하기엔 구두칼 만한게 없었다. 기체정비사들이 플라스틱을 이용하여 실런트 제거를 시도하지만, 작업은 늦어지고 힘들어지니 검사원 몰래 사용하는 것이 일반적이었으며, 구두칼은 소모성으로 회사에서 항상 새것으로 구매해서 비치를 했다. 그러다 회사는 다양한 기종과 항공기 대수가 많아져서 B737 대정비를 자체적으로 소화하지 못하는 상황이 되어 결국 외국 업체로 보내게 되었는데, 그곳에서 Wing-to-Body Fairing과 접촉하는 동체 스킨을 정밀하게 점검하게 되었고 몇 건의 구두칼 또는 날카롭게 패인 자국이 발견되어서 보강판재를 덧대야 하는 상황이 되었고 작업까지 하게 되었다. 그동안 지속적으로 제기 되었던 항공기 정비 작업시 구두칼이나 칼 사용에 대한 우려가 현실로 나타나자 회사는 항공기 실런트 제거 작업에 구두칼 또는 커터 칼 사용만이 아니라, 해당 작업시 칼이 보이기만해도 책임지도록 강력하게 단속했다.

사실 넓게 도포된 실런트 제거에 구두칼이나 커터 칼 사용은 너무 편리했다. Wing-to-Body Fairing[7]을 어렵게 탈거하는 모습을 보면 이해는 되었으나 B737 동체의 스킨 두께가 얇은 곳은 0.040″로 두께가 너무 얇아 날카로운 칼날에는 속수무책이다. 이런 사정을 잘 알지 못하는 기체정비사들은 자연스럽게 칼을 사용하게 되었고, 작업이 어렵기에 한편으론 용인하는 분위기도 있었다.

(외국 항공사 Wing-to-Body fairing 보강 작업 사진)

그러나, 타 항공사가 이 부분에 다수의 깊은 스크래치 결함들이 발견되었고 사진과 같이 Wing-to-Body Fairing이 접촉되는 부분 전체에 보강판재 작업을 하게 되는 상황이 알려지자 지금까지 습관적으로 사용하던 칼 사용은 대부분 사라지게 되었다.

BOEING사도 이러한 사정을 알게 되어 Wing-to-Body Fairing과 접촉하는 동체에 대한 정밀한 검사를 주기적으로 수행해야 하는 점검항목을 만들고 운영항공사들에게 지시하는 한편 날카로운 칼의 사용에 따른 부작용에 대한 사례들을 전파하게 되었다.

7) B737 Section 43 Wing-to-Body Fairing Skin 53-30-70

15. 앙꼬 빠진 소성가공

소성가공이란 물체의 소성변형(영구 변형)을 이용해서 다양한 형상의 파트를 만드는 가공법으로, 항공우주분야에서도 판재를 다양한 형태로 성형 공정(Forming Process)하는데 이용됨에, 소성 가공에 필요로 하는 재질의 정보와 이론적 제작 방법을 자세히 기술하고 있다. 항공기에 사용하는 소재 중 현재 가장 많이 사용되는 것은 알루미늄으로 비철금속(철 이외의 금속)이다. 알루미늄을 Metal로 구분하는 가장 큰 이유는 Metal의 성질의 그대로 가지고 있으며, 소성가공 특성이 Metal과 같기 때문이다. 그럼에도 항공 기체 관련 교제에 소성가공의 원리보다 판재 절곡에 대한 이론이 중요하게 기술되어 있다. 그러나 금속 조직에 대한 설명과 소성가공 시 발생되는 현상에 대하여 원리를 기술하지 않아 실제 작업(실습)을 수행하고 이때 발생되어진 변형 현상에 대해서는 이해 할 수 없다. 성형은 금속(metal)을 늘이기(Stretching) 또는 줄이기(Shrinking) 하거나, 또는 때때로 양쪽 모두를 적용하는 것이 필요하다. 금속을 성형하는데 사용되는 공정들은 범핑(bumping), 크리핑(crimping), 그리고 절곡(folding)이 있다. 이 가운데 절곡 작업은 판재를 절곡할 때 늘이기와 줄이기가 최대치로 나타나는 것으로 단순하게 보이나 가장 기본이자 어려운 작업이다. 그래서 굽힘 허용량에 대한 용어들을 잘 아는 것은, 굴곡부 계산이 굽힘 작업에서 어떻게 사용되는지 정확한 이해가 필요하다.

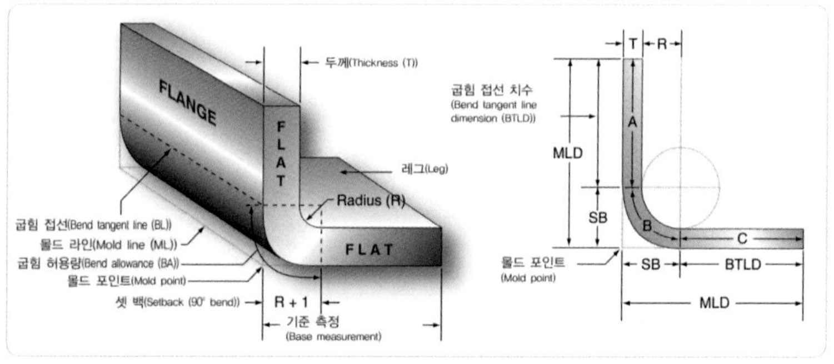

굽힘 허용량 용어(Bend allowance terminology)

1. 용어(Terminology)

다음의 용어들은 보통 판금 성형과 평평한 모형 배치도에서 일반적으로 사용된다. 이러한 용어들을 잘 아는 것은 굴곡부 계산이 굽힘 작업에서 어떻게 사용되었는지 이해하는데 필요하며, 그림의 대부분 이들 용어로 나타낸다.

(1) 기준 측정(Base Measurement)

(2) 레그(Leg)

(3) 플랜지(Flange)

(4) 금속의 그레인(Grain of the Metal) 금속 본래의 그레인은

판재가 용해된 주괴로부터 압연될 때 성형 된다. 굽힘선은 가능하다면 금속의 그레인에 90°로 놓이도록 만들어야 한다.

(5) 굽힘 허용량(Bend Allowance; BA) 굴곡부내에 금속의 굴곡진 섹션을 말한다. 즉, 굽힘 에서 굴곡진 금속의 부분이다. 굽힘 허용량은 중립선의 굴곡진 부분의 길이로 간주한다.

(6) 곡률 반경(Bend Radius) 원호(arc)는 판금이 구부러질 때 성형 된다. 이 원호 (arc)를 곡률반경이라 한다. 곡률반경은 반경 중심에 서 금속의 내부 표면까지 측정된다. 최소곡률반경은 합금 첨가물, 두께, 그리고 재료의 유형에 따른다. 사용될 합금에 대한 최소곡률반경을 결정하기 위해 항상 최소곡률반경 도표를 사용한다. 최소곡률반경도표는 제작사 정비 매뉴얼에서 찾아볼 수 있다.

(7) 굽힙 접선(Bend Tangent Line/BL)

(8) 중립 축(Neutral Axis)

(9) 몰드 라인(Mold Line/ML)

(10) 몰드 라인 치수(Mold Line Dimension/MLD)

(11) 몰드 포인트(Mold Point)

(12) K-팩터(K-factor)

(13) 셋백(Setback; SB) 절곡기의 jaw 거리는 굴곡부를 성형하기 위해 몰드 라인에 Setback이 있어야 한다. 90° 굴곡부에서는 SB= R+T(금속의 반지름+금속의 두께)이다. Setback 치수는 굴곡부 접선의 시작 위치를 결정하는 것에 사용되기 때문에 굽힘을 만들기 이전에 결정해야 한다. 부품을 한 번 이상 구부릴 때에는 매번 굴곡부에서 Setback을 빼야 한다. 판금에서 대부분 굴곡부는 90° 이다. K-factor는 90°보다 작거나 큰 모든 굴곡부에 대해 사용해야 한다.

(14) 시선(Sight Line)

(15) 평면 (Flat)

(16) 닫힘 각(Closed Angle)

(17) 열림 각(Open Angle)

(18) 전체 전개 폭(Total Developed Width/TDW)

2. **배치도,,평면 전개(Layout or Flat Pattern Development)**

재료의 낭비를 방지하고 마무리된 부품에서 더 큰 정밀도를 얻기 위해 성형 전에 부품의 배치도 또는 평면 전개도를 그린다. 호환 가능한 구조물의 부품과 비구조물 부품은 채널(channel), 각재, Zee, 또는 Hat 섹션 부재를 제작하기 위해 평판 자재를 성형하여 제작한다. 판금 부품을 성형하기 전에 굴곡지역에서 얼마나 많은 재료가 필요한지, 어떤 지점에서 판재가 성형 공구 안으로 삽입되어야 하는지, 또는 굽힘선이 어디에 위치해야 하는지 보여주기 위해 평면 전개도를 그린다. 굽힘선은 판금 성형을 위한 평면 전개도에 위치를 표시해야 한다. 판재 성형에 필요한 각도로 구부릴 때 Setback과 굽힘 허용량을 위해 정확한 허용량을 만들어야 한다. 만약 줄이기나 늘이기 공정을 사용하고자 한다면, 부품을 최소로 성형 할 수 있도록 굽힘 허용량을 만들어야 한다.

3. **직선 굽힘 제작(Making Straight Line Bends)**

직선 굴곡부로 성형할 때 재료의 두께, 그 재질의 합금 성분, 그리고 합금 첨가물 조건을 고려해야한다. 일반적으로 재료가 얇을수록 곡률반경이 더 적어지고, 재료가 연할수록 직각으로 절곡 할 수 있다. 직선 굽힘을 만들 때 고려할 기타 요소로는 굽힘 허용량, 셋백(Setback), 그리고 절곡기 또는 시선(sight line) 등이 있다. 재료의 판재 곡률 반경은 굴곡진 재료의 내부에서 측정한 곡률 반경을 말한다. 어떤 판재의 최소곡률반경이란 굽힘에서 금속을 극단적으로 약화시키지 않고 최대로 굴곡지게 하거나 굽히는 것을 말하며, 만

약 곡률 반경이 너무 적으면 응력과 변형이 금속을 약화시켜서 균열을 일으킨다. 최소곡률반경은 항공기용 판금의 유형에 따라 구체적으로 명시되어 있다. 재료의 종류, 두께, 그리고 판재의 합금 첨가물 조건은 최소 곡률 반경에 영향을 끼치는 요소이다. 풀림 처리된 판재는 곡률반경이 판재의 두께와 거의 같은 정도로 굽힐 수 있다. 스테인리스강과 2024-T3 알루미늄합금을 굽힐 때는 상당히 큰 곡률 반경을 요구한다.

4. 금속을 접기 위한 판금 절곡기 사용(Using a Sheet Metal Brake to Fold Metal)

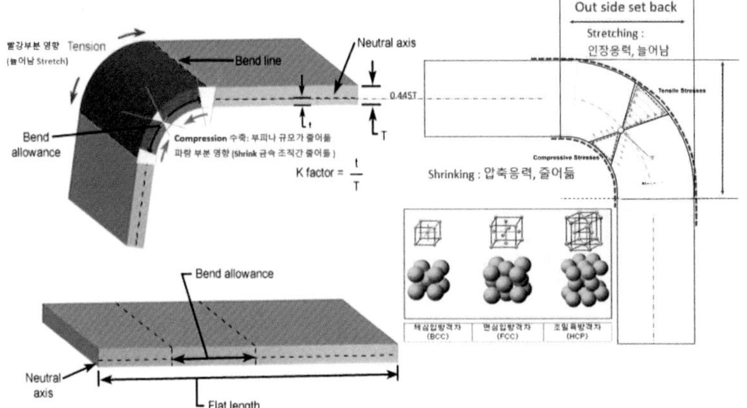

금속 소성 원리는 슬립, 쌍정, 전위, 다결정의 변화가 있다.

1) **슬립(slip)**: 외력이 작용하지 않은 상태에서 인장력을 작용시켰을 때 미끄럼(sliding) 변화를 일으켜 결정의 이동이 생기는 데 이것을 슬립은 금속 고유의 슬립면을 따라 이동이 생긴다. 슬립이 생겼을 때 결정이 이동된 뒤 현미경으로 보면 슬립선이 생기며 이것을 슬립 밴드(slip band)라 한다. 변형이 진행됨에 따라 슬립선의 수가 많아지고 선도 굵어지

므로 슬립에 대한 저항이 증가하며 금속의 경도와 강도가 증가한다. 이러한 현상을 가공 경화(work hardening) 또는 변형 강화(strain hardening)라 한다.

2) **쌍정(twin)**: 변형 전과 변형 후의 위치가 서로 대칭으로 변형하는 것을 쌍정이라 하며 이와 같은 현상은 황동을 풀림하였을 경우로 연강을 저온에서 변형시켰을 때 볼 수 있다.
3) **전위(dislocation)**: 금속의 결정격자가 불완전하거나 결함이 있을 때 외력이 작용하면 불완전한 곳과 결함이 있는 곳에서부터 이동이 생기는 데 이것을 전위라 하고 이 전위의 이동으로 소성 변형이 생기며, 전위에는 날 끝 전위(edge dislocation) 나사 전위(screw dislocation)가 있다.
4) **다결정의 변형**: 단결정 내의 변형과 달리 수많은 결정들이 서로 간섭 작용을 일으켜 미끄럼이 방해 받는다. 결정립이 미세하면 소성변형이 일어나기 힘들어지고 강도가 증가한다. 한쪽 방향으로 지속적인 변형을 가하면 한 방 향으로 늘어선 섬유상 조직이 만들어진다.

금속 판재를 절곡하면 굴곡의 안쪽 재료는 압축을 받게 되고 굴곡의 바깥쪽에 재료는 늘어나게 된다. 그렇지만 이 두개의 양극단 사이 거리의 한곳에 어느 쪽 힘으로부터 영향을 받지 않는 공간이 있는데 중립선 또는 중립축이라고 부르며 곡률 반경의 내측에서 금속 두께(0.445×T)의 약 0.445배의 거리에 위치한다. 판재를 90° 절곡하면 가장 작은 단면적에서 늘임과 줄임이 동시에 발생함에 그림의 노랑색 부분에서 스프링 백(spring-back)을 완전하게 처리하지 않으면 판재에 변형이 발생하게 된다. 스프링 백(spring-back)은 박판이 절곡기(or 금형)에 의해 강제적으로 변형된 후 절곡기(or 금형)로부터 이탈되었을 때 박판 내부의 응력이 정적 평형상태를 유지하기 위해 탄성적으로 재편되면서 발생하는 현상으로 금속에 탄성 한도를 초과하는 외력을 가한 후 그 외력을 제거하면 소재 내부에 잔류하는 탄성 복원력에 의해 원래 상태로 되돌아가려는 재료 특유의 성질이다. 스프링 백을 고려하여 일반적으로 90°을 약간 넘겨 절곡하는 과도 굽힘(over bending) 방법을 사용한다. 추가로 스프링 백을 보상하기 위해 사용하는 방법으로 바토밍과 셋팅(bottoming & setting) 그리고, 신장 굽힘(stretch bending)이 있다.

항공기 기체와 기골 수리 작업에 가장 많이 사용하는 판재 굽힘(절곡) 작업은 Cold working(상온 소성변형)으로 늘이기(stretching)와 줄이기(shrinking)가 동시에 발생하면서 이방성을 유발하는데, 선택적 방향성(Preferred orientation)을 가진다.

- 인장 시: 변형방향으로 정렬
- 압축 시: 변형의 수직방향으로 정렬

판재를 절곡하면 중립면 기준하여 판 두께는 원주방향의 인장변형과 압축변형에 의해 중립면에서 외측은 얇아지고, 내측은 두껍게 된다. 그러나 전체적으로는 외표면측의 원주방향 인장응력의 분력과 외표면측의 원주방향 압축응력의 분력에 의해 판 두께 방향으로 압축되어 재료는 처음의 판 두께 보다도 얇게 되고, 중립면은 내표면측으로 이동한다. 그러므로 원주방향의 길이는 변형 전에 비해 어느 정도 길게 된다. 판 폭 방향은 판 두께방향과 같이 외표면측에는 원주방향의 인장변형에 의해 폭 방향으로 수축하고, 내표면측에는 반대로 원주방향의 압축변형에 의해 폭 방향으로 넓어진다. 그림에 나타나듯이 안장형상으로 변형하고 캠버(camber)가 일어난다.

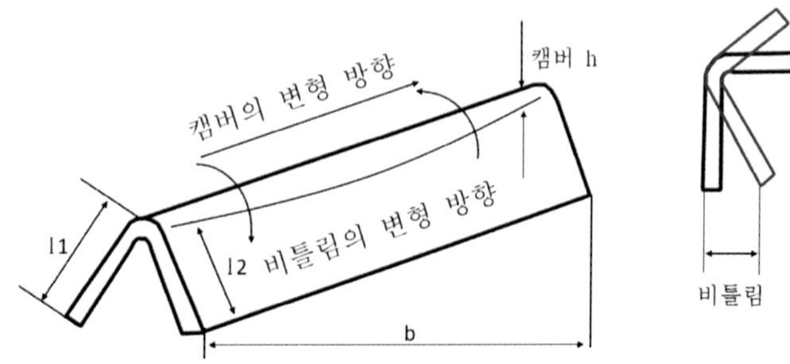

이것은 바깥 조직은 가로 방향으로 수축하고 안쪽의 조직은 가로 방향으로 팽창하기 때문이다. 이와 같이 재료가 가공 방향에 대해서 직각 방향으로 변형이 생기는 것을 캠버라 하고 캠버는 변형 방향을 기준으로 하여 비틀림도 생기게 된다. 캠버의 양은 h/b=1/100~5/100의 값이다. 금속 판재를 절곡하기 전 금속 특징을 이론적 배우고 이해하는 것은 기본이며 이에 더해 금속 특성인 소성을 아는 것 또한 중요하다. 작업 시 발생되는 금속의 성질과 가공에 따른 영향을 전체적으로 파악한다면 보다 더 쉬운 작업이 되지 않을까한다.

참고:

소성변형(plastic deformation): 재료에 가해진 힘이 제거된 후에도 재료의 변형이 원래의 상태로 돌아가지 못하고 영구 변형이 남는 현상

소성가공(plastic working): 소성을 가진 재료에 소성변형을 일으켜 원하는 모양의 제품을 만드는 기술

16. 희미한 타출판금

제20회 전국기능대회 타출판금 부문에 출전한 선수는 먼지 하나 없는 새하얀 천위에 장갑을 끼지 않은 손으로 엷게 기름 묻어 있는 회색의 철판(1.2 m x 2.8 m x 1 mm)을 조심스럽게 사뿐히 내려놓는다. 하얀 작은 천을 이용하여 철판에 긁힘이 발생하지 않도록 조심스럽게 기름기를 닦아 내며 어떻게 그릴(drawing)건가 철판 곳곳에 하나씩 자리 매김을 한다. 넓은 철판에 1 m 직선 철자(ruler)를 만들 작품의 가장 큰 부분에 중심을 잡고 살며시 놓는다. 이제 도면을 보고 눈짐작으로 배치한곳 중심을 기준으로 날카로운 금 긋기 바늘 이용하여 그림을 그리기 시작한다. 대회 작품 도면을 삼각법으로 풀어 전개도를 그리고, 이때 소요자재가 최소화 되도록 한다. 전개도가 완성되면 전동가위를 이용하여 그어 놓은(drawing) 금이 살짝 보이도록 하여 일차 절단 작업을 한다. 그런 다음 다시 줄(file)을 이용하여 맨손이 다치지 않을 정도로 절단면을 매끄럽게 마름질 작업을 한다. 줄을 이용하여 매끄럽게 한 부분을 또 다시 30 cm 자의 에지를 이용하여 디버(deburr)를 하는데 이때 철판 에지(edge)에 손등으로 밀어도 상처가 나지 않도록 매끄럽게 해 준다. 이런 공정은 타출로 인한 철판의 급격한 변화로 인해 끝부분(edge) 깨지는 것을 방지하기 위해 공을 들이는 것이고, 이런 과정이 지나면 작품 제작이 시작된다.

작품의 시작은 외형에 타격 없이 제작하는 일반판금부터 시작하여 1차 성형하고 외형에 영향 없이 직선으로 만든 부분은 용접으로 1차 조립을 마무리한다. 그런 다음 가장 큰 유선형의 타출판금 작업을 한다. 1차로 조립 후 2차 유선형 가공을 위해 망치(hammer)를 이용하여 철판을 줄이거나(shrinking) 늘이는(stretching) 타출 작업으로 유선형을 만들어간다. 쉼 없이 내려치는 망치로 인해 철판이 줄어들고 늘어나는 재미를 보며 거친 유선형 외형이 완성되도록 하는데, 이때 사용하는 망치의 접촉단면은 항상 1000번의 고운 사포를 이용하여 수시로 닦아준다. 이렇게 타출로 유선형 가공이 되면 이제 유선형 면을 아주 곱게 고르는 작업을 시작한다. 준비한 연필 지우개의 단면을 하얀 천에 다시 한 번 깨끗하게 손질 후 망치질로 거칠어진 철판의 유선형부분 가공 때문에 만들어진 때를 지우개를 이용하여 때가 나오지 않을 때까지 닦아준다. 때를 닦아 주는 부분은 작품이 완성 되었을 때 가장 중요한 부분으로 화려하게 나타난다. 이제 얼굴이 보이는 망치를 이용하여 면을 고르는 작업을 하는데 처음 회색의 철판이 거울같이 변하면서 반짝 반짝 빛나기 시작한다.

전체적인 성형 작업이 마무리 되면 1차 일반판금 부품과 2차 성형한 타출판금 부품을 가스 용접으로 서로 접합한다. 이때 직선형과 유선형의 철판 두께 차이로 세심한 주의가 필요하며 특히나 얇은 쪽에 촉각을 세우는 동시 숨을 골라가며 용접을 한다. 소총을 쏘기 전 숨을 고르듯이 아주아주 조용히 왼손 오른손 박자를 맞추며 가스 용접의 3000 ℃ 의 검붉은 불꽃을 보면서 조금 조금 앞으로 나아간다. 1차 일반판금 부품과 2차 타출판금 부품이 용접으로 접합되면 용접부분이 매끄럽고 수평이 되도록 다시 망치로 마름질을 한다. 이때 두 부품의 두께 차이가 없어지도록 최대한 가공 작업을 한다. 두 개의 부품 용접 후 1차 거친 망치 작업이 되면 다시 2차 고운 마무리 작업을 위해 얼굴이 보이는 망치로 마무리 작업을 한다.

물론 2차 고운 마무리 망치질 작업 전 지우개 작업은 필수로 수행한다. 두 개의 부품이 조립되고 전체 5개 부품들이 모두 완성되면 정반(surface plate)에 올려놓고 수평과 수직거리 각 부분마다 정해진 20여개 소 치수(만점 ± 0.5 mm)를 측정한다. 치수를 측정하여 수평 수직이 된 상태에서 치수 보정 작업을 마치면 24(4 +8+8+4)시간의 4일간 기능경기대회가 마무리되며 선수는 자신의 완제품을 심사 위원에게 제출한다. 결과는 이제 심사위원 손에 달려 있으며 발표의 순간을 기다리는 선수는 4일간 모든 역량을 쏟아 부어 지쳐 있음에도 아직 말똥말똥한 눈망울로 기다림을 지속한다. 채점 시간의 기다림 속에 속속 들려오는 결과를 듣고 선수들은 숙소로 또는 야외로 발길을 향한다. 경기 후 몇 시간을 잤는지 아직도 정확한 기억은 없다.

지금은 사라진 타출판금으로 전국기능경기대회 과정으로 본래 신형자동차의 시제차를 수작업으로 제작하는 공정이다. 우리 나라는 1997년 IMF 이후 자동차업계에서도 대부분 관련 분야가 사라진 것으로 알고 있으며 현재는 방짜유기에서 명맥을 이어가고 있는 타출판금이다. 그러나 아직 항공기 기체와 기골수리에는 이 작업이 필연적으로 필요하여 적용되고 있다.

17. 소성 가공 응용

2003년 항공기 엔진 흡인구인 인렛 카울 립 스킨(Inlet cowl lip skin)에 눌림(Dent)을 동반한 찍힘(Nick)이 발생하여 탈거(Remove)되어 수리 작업장으로 입고되었다. 항공기의 꽉 찬 스케줄로 인해 신속하게 사용 가능하도록 작업이 필요해서 매뉴얼에 없는 작업을 시도했다. 참고로 회사는 한 기종에 한 개의 예비 인렛 카울을 보유하고 있다. 작업대 접촉으로 허용치를 초과한 찍힘도 문제였지만 눌림이 함께 발생하였기에 본래 유선형 상태로 복원하려면 반대편에서 망치로 때려서 밀어내야 하는데 그렇게 하려면 완전 분해를 해야 하고, 이럴 경우 소요되는 수 많은 파스너(리벳, 하이록) 사용으로 작업에 필요한 시간은 항공기 엔진 교환하는 시간보다 더 많이 소요된다. 눌림 부분을 잘라내는 방법은 결함은 작지만 일정 크기 이상으로 절단 작업을 해야하고 유선형의 보강판(doubler)과 필러(filler)를 제작해야 한다. 이 경우 유선형 파트는 제작 후 열처리를 해야 하는데 본래의 강도를 가지는데 96시간이 소요된다. 그래서 매뉴얼에 없는 작업 방법을 선택했다. 손상 부분에 Hole을 뚫고 외부 점검 창과 내부 뜨거운 에어가 배출되는 작은 Hole을 통해 안전 결선(safety wire)에 너트 플레이트를 고정하였고, 이를 외부에서 나사로 서서히 잠그면서 눌림 부분을 당겨서 복원 시키는 방법을 선택했다.

차량의 경우 대부분 철(iron)이라서 눌린 부분을 용접으로 붙여 당기는 작업이 가능하나, 항공기에 사용하는 알루미늄 합금은 재질 특성상 열을 가열하면 경화 현상으로 크랙(Crack)되기에 용접이 허용되지 않고, 다양한 부품들이 내부 장착된 상태에서는 용접으로 할 수도 없었다. 우선 매뉴얼에 없는 작업 방식이라 반대 의견이 있었지만 어차피 시도해서 안되면 잘라내면 되었기에 크게 문제가 될 것도 아니었다. 그렇지만 매뉴얼에 없는 작업 시도이기에 전적으로 책임지고 해야 했는데, 한시가 급하다는 성화가 있던 터라 서두를 수밖에 없었다. 매뉴얼에 없고, 준비되지 않은 작업이었으나 복원이 가능하다는 전제로 필요한 공구를 제작하고 작업을 신속하게 시도했다. 볼트 헤드에 라쳇(ratchet)을 이용하여 조이면서 서서히 립 스킨(lip skin) 당기니 조금씩 본래 형태로 당겨졌다. 다행히 생각한 대로 본래 유선형 형태로 복원 되었다. 눌림에 의한 소성 변형과 내부 존재하는 탄성을 예상하여 본래 형태보다 조금 더 돌출 시키고 다시 해머로 때려 본래 유선형 형태로 만들면서 내부 응력을 제거했다. 그런데 매뉴얼에 없는 작업 방법이라 작업 인증이 안 되어 내부 규정상 정해진 이중, 삼중의 작업 확인을 할 수 없었기에 제작사에 긴급하게 작업에 대한 승인을 요청했다. Case by case건으로 BOEING사에 문의하였고, 제작사 승인은 바로 되었으며, 작업을 위해 작게 뚫은 Hole은 블라인드 리벳으로 깔끔하게 처리했다.

이 작업 방법은 9년이 지나 2012년 8)SRM에 등록이 되었기에 지금은 작은 찍힘의 경우는 1/4"까지 리벳 한 개로 간단하게 수리할 수 있게 되었다. 항공기에 칼을 댈 수 있는 유일한 정비사이지만 칼 안 쓰고 작업 했다.

ROHR Industries, Inc. BOEING

747-400
STRUCTURAL REPAIR MANUAL

DESCRIPTION	CRACKS	NICKS, GOUGES, SCRATCHES AND CORROSION	DENTS	HOLES AND PUNCTURES	DELAMINATION
LEADING EDGE SKIN	A	B	G	C	NOT APPLICABLE
OUTER BARREL PANEL SKIN	E	F	NOT PERMITTED	D	NOT PERMITTED
OUTER BARREL PANEL RIB	NOT PERMITTED	F	NOT PERMITTED	NOT PERMITTED	NOT PERMITTED
INNER BARREL PANEL J	A	B	G	NOT PERMITTED	H
INNER BARREL ACOUSTIC PANEL WIRE OVERLAY	K	K	--	K	K

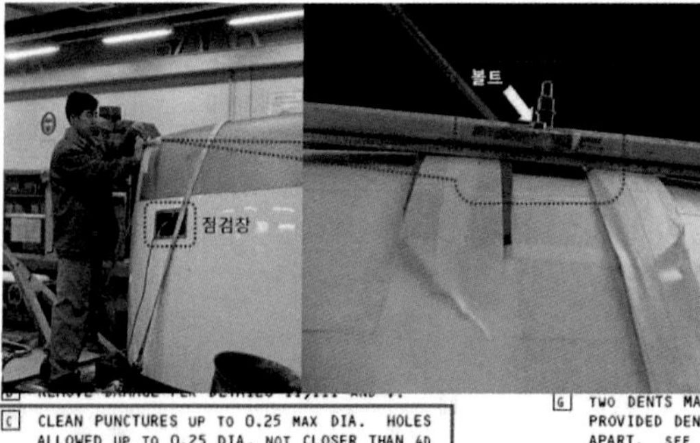

ING A FASTENER HOLE ARE NOT
LEAN UP EDGE CRACKS PER
D VI. FOR ALL OTHER CRACKS,
ABLE CRACK LENGTH IS 1.5
ECTION WITH A MINIMUM OF 10.0
ARATION FROM ANY OTHER HOLES
NE CRACK MAXIMUM PERMITTED PER
LEAN UP DAMAGE AND APPLY
TAPE (SPEED TAPE). RECORD
INSPECT AT EACH AIRPLANE "A"
R CRACK NO LATER THAN NEXT
CHECK.

0.010 OVER 10.00 INCH LENGTH.
DAMAGED TREAT AS A CRACK.
APPLY ALUMINUM FOIL TAPE AND
CH AIRPLANE "A" CHECK. REPAIR
NEXT AIRPLANE "C" CHECK.

C CLEAN PUNCTURES UP TO 0.25 MAX DIA. HOLES ALLOWED UP TO 0.25 DIA, NOT CLOSER THAN 4D TO ANY ADJACENT HOLE. HOLE IS TO BE FILLED WITH A NAS1399D BLIND RIVET FOR HOLE UP TO 0.16 DIA, AND NAS1398D BLIND RIVET FOR HOLE 0.19 TO 0.25 DIA. INSTALLED WET WITH 825-009 DESOTO HI-TEMP PRIMER. OTHER HOLES TO BE REPAIRED.

G TWO DENTS MAXIMUM PERMITTED PER QUADRANT, PROVIDED DENTS ARE AT LEAST 15.0 INCHES APART. SEE DETAILS I AND IV.

SRM 54-11-01
ALLOWABLE DAMAGE 1

C: Clean puncture up to 0.25 max dia. Holes allowed up to o.25 dia, not closer than 4D to any adjacent hole. Hole is to be filled with a NAS1399D blind rivet for hole up to 0.16 dia, and NAS1398D blind rivet for hole 0.19 TO 0.25 dia. Installed wet with 825-009 DESOTO hi-temp primer other holes to be repaired.

---

8) B747-400 SRM 54-11-01 ALLOWABLE DAMAGE1

18. Cold Working

항공기 구조물 대부분 기계적 접합으로 재료에 Hole을 가공하여 임시 고정용(temporary)인 나사(Screw, bolt, nut)와 영구결함 파스너(permanent fastener)인 리벳(rivet), 하이록(Hi-lok)을 이용하여 접합하고 있다. 기체 구조물에 Hole 작업시 가공되는 Hole의 벽은 표면이 매끄럽게 다듬어지지 않아 미세한 결함이 존재하기에 기체에 하중이 가해지면 이로 인해 크랙(crack)으로 진전될 수 있다. 이와 같은 이유로 Hole 벽의 균열의 발생 성장을 억제하고 내구성을 향상시키기 위한 방법으로 Cold Working 작업을 수행한다. 1960년대에 항공우주 기술계는 체결 Hole에서 금속 피로 문제를 해결할 수 있는 방안을 제시했는데 그 과정은 간단하면서도 효과적이었다. 맨드릴라이징(mandralizing)이라고 불리는 이 장치는 선도적인 항공기 제조업체들에 의해 사용되었으며, 당시에는 테이퍼진 맨드릴을 고정 Hole을 통해 당기는 작업을 수반했다. 이 Hole은 크기가 증가하여 Hole 주위에 압축 응력이 발생했다. 1970년대 초 BOEING사에 의해 윤활이 완료된 분할 슬리브가 개발되었으며, 이는 일방적인 작동과 더 큰 피로 수명을 가능하게 했다. 최첨단 기술에서 다음으로 큰 발전은 1983년에 분할 맨드릴 공정의 도입과 함께 이루어졌으며, WCI 특허 디자인은 일회용 분할 슬리브를 제거하고 인건비를 절감함으로써 엄청난 비용 절감 효과를 제공했다. 현재는 모든 항공우주분야에 적용되고 있는 중요한 기술이다.

Cold Working이란 상온에서 Hole 주의의 조직을 치밀하게 하여 피로 응력(fatigue stress)을 증가 시키기 위한 냉간 가공 경화 기법이다. 항공기는 정상적으로 여압, 운항속도, 양력, 온도, 등이 끊임없이 변하고 또한 여러 원인으로 진동에 노출 되는데 이와 같은 반복 하중에 의한 구조적 취약점을 개선하고자 하는 것이다. 그 방법으로 야구 방망이와 같이 생긴 Taper된 맨드럴(mandrel)에 슬리브(sleeve)를 삽입 시킨 후 가공 된 Hole로부터 맨드럴을 잡아당겨 뽑아내면서 Hole 지름을 점차적으로 확장시키는 기법이다. 이렇게 함으로서 Hole 둘레에 잔류 압축 응력을 유지하여 균열 및 부식에 대한 취약점을 개선하는 것이다.

Cold Working은 일반적으로 High interference, Low interference 두 종류가 있다. Hi와 Low의 차이점은 Low보다 Hi의 효과가 더 크고 따라서 Starting Hole이 Hi가 더 적으므로 확장량은 Hi가 더 많을 뿐 아니라, Low는 제시되는 방법에 따라서 Sleeve없이 Mandrel만으로 확장시키고 특별한 지시가 없이는 Final reaming 조차 하지 않도록 되어있다.

Cold Working 작업 공정

1) Starting Hole Drilling
2) Starting Hole Reaming
3) Cold Expansion
4) Final Reaming
5) Fastener Install

분할슬리브확장[9)]

파스너의 냉간 Hole 확장에서 볼 또는 맨드릴을 사용하는데 가장 큰 장애물은 냉간 팽창 과정에서 계면에 도입되는 표면 손상이다. 이러한 어려움을 극복하기 위해 스플릿 슬리브 확장 공정이 사용된다. 이 공정의 개략도는 그림과 같다. 이 기술에서는 단단한 테이퍼 맨드릴과 내부 윤활 처리된 스테인리스강 분할 슬리브가 사용된다. 분할 슬리브를 맨드릴 위에 놓고 맨드릴/슬리브 어셈블리를 정확한 크기의 Hole에 삽입한다. 재료의 소성 변형은 직경이 더 큰 맨드릴 부분이 슬리브를 통해 이동할 때 생성된다. 맨드릴이 슬리브에서 빠져 나오면 약간의 탄성 회복이 발생할 수 있으며 냉간 팽창 후 스플릿 슬리브가 Hole에서 제거되어 Hole이 영구적으로 확대되고 원하는 압축 잔류 응력이 남는다. 슬리브에 분할이 존재하기 때문에 Hole 표면의 보어에 작은 융기된 핍이 형성된다. Hole의 크기를 정확하게 조정하기 위한 마지막 리밍(reaming) 작업은 냉간 가공 후에 수행되어 핍(pip)을 제거하고 핍 근처에 균열이 발생하는 것을 방지한다.

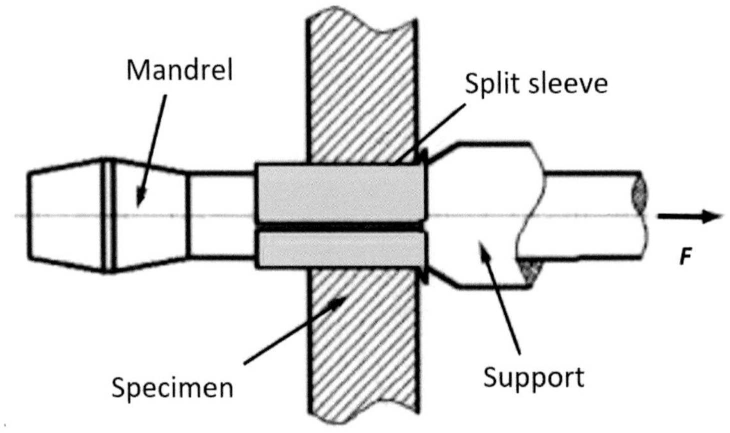

9) Science Direct https://doi.org/10.1016/j.cja.2015.05.006

스플릿 슬리브 확장 과정

이 확장 방법은 적응성이 우수하고 생산 효율이 높으며 확장 후 Hole 표면 주변의 손상이 적다는 장점이 있다. 기존의 다른 냉간 팽창 기술과 비교할 때, 분할 슬리브 냉간 팽창 방법은 항공 우주 산업 특히 항공기 조립의 개방성 불량 연결에서 더 널리 사용된다. 단조 가공(cold working)은 우리가 일반적으로 알고 있으나, 요즈음 보기 힘든 대장장이 망치질과 같은 원리다. 대장장이는 사진과 고온의 철을 망치로 물체의 외부를 타격하면서 철의 성질을 단단하게 만드는 열간 가공 처리라면 Cold working은 가공된 Hole을 통하여 내부에서 얇은 슬리브를 이용하여 Hole을 단단하게 만드는 냉간 가공 작업이다.

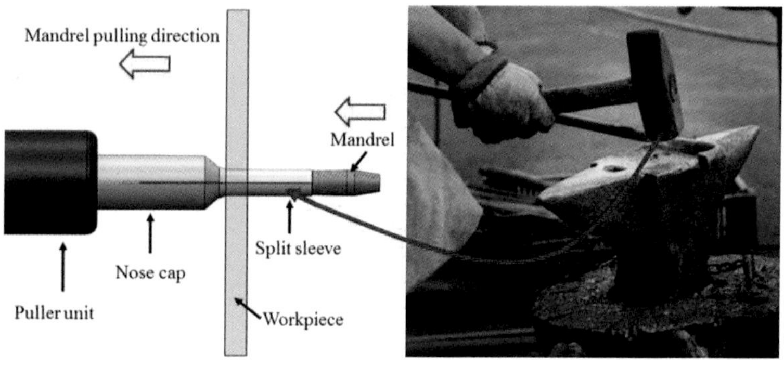

참고:

단조란 소성 가공의 일종으로, 해머 등으로 금속 가공물을 두드려 원하는 형태로 성형한다. 주조나 분말 야금에 의한 가공보다 소재가 질겨지기 때문에 충격에 강한 성질(인성)을 가진다는 점이 특징이다. 공구나 식기류, 자동차나 철도용 부품 등의 제조에 단조가 활용되며, 특이한 사례로는 타구의 충격에 견딜 수 있도록 골프의 드라이버를 단조로 만든다.

19. 현장의 항공기 파트 제작

현장에서 항공기 파트 제작은 어떻게 하는가?

1. 수(손)작업으로 만든다.
2. 폼 블록 이용하여 수 작업한다.
3. 전문 기계와 장비 이용하여 제작한다.

항공기 파트 제작(fabricate)은 항공기 운영사가 제작사로부터 사용 허가서(SMAL)을 받는 걸 최우선 한다. 항공기 운용사에서는 기본 정비 행위를 통하여 최상의 상태로 유지를 원칙으로 하나 사용 기한이 늘어남에 따라 다양한 종류의 수리와 개조 작업이 병행된다. 일반적인 정비 행위는 본래의 형태를 손상하지 않고 윤활유 주입을 비롯 다양한 서비스와 파트 교환하는 방법으로 최상의 상태를 유지한다.

그러나 항공기 기체에 부식을 포함 다양한 결함이 발생하면 기체를 수리해야 하는데 이는 반드시 항공기 자체에서만 행해져야 한다. 그러다 보니 수리를 위해서는 필요한 보강판이나 본래의 파트를 만들어야 한다. 매뉴얼에 있는 항공기 파트를 수작업으로 제작하는 방법 중 하나는, 간단한 판금 접기(Folding Sheet Metal)로 기본 항목이다. 다양한 모양의 형태는 폼 블록을 이용하여 성형하면서 금속을 늘이거나 또는 줄이고, 또는 양쪽 모두를 적용하는 방법이다. 조금 더 효과적이고 신뢰되는 방법으로는 크래프트포머(Kraftformer)와 핸드 포머(hand former) 장비를 이용한 제작이 있다. B737을 운용 한지 10년이 되어가는 시점 유선형 항공기 파트를 구매해야 하는 상황이 발생했다. 모양이 복잡하고 이런 파트를 제작해 본 경험이 없었던 상황이라 다양한 방법들이 논의 되었다. 1998년 IMF 발생 시점에는 파트 구매에도 상당한 시일이 소요되었기에 다양한 수리 방법이 논의 되었고, 다른 사람들은 기계 제작으로, 내가 수작업으로 작업을 시작하고 있을 때 관련 부서 관리자께서 우려와 염려의 말씀을 했다.

염려이기보다는 수(손)작업에 대한 아주 불신의 소리다.

알루미늄 판재의 늘이기와 줄이기 가공이 가능한 크래프트 기계 가공은 파트 모양이 복잡하고 다양한 모양이라 적용이 안될 것을 알았기에 스스로 시험에 드는 방법인 수작업을 시도했다.

작업공정은 이렇다.

풀림 처리된(O Condition) 알루미늄 판재 준비 → 제작 드로잉 (drawing) → 핸드 포밍(hand forming) → 열처리(시편 포함) → 경도 체크 → 비파괴검사(NDI) → 전 공정 확인(이중/삼중) → 항공기 장착.

타출판금의 드로잉은 파트 가공 시 늘어나고 줄어드는 중심 라인을 찾는(임의 설정)게 가장 중요하다. 우선 일반판금 삼각법 전개도를 이해하고 타출판금에 대한 전개도를 이해하여 중심 라인을 찾는다. 당시 최신형기인 B737-400/-500은 아시아나항공에서 1988년 도입하여 IMF 시점인 1997년에 대점검(D CHK) 주기가 도래되어 항공기 대수리를 하게 되었는데, 항공기 분해에 가까운 내부 점검과 점검에 따라 결함이 확인되면 수리를 하는 대점검이 도래했다.

B737-300과 같은 클래식이지만 4년 후인 1988년 초도 생산된 B737-400/-500은 최신형 항공기로 대점검 준비는 철저하게 하였지만 크게 염려는 하지 않았던 것 같다. 최신형 항공기라 더 그랬던 것 같다. 물론 대점검 작업을 계획하고 준비하는 부서와 현장 작업부서 모두가 처음이라 많이 고생했었다. 최신기체였음에도 1990년대 초 국내선은 예천, 강릉, 대구 등 비행기가 이륙 후 상승 하자마자 하강하는 짧은 30분의 비행을 포함하여 하루 15(FC)회 비행으로 인해 기체 피로도가 높았다. 지금도 B737NG 들이 국내만 운항 시 하루에 10회로 대부분 앉자마자 다시 뜨는 패턴으로 운항한다. 수작업에 대한 불신이 가득했지만 당시 점검중 확인된 결함은, 기계 장비도 핸드 장비도 아닌 수작업으로 제작하여 항공기에 장착했다. 사실 수작업이 아니면, 제작 공장에 있는 지그를 이용하여 찍어내지 않고서 일반 포밍 장비로는 구현이 불가한 형태였다. 항공기 장착 후 20개월이 지나 다음 점검 시점까지 사용하였고, 이후 발생된 반복 발생한 결함 유형도 항공기 제작사 파트와 수작업 파트가 똑 같았다. 그래서 그때 만들어 사용했던 파트 Wing flap track fairing support 2개는 지금까지 집에 장식용으로 보관하면서 애지중지 하고 있다. 물론 제작사에서 긴급 확보한 파트와 구매 할 수 없는 한 쪽은 수작업 파트를 비교 장착했다. 이후 계속된 반복 결함으로 인해 제작사에서는 성형

(formed)이 아닌 압출가공(extruded)으로 향상된 파트로 교체 후 장착 되었다.

이때 수작업 불신에 대해 조금이나마 해소하고자 항공사에서 전혀 인정해주지 않는 판금·제관 기능장을 2000년 취득하게 된 계기가 되었다. 수작업에 대한 제작 자격이나 품질에 대한 검증을 자격증으로라도 하고 싶었다. 판금기능사 1급(1980년대 10년 평균 최종 합격률 13.3 %) 취득 후 7년이 되어야 취득 할 수 있는 기능장 시험을 응시 자격 1년 반 전부터 준비했는데 그때 참 열심히 공부했고 돌이켜보니 수작업 불신에 대한 반감도 있었지만 그래서 자극제가 된 것 같아 감사했다. 항공 정비사 자격 수당과 관련 있는 항공정비사 필수 자격인 항공정비사 2개(기본, 공장 면장) 취득보다 더 많은 시간을 투자 했다. 판금제관기능장 자격 취득 이후 수작업에 대해 불신하는 분들은 적어졌으나 기능장 자격에 도전하려는 후배님들이 없음은 너무도 아쉽다. 모든 자격증 준비할 자료를 넘길 테니 공부하라고 권하는데 아직까지 찾아오는 후배가 없었는데, 지난해 도전 해 보겠다는 후배가 있어 삼각법 전개도를 이해하고 난 후 찾아오라고 했는데 아직까지 답이 없어 아쉽기만 하다.

https://www.youtube.com/watch?v=wzNaQMkcyiM
SMAL(Spare Material Authorization License)
제작사 제작 사용 허가서

https://www.aircraftsystemstech.com/2017/06/hand-forming.html

1999년 단지 수작업으로만 제작한 B737 L/H, R/H Wing track flap fairing frame으로 현재 집에 장식품으로 보관 중.

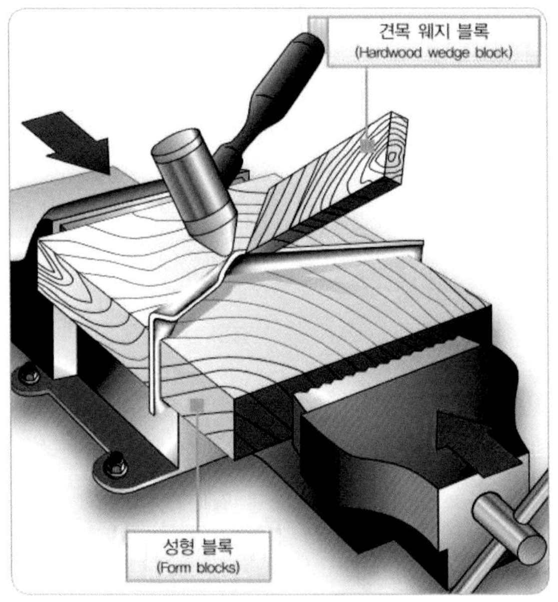

금속 구조 수리: 성형 블록을 사용한 테두리 직각 접기 성형

20. 서로 다른 방법

국어대사전에서는 고집을 '자기의 의견을 바꾸거나 고치지 않고 굳게 버팀 또는 그렇게 버티는 성미', 아집은 '자기중심의 좁은 생각에 집착해 다른 사람의 의견이나 입장을 고려하지 아니하고 자기만을 내세우는 것'이라 정의한다.

B737 항공기의 낮은 태생적 구조로 인해 기체 하부의 후방 화물칸은 사용이 편리한 만큼 다양한 하중과 외력에 그대로 노출된다. B737후방 화물칸은 항공기 후미에 위치해 기체의 뒷부분이 위로 올라가는 형상이라 화물칸 문이 약간 경사져 있어 힘을 많이 받기 때문에 항공기는 일정시간 사용 후 비파괴검사(NDI)를 수행해야만 했다. 비파괴 검사 결과에 Aft Cargo Doorway AL Alloy Frame에 균열이 발견되었는데 SRM에 수리 방법이 없어 제작사(Boeing)에 Report하고 회신을 받아 작업을 수행하

게 되었다. B737 항공기 기체는 알루미늄 합금으로 제작되었으나 화물칸의 프레임은 문이 약간 경사져 있는데다 좁은 공간으로 인해 더 강한 고강도 알루미늄 합금으로 제작되었다. 그러나 균열이 발생하면 구조적으로 기존 알루미늄 합금으로 강도 보상이 되지 않아 고강도 알루미늄 소재가 아닌 이보다 훨씬 강도가 더 우수한 스테인리스(17-7PH) 재질의 판재를 이용하여 프레임 보강 작업하라는 제작사 회신이 접수되었다. 문제는 프레임이 곡선의 유선형으로 스테인리스 재질의 판재로 제작하는 것이 결코 쉬운 일이 아니다. 회사는 이런 작업을 예상하여 유선형을 가공할 수 있는 고가의 기계인 Kraftformer-ECKOLD 장비를 구매(1993년 당시 한국에 4대만 있었음)했지만 기계 특성과 17-7PH 스테인리스 특성을 정확히 이해하는 작업자가 적어 모두가 어려워했다.

Aft Cargo Doorway Frame Repair SRM 53-30-15

기본적으로 판재를 유선형으로 가공하기 위해서는 판재의 늘임과 줄임에 대한 정확한 이해와 추가로 실제 경험을 통한 경험치가 필요한데 새 비행기를 도입하여 운영하다 처음 발생한 작업이라 이 부분에 대한 경험이 없었다. 대부분 선후배들은 이론적으로 배우고 기계를 이용하면 유선형 제작이 가능할 것이라 생각하고 작업을 수행하게 되었다.

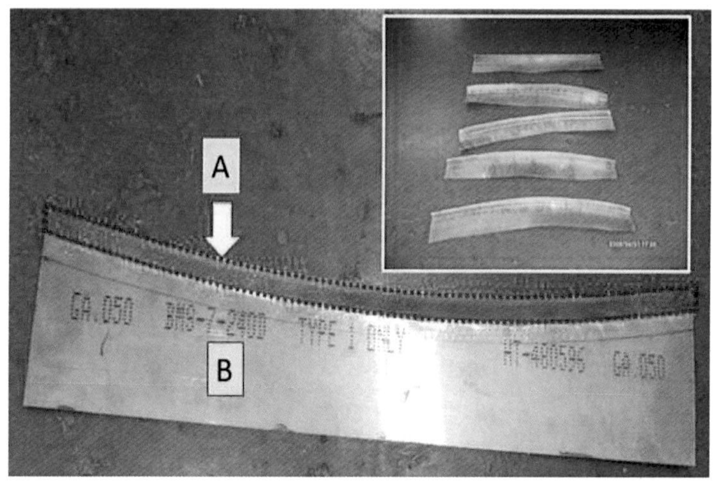

(B 부분 평면 유지하면서 A 부분 줄임과 늘임 가공하는 방식)

위 사진의 A 부분의 작은 면적을 서서히 가공하면서 유선형 형태를 만들어야 하는데, 작은 면적의 A 를 90° 직각으로 먼저 한 후 기계 가공이 편리한 B 부분의 평면 부분을 줄임 가공하여 곡선의 유선형으로 제작하려는 시도를 반복적으로 했다. 주간에 작업 해당 부분 분해를 마치고 미리 이런 것을 예상하여 B부분을 기준하여 작은 면적인 A 부분을 기계로 서서히 가공하면서 B 부분의 평면도를 유지하고 유선형 형태의 프레임 보강판재를 만들어야 한다고 알려주었다. 이런 정보 전달에도 불구하고 주간에 검토하여 제안한 방식과 반대로 본인들이 생각한 방식을 고수하여 A 부분을 90°로 먼저 절곡하고 유선형 가공을 시도하다 보니 밤새 고생만 하고 수리용 파트는 뒤틀리고 평면도와 맞지 않아 사용할 수 없게 되어 결국 실패했다.

밤새 고생한 야근 근무자들에게 작업 수행과 시도한 방식에 대해 의견을 들으니 카고 프레임 수리 파트 포밍(Repair part forming) 작업이 녹녹하지 않았다. 제작사가 제시한 17-7PH

0.050 인치 자재가 없어서 15-5PH 0.050 인치로 작업을 하였는데, 문제는 'BAC5300-2'에 의하면, 강도가 200 KSI가 넘으면 냉간 가공(Cold forming)을 하지 말라는 내용이 있다는 것과 추가적으로 15-5PH의 자재 정보를 찾아보니 판재 포밍에 대해서 제한적이라는 표현이 나오고, 17-7PH의 경우에는 제한적인 내용의 언급이 없는 것으로 나온다고 했다. 지난번 작업에도 우격다짐 작업 경험도 있고 하니 이번에는 17-7PH를 구입하여 작업하는 것이 좋겠다는 의견을 전달했다. 추가로 현재 보유한 Kraftformer의 줄임(Shrinking) 조(Jaw)의 상태가 불량하다고 했다. 아마도 밤새 B부분 줄임 가공을 하면서 필요 이상의 힘이 가해졌기 때문에 조(Jaw)가 손상된 것이 아닌가 한다.

항공기 기체와 기골 수리 작업은 S,R,M에 따라 수행하는데 매뉴얼에서 제시한 기본값으로 리벳 간격은 지름에 4~6D 이므로 리벳 간격을 4D를 선택한 작업자와 6D를 선택한 작업자는 결과물이 크게 다를 수밖에 없는 구조다. 작업자의 판단은 다양하기에 같은 작업을 두고 각자 다른 방법으로 작업이 수행될 수밖에 없는 게 현실이다. 이러한 작업 특성을 누구보다 잘 알고 있으나 판재(sheet, plate) 유선형 포밍 가공을 위해 소재를 풀림(annealing) 열처리를 하는 경우일지라도 가장 적은 외력을 가해 수리용 파트를 제작하는 것은 기본이기에 글로 남긴다.

TH1050

Typical Ultimate Tensile Strength: 180 KSI min (1240 MPa min)

Yield Strength: (0.2 % Offset) 150 KSI min (1034 MPa min)

15-5PH Technical Information (BMS 7-240)

21. 열처리

티타늄은 무게 대비 강도가 높고, 경량으로 선호하는 재료이나 고가인 단점이 있음에도 항공기 엔진과 다양한 부분들에 사용하고 있다. 저자는 항공기 기체와 기골 담당이라 다양한 금속소재에 관심과 연구를 하던 중에 엔진 코어 카울 배출 부분 타타늄 합금에 깨짐이 발생하면 용접은 자체적으로 가능하나 용접 후 스트레스 완화를 위한 열처리를 할 수 없다는 문제가 있었다. 나는 용접 기능장을 취득하고 있기에 용접반(welding)에 들러 후배들에게 자주 기능장을 취득하라고 권하고 있는데, 일반적으로 순수 티타늄은 용접과 열처리는 가능하지만, 티타늄 합금의 경우에는 용접은 가능하지만 열처리를 할 수 없다는 현실에 회사에서는 이런 작업이 가능한 국내 업체를 찾기 시작했다. 외국으로 보내면 한 달 이상의 기간과 고가의 외주 수리비용이 발생함에 이를 절감하고자 국내 업체를 찾기 시작했다. 판금반(sheet metal)에서 코어 카울 티타늄 합금의 깨진 부분을 만들어주면 용접반에서는 용접하는 방식이라 관심은 당연한 것이었다. 아산에 한화

에어로스페이스에서 열처리가 가능하며, NADCAP 인증 업체라는 것이 확인되었다. 당시 한화는 방산에서 민간으로 투자를 전환하기 위해 민간 회사에 대한 사업(열처리) 3년 실적이 필요했고, 회사(OZ)는 국제적 공인이 되어있는 NADCAP 업체가 필요했는데 서로 이해관계가 맞아 일사천리로 업무협약이 진행되었다. 아산의 한화는 제조 회사로 서로 상대회사 방문과 회의를 하게 되었고 한화 열처리 회사에 들러 관련 정보를 교류한 후 최종 계약하기로 했는데, 정비본부에서는 한화에어로스페이스의 다양한 정밀 기계를 이용한 부품 제작까지 포함한 계약을 추진하였다. 이런 노력의 결과로 티타늄 합금에 대한 용접과 열처리 모두 국내에서 수행가능하게 되었다. 항공기의 일반적인 수리와 개조 작업은 냉간 가공이 기본이나, 복잡하고 다양한 형태로 인해 고강도 리벳과 다양한 재질의 열처리에 대하여 기본 정보를 알아야 한다.

열처리는 기계적 작업 전후에 필요한 재료의 컨디션을 얻기 위해 실시하는데 열처리와 재열처리 기준은 이전에 열처리된 재료의 열처리는 재열처리로 간주된다. 따라서 열처리된 상태에서 구매한 소재의 첫 번째 열처리는 재열처리로 간주되며, 합금 2014, 2024 및 7075의 알클래드(Alclad) 제품 기준의 두께는 아래와 같다.

- 0.020"(0.5 mm) 0회,
- 0.020~0.126"(0.5~3.2 mm) 1회
- 0.126"(3.2 mm)~~~ 2회 이상으로 용액 열처리 안 된다.

Heat treatment - Boeing

-BAC5602 Heat treatment of aluminum alloys

-BAC5613 Heat treatment of TI and TI alloys

-BAC5617 Heat treatment of alloy steels

-BAC5619 Heat treatment of corrosion resistant steel

17-4 PH, 15-5 PH 열처리

엔지니어 도면에 17-4PH 주물의 균질화(homogenization)가 표시된 경우 용액 열처리 전에 2075~2125℉(1,135~1,163℃)로 1.5시간 동안 가열하고 공냉하여 균질화한다. 용액 처리는 조건 A에서 용융 용접된 부품에 대해서만 침전 경화 전, 가혹한 성형 작업 후 또는 이전에 조건 H900(190~210 ksi), H925(180~200 ksi), H950(170~190 ksi), H1050(150~170 ksi), H1100(140~160 kis) 또는 H1150(125~145 ksi)으로 경화된 재료의 재 경화 전에 필요하다. 석출 경화(precipitation hardening)는 경화 조건 H900(190~210 ksi, HRC 41~44으로 경화 된다. 890~930 °F에서 1~4시간 동안 가열하고 공기로 냉각한다. HRC 44를 초과하는 부품은 필요한 경도를 얻기 위해 900 °F에서 최대 1100 °F 까지 1~4시간 동안 재가열 할 수 있다. 침전 경화 온도를 100 °F로 1시간 동안 높이면 강도가 약 10 ksi(약 1 HRC 포인트) 감소한다. 경도가 HRC 41 미만인 부품은 허용되지 않지만 매트를 용액 처리하고 다시 경화해야한다. 침전 경화 중에 특수 고정 장치에서 가열하여 가공된 소재를 곧게 펴는 작업을 수행할 수 있다.

리벳 냉동 보관

담금질 및 표면 보호 직후에 사용하지 않는 3.1324, 2017, 2017A 및 2024 합금으로 제조된 모든 리벳은 자연 경화 과정을 지연시키기 위해 냉장 보관하며, 담금질 후 리벳을 냉장고에 넣기까지 경과한 시간은 2024 리벳 경우 5분, 타입 3.1324, 2017 및 2017A 리벳 경우 30분을 초과하지 않도록 한다. 리벳 저장 전에 -20 °C(-4 °F) 이하 이소프로필 또는 에틸알코올에 약 5분간 담가 수분을 제거하고 냉장 온도에 빠르게 도달하게 하며, 냉동 온도에 도달한 리벳은 -18 °C(-0.4 °F)에서 최대 7일, -20 °C(-4 °F)에서 최대 20일 동안 보관할 수 있다.

참고: 리벳은 실온에서 건조해야 하며, 온도 25 ℃(77 ℉)를 초과하면 사용 시간 단축된다.

리벳 규격 3.1324

항공 산업에서 사용되는 리벳은 단조 알루미늄 합금(독일 재료 번호 3.1324)으로 만들어지며, 이 합금은 실온에서 침전 경화된다. 리벳은 열처리 및 냉각(annealed and quenched)후 즉시 노출을 막아야 한다. 리벳을 -17 ℃ 이하에서 보관할 경우 리벳이 변형될 수 있는 시간은 최대 1주일까지 연장될 수 있다. 리벳 가공 시 이러한 단점을 극복하기 위해 단조 알루미늄 합금에 0.002~0.3 %의 카드뮴을 첨가했으며, 이렇게 바뀐 소재는 상온에서 침전 경화가 지연되며, 완전히 침전 경화된 경우에도 연성이 매우 높다.

참 고:

상온, 실온의 온도 규정은 식품공전 기준으로 정의하고 있다.

- 상온 온도(Room Temperature): 15~25 ℃
- 실온 온도(Room Temperature): 1~35 ℃

냉동 온도와 냉장 온도는 HACCP에서 정의하고 있다.

- 냉동 온도(Freezing Temperature): -18 ℃ 이하
- 냉장 온도(Refrigerating Temperature): 0~10 ℃

참 고: NADCAP은 항공우주 산업제품 및 특별 공정에 지속적인 개선 및 비용 효율성을 달성하기 위해 주요 항공우주기업들이 참여하여 만든 프로그램이다. NADCAP(National Aerospace & Defense Contractors Accreditation Program)은 PRI(Performance Review Institute)에서 주관하는 특수공정 품질보증프로그램으로 티타늄 합금 열처리는 AMS 2769 진공 열처리 요구사항이다.

NADCAP[10] 인증효과

항공우주산업 전반에 불필요한 심사를 줄이고 품질 보증의 표준화된 접근법을 제공하며, 항공업체의 국제적인 상호인정을 통해 공정수행업체의 품질유지 및 관리 효율성 제고한다. 제품 경쟁력 확보 및 품질 안정화하며, 국내외 환경변화에 능동적, 효율적 대비수단이다.

ADCAP 인증분야

▷ 항공품질시스템(Aerospace Quality System)
▷ 화성처리(Chemical Processing)
▷ 코팅(Coating)
▷ 탄성밀봉(Elastomer Seals)
▷ 유류공급시스템(Fluid Distribution System)
▷ 열처리(Heat Treating)
▷ 재료시험실(Materials Testing Laboratories)
▷ 비파괴실험(Non Destructive Testing)
▷ 특수가공(Non Conventional Machining)
▷ 표면경화(Surface Enhancement)
▷ 접착제(Sealants)
▷ 용접(Welding)

10) NADCAP 인증. KCTL 한국교정시험원

22. Corrosion Repair

부식은 알루미늄으로 제작된 항공기에서 악성 종양과 같은 존재로 세밀한 점검과 정기적인 검사가 필요하며, 부식이 발견되면 완전하게 제거 후 부식등급을 아래와 같은 절차로 진행해야한다.

1. 개요(절차)

가. 부식 발견(NRC 발행)

나. PRIMARY STRUCTURE(발견-부식점검보고서 첨부)

다. CORROSION REMOVAL(SRM 51-10-02)

라. Allowable Damage Limit 적용(SRM)

마. 부식 단계 판정 (정비 규정, 정비운영규칙)

바. 부식점검보고서(일부)작성

사. 항공안전장애 발생 보고서 작성(2,3단계)-48시간이내

아. CPCP/Repair or Replacement

자. 검사

차. 관련 문서 통보

PSE란: 전체적인 항공기 뼈대를 유지하는 기본 기체구조로

비행 시, Ground시 또는 여압이 가해질 때 항공기 구조 유지를 위한 Structure 주 구조물이다.

2. STRUCTURE _ FCS/FCBS

가. BOEING_ FCBS: Fatigue Critical Baseline Structure
피로 균열을 담당하는 주요 부재
SEE 51-00-04 Fatigue Critical Baseline Structure (FCBS) List 참조

나. AIRBUS_ FCS: Fatigue Critical Structure
SEE 51-11-12 FIG 012-037

다. DTE/DTI용어
DTE: Damaged Tolerance Evaluation
DTI: Damaged Tolerance Inspection

라. Category B/SRI
1) Category B (Boeing & Airbus)
2) AIRBUS_ SRI: Structural Repair Inspection

3. Corrosion Prevention

Corrosion: 금속이 표면에서 화학적 또는 전기적으로 산화, 변질되는 것으로 항공기 구조물의 강도에 영향

부식 방지는 항공기를 안전하고 서비스 가능한 상태로 유지하는 중요한 방법

- Regular maintenance
- A clean structure
- The initial identification of corrosion
- The complete removal of corrosion when it occurs
- To regularly examine the applied corrosion protection on the structure and to correct all damage immediately.

4. Corrosion agents

- Acids(산) : 항공기 제작에 사용되는 대부분의 합금에 부식을 일으킴(황산, 할로겐산, 유기산(배설물))
- Alkalies: 보통 산만큼의 부식은 아니지만 부식 억제제가 없는 알칼리성 용액에 매우 민감 (wash soda, 탄산칼륨, 석회)
- Salts
- The atmosphere
- Industrial atmosphere: 산화유황, 질소화합물 + 습기
- Marine atmosphere: 염화나트륨, 소금물
- Water: 미네랄, 유기불순물
- Micro-organisms: 산화철, 미네랄소금으로 박테리아, 곰팡이 발생

5. **Types of Corrosion**

가. Pitting Corrosion

1) 금속이나 합금 표면에 Hole이나 웅덩이가 생기는 부식.
2) 재료 표면에서 시작하여 재료 안으로 수직으로 확장한다.

나. Filiform Corrosion

1) 실 모양의 부식 흔적으로 진행하는 부식.
2) 리벳에서 시작하여 페인트 아래 도장 시트를 따라 확장

다. Inter-granular Corrosion

1) 금속의 결정경계를 따라 물질의 핵으로 들어가며 표면에 거의 또는 전혀 지시가 없으며, 보통 균열로 나타나며 시간이 지날수록 가속.
2) 육안으로 확인 했을 때는 이미 구조가 약해진 상태

라. Galvanic Corrosion

1) 2개의 서로 다른 금속 또는 일부 금속과 탄소 섬유 사이에 발생하며, 코팅 사용, sealant 또는 간섭 화합물 등으로 인해 이종 금속 접촉 방지한다.
2) 알루미늄 2024 alclad와 관련된 소재의 전기적 전위차로

재료 간의 전기적 전위차가 클수록 Galvanic Corrosion 위험이 높아짐

마. Stress Corrosion

인장 하중과 부식 환경을 동시에 적용하면 응력 부식이 발생

바. Biological Corrosion

박테리아, 곰팡이, 조류와 같은 많은 수의 미생물이 덥고 습한 기후에서 발생하며, 일체형 알루미늄 연료 탱크 및 파이프에서 주로 발생

사. Fretting Corrosion

1) 밀착하고 있는 금속 또는 비금속이 반복해서 하중을 받아 서로 미끄럼 운동을 할 때 발생하는 표면의 피로 결함.
2) 재료 보호 표면이 손상되고 금속 입자가 재료 표면에서 제거, 이러한 입자는 산화되고 두 표면 사이의 연마 효과를 증가

아. Exfoliation Corrosion 표면 가까이에 층 모양으로 부식하여 박리를 일으키는 것으로 재료를 절단한 가장자리에서 가공 방향을 따라 내부로 진행.

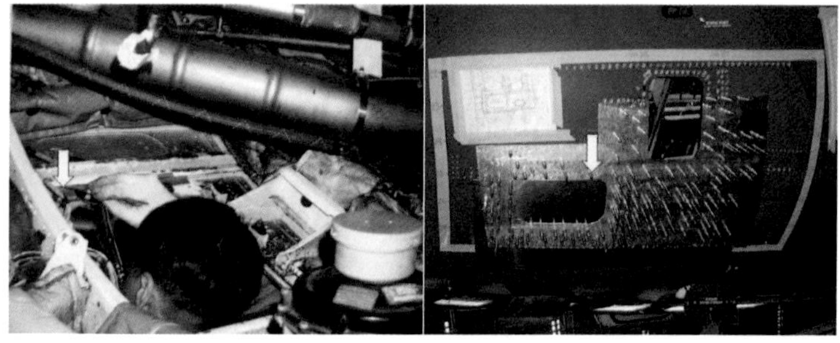

부식(corrosion)은 금속 조직에 조금만 존재해도 계속 확대되어 구조물에 영향을 미쳐 큰 보강판재 작업을 수행하게 된다.

23. Cargo 장점과 단점

가장 큰 장점은 그 만큼의 단점을 만든다

B737 화물칸이 그 사례로, B737 항공기는 특별한 장비 없이 수하물과 승객의 짐을 싣고 내릴 수 있는 구조로 되어 있다.

FWD CARGO & AFT CARGO COMPARTMENT, 항공기 배꼽(무게 중심점: center of gravity) 기준하여 전·후방에 2곳이 있는데 전방(FWD)의 화물칸은 항공기 엔진과 너무 근접하기에 엔진이 완전히 정지된 상태에서 사용이 가능하다. 반면 후방(AFT) 화물칸은 엔진이 가동 중이라 할지라도 전방 화물칸에 비해 상대적으로 위험 요소가 작아 사용은 가능하다. 전방 화물칸은 엔진과 너무 가까워 근접 자체가 허용되지 않지만, 정비 목적으로는 가능하다. 정비 목적으로 엔진 가동 상태에서 접근하다 처참한 인명 피해 사례가 발생하기도 했으며, 관련 자료에 접근하여 열어 보기 전에 강력한 경고 문구를 읽어야 볼 수 있을 정도다. 전방 화물칸은 이러한 이유로 인해 기체 구조에 크게 영향이 적다. 특히나 화물칸의 문이 수평으로 열리고 닫히는 구조도 한몫한다. 그러나, 화물칸 문이 항공기 기체 전방으로 치중되어 있어 문 후방 쪽의 기골에 손상을 야기하는 것은 어쩔 수 없는 구조다. 후방 화물칸은 전방에 비해 훨씬 많이 좋지 않은 구조다. 항공기 이륙 시 기체가 지면과 접촉하지 않도록 되어있는 구조의 끝점에 문을 만들었다. 그런 이유로 화물칸 문이 사각형 구조가 아닌 경사진 사각형으로 되어있다. 추가로 화물칸 뒷부분이 경사져 수하물이나 짐들이 문으로 쏠리는 것을 방지하기 위해 펜스를 쳐야 한다. 이는 화물칸 문을 안쪽 방향으로 열고, 당겨서 닫아야 하는 구조이기 때문이다. 후방 화물칸은 이러한 구조로 되어 있다 보니 화물칸 내부로 화물과 승객의 짐을 싣고 내려야 하는 노동자에게는 더없이 힘들고 어려운 구조다. 그나마 수하물을 탑재 시 문 입구가 높은 후방 화물칸의 경사각을 이용하여 미끄러지듯 내부로 밀어 보내는 방법이 최선이다. 그래서 이곳의 문지방은 비강도(밀도당 강도)가 높은 티타늄(원소기호: Ti, 원자번호: 22) 합금으로 만들어져 있지만 화물의 끌림으로 인한 마모로 인해 바닥 판넬에 Hole이 발생하기도 한다. 전방과 다르게 문턱은 수평이나 살짝 경사가 있어 다양한 크기와 모양의 화물과 승객의 짐들을 밀어서 싣고 당겨서 내리는 구조로 인해 문지방만이 아닌 화물칸 바닥도 비금속 재질이건 알루미늄이건 마모되어 Hole이 생길 수밖에 없는 구조다. 이러한 B737 하부 화물칸 단점의 구조를 설명하는 이유는 SNS를 통해서 승객의 짐(luggage)을 함부로 대하는 다양한 동영상을 접하고 울분을 토하는 걸 자주 본다. 글쓴이도 예전에 캐리어가 깨져서 너무나 마음이 상했던 경험이 있으나 항공종사자이기에 변명으로 보일 것이다. 그렇지만 승객의 수하물과 짐이 손상 될 수밖에 없는 구조임을 알고 철저하게 대처 하는 게 현명하지 않을까 한다.

「고객은 왕이다」, 「고객은 신이다」, 「고객을 감동시켜라」, 「고객은 항상 옳다」라는 칼럼과 같이 항공분야의 다양한 종사자들은 반복된 서비스 교육을 받고 있지만, B737 항공기 화물칸 구조적 한계가 어쩔 수 없는 것을 알고, 좁은 공간에서 허리조차 펼 수 없는 고단한 작업을 하는 노동자를 조금 이해했으면 한다.

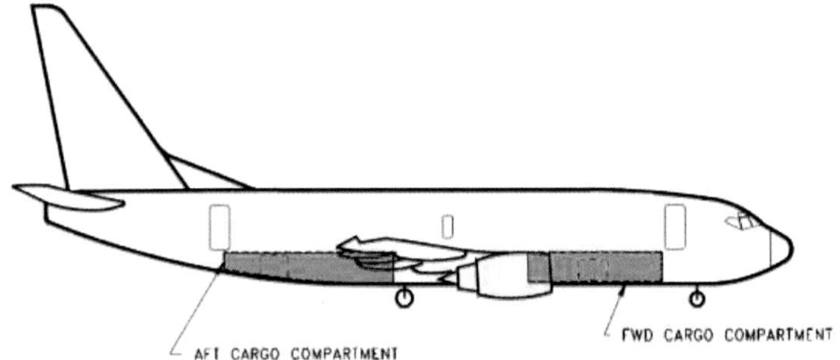

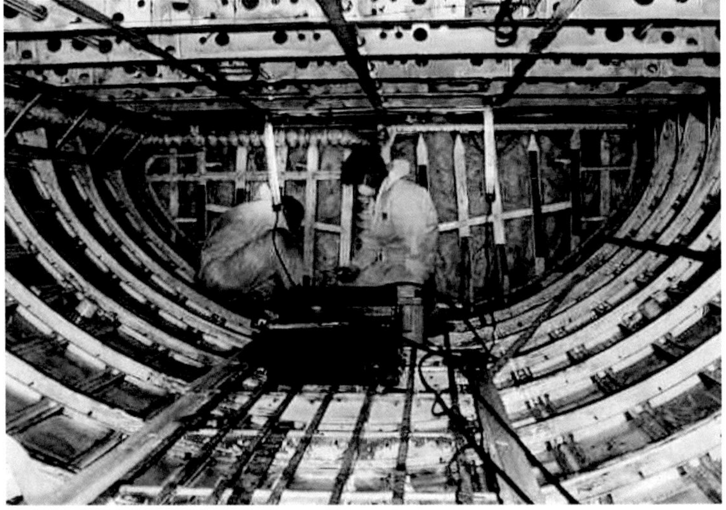

참고: 일부 국가에서는 수하물 1개의 무게가 32 kg/70 lbs 이상, 크기가 158 cm/62 in.(가로, 세로, 높이 세 변의 합) 이상인 경우에는 초과 수하물 요금 지불과 관계없이 운송이 제한될 수 있다.

BOEING
737 MAX 8
BOEING
BAE SYSTEMS
INSPIRED WORK
Nabtesco
cfm
Rockwell Collins
UTC Aerospace Systems
SPIRIT
Flight International

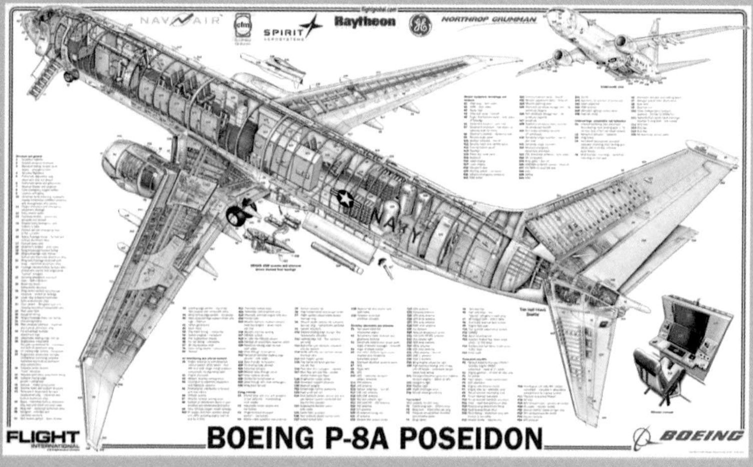
NAVAIR
cfm
SPIRIT
AEROSYSTEMS
Raytheon
GE
NORTHROP GRUMMAN
NAVY
FLIGHT
INTERNATIONAL
BOEING P-8A POSEIDON
BOEING

제 4 장

파스너

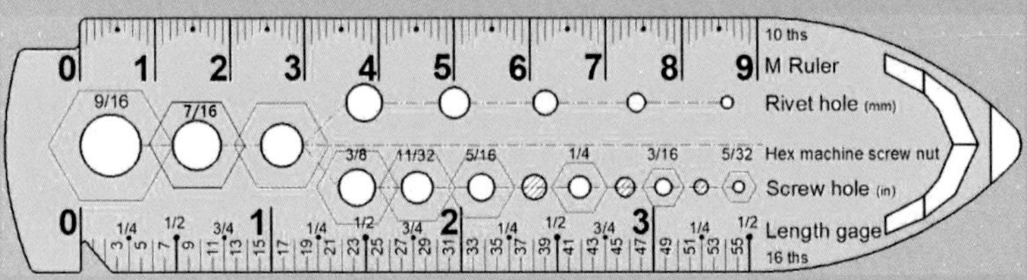

10 ths
M Ruler
Rivet hole (mm)
Hex machine screw nut
Screw hole (in)
Length gage
16 ths

1. 항공기 자 설명서

1) 항공우주산업의 리벳, 하이록(Hi-Lok) 게이지(gage)

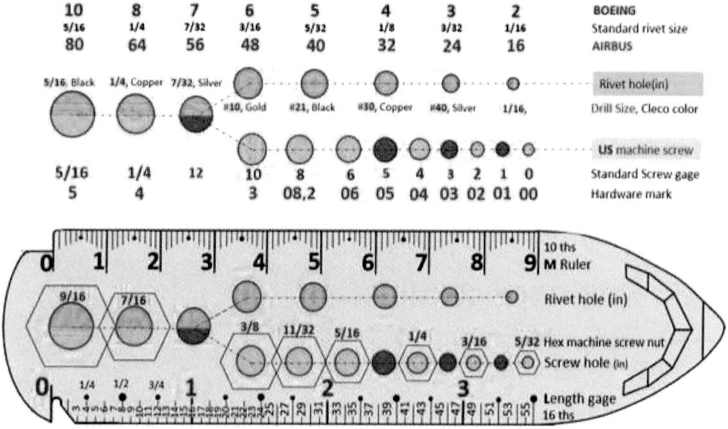

항공 우주산업의 기체 제작 영구(Permanent) 결합 시 사용되는 리벳(rivet)은 1인치를 32등분하여 분자 수로 지름의 크기를 나타낸다. 그림의 3/32에서 3은 지름을 나타내는 게이지 숫자다. 3의 의미는 3/32이기에 약분하면 0.09375in까지 암기하고 사용하기는 어려우나 이를 전문적으로 취급하고 사용하는 작업자들은 3/32(0.9375")을 바로 알 수 있다. 미터법에 익숙한 한국사람도 3/32을 33으로 줄여서 부르며 의미와 크기를 잘 알고 있다. 보통 미국 단위계의 지름을 아래와 같이 부르며 사용한다.

3/32=삼삼, 1/8=팔분의일, 5/32=삼오, 3/16=십육삼, 7/32=삼십이분의칠, 1/4=사일, 5/16 십육오 사용한다. 그러면, AIRBUS의 미터법 리벳(rivet)의 어떻게 부르고 사용할까?

24(2.4 mm)=삼삼, 32(3.2 mm)=팔분의 일, 40(4.0 mm)=삼오, 48(4.8 mm)=십육삼, 56(5.6 mm)=삼십이분의칠, 64(6.4 mm)=사일 80(8.0 mm) 십육오로 사용한다. 리벳 지름은 미터법(미터 인치) 값인데도 왜 인치를 간단히 부르는 호칭으로 사용할까? 미국 단위계를 기준으로 한 치수에 익숙해져 있어 자연스럽게 부르는 것 같다.

리벳(Rivet) Hole을 임시로 고정해 주는 클레코 파스너(Cleco Fasteners)는 색깔로 정해 지름을 구별한다. 변화의 과정이 다르다보니 AIRBUS는 영구 체결용 파스너인 리벳은 미터법이라 말하는 것 같다. AIRBUS에서도 미국 단위계와 전혀 다른 것이라 주장하지만 양쪽을 다 사용하는 우리에게는 공감이 어려운 부분이다.

물론 우리에게는 AIRBUS의 표기가 더 합리적이라 본다.

2.4 mm→24, 3.2 mm→32, 4.0 mm→40,

4.8 mm→48, 5.6 mm→56, 6.4 mm→64, 8.0 mm→80,

2) Number, fractional Drill bit size

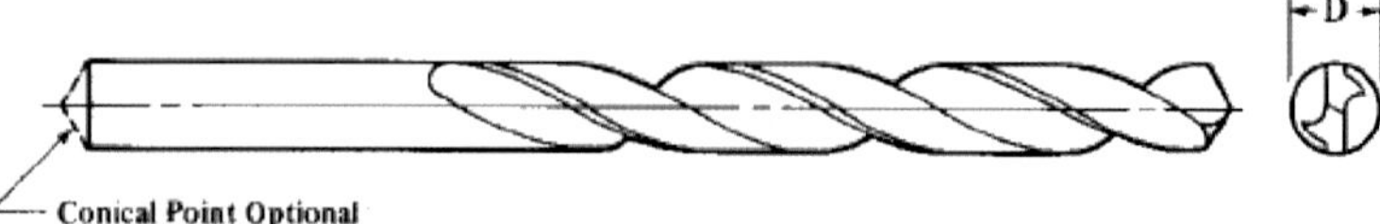

ANSI Size Drill Bit Chart					
Drill (in.)	Decimal	Drill (in.)	Decimal	Drill (in.)	Decimal
80	0.0135	1/8	0.1250	O	0.3160
79	0.0145	30	0.1285	P	0.3230
1/64	0.0156	29	0.1360	21/64	0.3281
78	0.0160	28	0.1405	Q	0.3320
77	0.0180	9/64	0.1406	R	0.3390
76	0.0200	27	0.1440	11/32	0.3437
75	0.0210	26	0.1470	S	0.3480
74	0.0225	25	0.1495	T	0.3580
73	0.0240	24	0.1520	23/64	0.3594
72	0.0250	23	0.1540	U	0.3680
71	0.0260	5/32	0.1562	3/8	0.3750
70	0.0280	22	0.1570	V	0.3770
69	0.0292	21	0.1590	W	0.3860
68	0.0310	20	0.1610	25/64	0.3906
1/32	0.0313	19	0.1660	X	0.3970
67	0.0320	18	0.1695	Y	0.4040
66	0.0330	11/64	0.1719	13/32	0.4062
65	0.0350	17	0.1730	Z	0.4130
64	0.0360	16	0.1770	27/64	0.4219
63	0.0370	15	0.1800	7/16	0.4375
62	0.0380	14	0.1820	29/64	0.4531
61	0.0390	13	0.1850	15/32	0.4687
60	0.0400	3/16	0.1875	31/64	0.4844
59	0.0410	12	0.1890	1/2	0.5000
58	0.0420	11	0.1910	33/64	0.5156
57	0.0430	10	0.1935	17/32	0.5312
56	0.0465	9	0.1960	35/64	0.5469
3/64	0.0469	8	0.1990	9/16	0.5625
55	0.0520	7	0.2010	37/64	0.5781
54	0.0550	13/64	0.2031	19/32	0.5937
53	0.0595	6	0.2040	39/64	0.6094
1/16	0.0625	5	0.2055	5/8	0.6250
52	0.0635	4	0.2090	41/64	0.6406
51	0.0670	3	0.2130	21/32	0.6562
50	0.0700	7/32	0.2187	43/64	0.6719
49	0.0730	2	0.2210	11/16	0.6875
48	0.0760	1	0.2280	45/64	0.7031
5/64	0.0781	A	0.2340	23/32	0.7187
47	0.0785	15/64	0.2344	47/64	0.7344
46	0.0810	B	0.2380	3/4	0.7500
45	0.0820	C	0.2420	49/64	0.7656
44	0.0860	D	0.2460	25/32	0.7812
43	0.0890	E	0.2500	51/64	0.7969
42	0.0935	1/4	0.2500	13/16	0.8125
3/32	0.0937	F	0.2570	53/64	0.8281
41	0.0960	G	0.2610	27/32	0.8437
40	0.0980	17/64	0.2656	55/64	0.8594
39	0.0995	H	0.2660	7/8	0.8750
38	0.1015	I	0.2720	57/64	0.8906
37	0.1040	J	0.2770	29/32	0.9062
36	0.1065	K	0.2811	59/64	0.9219
7/64	0.1093	9/32	0.2812	15/16	0.9375
35	0.1100	L	0.2900	61/64	0.9531
34	0.1110	M	0.2950	31/32	0.9687
33	0.1130	19/64	0.2968	63/64	0.9844
32	0.1160	N	0.3020	1	1.0000
31	0.1200	5/16	0.3125		

ISO (Metric Size Drills) & Conversion to Inches					
Drill (mm)	Decimal (in.)	Drill (mm)	Decimal (in.)	Drill (mm)	Decimal (in.)
0.35	0.0138	3.4	0.1339	8.0	0.3150
0.4	0.0157	3.5	0.1378	8.1	0.3189
0.45	0.0177	3.6	0.1417	8.2	0.3228
0.5	0.0197	3.7	0.1457	8.3	0.3248
0.55	0.0217	3.75	0.1477	8.3	0.3267
0.6	0.0236	3.8	0.1496	8.4	0.3307
0.65	0.0256	3.9	0.1535	8.5	0.3346
0.7	0.0276	4	0.1575	8.6	0.3386
0.75	0.0295	4.1	0.1614	8.7	0.3425
0.8	0.0315	4.2	0.1654	8.8	0.3445
0.85	0.0335	4.25	0.1674	8.8	0.3465
0.9	0.0355	4.3	0.1693	8.9	0.3504
0.95	0.0374	4.4	0.1732	9.0	0.3543
1	0.0394	4.5	0.1771	9.1	0.3583
1.05	0.0413	4.6	0.1811	9.2	0.3622
1.1	0.0433	4.7	0.1850	9.3	0.3642
1.15	0.0453	4.75	0.1870	9.4	0.3661
1.2	0.0472	4.8	0.1890	9.4	0.3701
1.25	0.0492	4.9	0.1929	9.5	0.3740
1.3	0.0512	5	0.1968	9.6	0.3780
1.35	0.0531	5.1	0.2008	9.7	0.3819
1.4	0.0551	5.2	0.2047	9.8	0.3839
1.45	0.0571	5.25	0.2067	9.8	0.3858
1.5	0.0591	5.3	0.2087	9.9	0.3898
1.55	0.0610	5.4	0.2126	10.0	0.3937
1.6	0.0629	5.5	0.2165	10.5	0.4133
1.65	0.0650	5.6	0.2205	11.0	0.4331
1.7	0.0669	5.7	0.2244	11.5	0.4528
1.75	0.0689	5.75	0.2264	12.0	0.4724
1.8	0.0709	5.8	0.2283	12.5	0.4921
1.85	0.0728	5.9	0.2323	13.0	0.5118
1.9	0.0748	6	0.2362	13.5	0.5315
1.95	0.0768	6.1	0.2401	14.0	0.5512
2	0.0787	6.2	0.2441	14.5	0.5708
2.05	0.0807	6.25	0.2461	15.0	0.5906
2.1	0.0827	6.3	0.2480	15.5	0.6102
2.15	0.0846	6.4	0.2520	16.0	0.6300
2.2	0.0866	6.5	0.2559	16.5	0.6496
2.25	0.0886	6.6	0.2598	17.0	0.6693
2.3	0.0905	6.7	0.2638	17.5	0.6889
2.35	0.0925	6.75	0.2658	18.0	0.7087
2.4	0.0945	6.8	0.2677	18.5	0.7283
2.45	0.0965	6.9	0.2716	19.0	0.7480
2.5	0.0984	7	0.2756	19.5	0.7677
2.55	0.1004	7.1	0.2795	20.0	0.7874
2.6	0.1024	7.2	0.2835	20.5	0.8071
2.65	0.1043	7.25	0.2855	21.0	0.8268
2.7	0.1063	7.3	0.2874	21.5	0.8465
2.75	0.1083	7.4	0.2913	22.0	0.8661
2.8	0.1102	7.5	0.2953	22.5	0.8858
2.9	0.1142	7.6	0.2990	23.0	0.9055
3	0.1181	7.7	0.3031	23.5	0.9252
3.1	0.1220	7.75	0.3051	24.0	0.9449
3.2	0.1260	7.8	0.3071	24.5	0.9646
3.25	0.1280	7.9	0.3110	25.0	0.9843
3.3	0.1299				

Abbott Aerospace | www.abbottaerospace.com

3) Rivet inch fractional size

STRUCTURAL REPAIR MANUAL

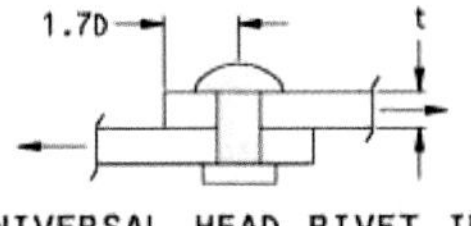

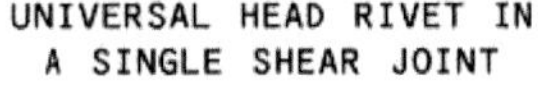

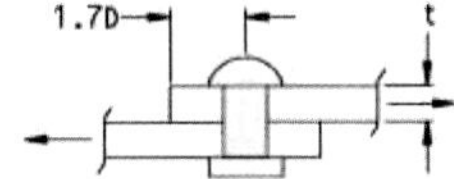

MODIFIED UNIVERSAL HEAD RIVET
IN A SINGLE SHEAR JOINT

UNIVERSAL HEAD RIVETS IN CLAD OR BARE 7075-T6 SHEET AND 7075-T6, -T6510, -T6511 EXTRUSIONS LESS THAN 0.188 INCH THICK - SINGLE SHEAR JOINT ULTIMATE STRENGTH								
FASTENERS	PART NUMBERS	NASM20470AD( )				BACR15BB( )AD		
	MATERIAL	2117-T3 ALUMINUM						
	D (DIAMETER INCHES)	3/32	1/8	5/32	3/16	1/4	5/16	3/8
		0.0938	0.1250	0.1562	0.1875	0.2500	0.3125	0.3750
	SINGLE SHEAR STRENGTH (POUNDS)	207	369	575	830	1470	2290	3300

(항공기에 사용하는 영구 체결용 리벳 표기방법)

미국 단위계: 1인치(25.4 mm) 32등분, 분자로 표기
3/32, 1/8(4/32), 5/32, 3/16(6/32), 7/32, 1/4(8/32), 5/16(10/32) 리벳 지름을 3, 4, 5, 6, 7, 8, 10~ 으로 표기한다.

AIRBUS 미터법: 1인치(25 mm)를) 32등분 값을 미터 식 표기
3/32→24, 1/8(4/32)→32, 5/32→40, 3/16(6/32)→48
7/32→56, 1/4(8/32)→64, 5/16(10/32)→8
0, 24, 32, 40, 48 56, 64, 80~로 표기한다.

참고: 미터법 인치(Metric inch) ISO 2848에서 25 mm(0.984 인치)로 정의되기 때문에 미터법 인치는 표준 1인치보다 0.4 mm (0.016인치) 짧다.

3) Cleco size, drill bit, color

cleco 3/32 #40 drill bit, silver(4가지 색깔로 반복한다)
cleco 1/8 #30 drill bit, copper
cleco 5/32 #21 drill bit, black
cleco 3/16 #11 drill bit, gold
cleco 7/32 7/32 drill bit, silver(4가지 색깔로 반복한다)
cleco 1/4 1/4 drill bit, copper
cleco 5/16 5/16 drill bit, black

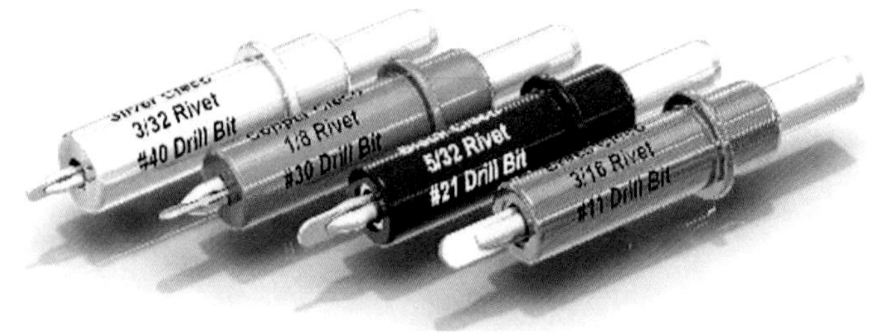

4) 기계 나사 너트(Machine Screw Nuts)

기계 나사 너트(Machine Screw Nuts)는 항공기에 가장 많이 사용되는 나사(screw, bolt, nut)의 한 종류다. 너트의 크기를 아는 것은 나사(산)의 지름 다음으로 중요한 부분이다. 나사(산)의 지름이 중요한 것은 지정된 토크와 직접 관련되는 것이다. 더하여 너트는 체결은 스크루나 볼트를 정상적으로 연결하는 유일한 방법이 너트 체결이다. 그러기에 너트 내부에 있는 나사산의 지름 다음으로 육각 형태의 크기를 또한 미국단위계(야드 파운드법)로 크기를 분류하는 방식으로 알아가 보려한다. 항공기에 사용하는 기계 나사는 **0, 1, 2, 3, 4, 5, 6, 8, 10, 12, 1/4, 5/16, 3/8~**가 있으며 1, 3, 12번은 Secondary choice로 거의 사용하지 않는다. 항공기에 사용하는 기계 나사의 너트는 나사 게이지 → (너트의 육각 크기)로 표시 했다.

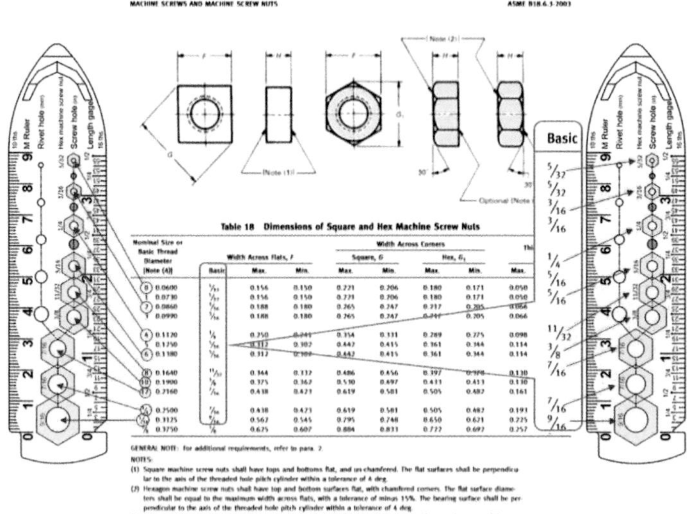

Table 18 Dimensions of Square and Hex Machine Screw Nuts

Nominal Size or Basic Thread Diameter [Note (4)]		Width Across Flats, F			Width Across Corners				Thi[ckness]
					Square, G		Hex, G_1		
		Basic	Max.	Min.	Max.	Min.	Max.	Min.	Max.
0	0.0600	5/32	0.156	0.150	0.221	0.206	0.180	0.171	0.050
1	0.0730	5/32	0.156	0.150	0.221	0.206	0.180	0.171	0.050
2	0.0860	3/16	0.188	0.180	0.265	0.247	0.217	0.205	0.066
3	0.0990	3/16	0.188	0.180	0.265	0.247	0.217	0.205	0.066
4	0.1120	1/4	0.250	0.241	0.354	0.331	0.289	0.275	0.098
5	0.1250	5/16	0.312	0.302	0.442	0.415	0.361	0.344	0.114
6	0.1380	5/16	0.312	0.302	0.442	0.415	0.361	0.344	0.114
8	0.1640	11/32	0.344	0.332	0.486	0.456	0.397	0.378	0.130
10	0.1900	3/8	0.375	0.362	0.530	0.497	0.433	0.413	0.130
12	0.2160	7/16	0.438	0.428	0.619	0.581	0.505	0.482	0.161
1/4	0.2500	7/16	0.438	0.428	0.619	0.581	0.505	0.482	0.193
5/16	0.3125	9/16	0.562	0.545	0.795	0.748	0.650	0.621	0.225
3/8	0.3750	5/8	0.625	0.607	0.884	0.831	0.722	0.692	0.257

GENERAL NOTE: For additional requirements, refer to para. 2.

NOTES:

(1) Square machine screw nuts shall have tops and bottoms flat, and un-chamfered. The flat surfaces shall be perpendicular to the axis of the threaded hole pitch cylinder within a tolerance of 4 deg.

(2) Hexagon machine screw nuts shall have top and bottom surfaces flat, with chamfered corners. The flat surface diameters shall be equal to the maximum width across flats, with a tolerance of minus 15%. The bearing surface shall be perpendicular to the axis of the threaded hole pitch cylinder within a tolerance of 4 deg.

(3) Bottoms of hexagon machine screw nuts may be supplied with flat, but un-chamfered surfaces at the option of the manufacturer.

(4) Where specifying nominal size in decimals, zeros preceding the decimal and in the fourth decimal place shall be omitted.

0→(5/32), 1→5/32, 2→(3/16), 3→3/16, 4→(1/4), 5→5/16, 6→(5/16), 8→(11/32), 10→(3/8), 12→7/16, 1/4→(7/16), 5/16→(9/16), 3/8→5/8을 사용한다. 항공기에 일반적으로 가장 많이 사용하는 육각 크기의 5/32" 3/16" 1/4" 5/16" 11/32" 3/8" 7/16" 9/16" 너트 크기를 표시했다.

단, 항공기에서 gage12→7/16" 볼트는 사용하지 않는다.

기계 나사(screw)에 맞는 정격의 너트(Machine Screw Nuts)가 있어 그 크기를 자(ruler)에 표현 하였다. 인치 단위의 분수로 표기 되어 있어서 너트의 크기를 가늠하기 쉽게 하고, 추가로 정격의 렌치(wrench) 또는 스패너(spanner) 사용 시 기본 공구의 크기를 가늠하여 알 수 있도록 했다. 기계 나사 너트는 육각 및 사각 너트로 풀-사이즈 육각 너트보다 훨씬 작은 크기로 사용할 수 있으며 보통 기계 나사와 함께 사용된다. 육각은 육각의 줄임말로, 6면이 있다는 뜻이다. 네모난 너트는 사면이 있다.

나사산은 표준 우측 및 Unified Inch
보통 나사(UNC, Unified National Though) 또는 Unified Inch
가는 나사(UNF, Unified National Fine)이다.
기계 나사산 너트 크기는 공칭 나사산 직경을 가리킨다.

일반적으로 육각의 경우 #0에서 약 3/8", 정사각형의 경우 #2에서 약 1/2" 범위의 크기가 있다. 1/4" 미만의 크기는 숫자 크기(숫자가 클수록 더 큰 크기)로 표시되며, 1/4" 이상의 크기는 인치(보통 소수점이 아닌 분수)로 지정된다. 모든 유형이 모든 크기로 제공되는 것은 아니다. 렌치 크기인 평판 폭은 공칭 기계 나사 너트 크기와 두께가 0.621-0.864배인 1.67 ~ 2.60배이다. 5/16" 및 3/8" 육각 나사 너트의 전체 평판 치수는 풀-사이즈 육각 너트보다 크지만 육각 나사 너트는 같은 크기의 육각 너트보다 얇다.

사각 너트는 플릿에 넓은 표면적을 제공하여 렌치를 개선한다. 육각 너트에는 모서리(바운드)가 있는 납작한 상단이 있다. 바닥은 평평하고 모서리는 모따기 될 수도 있고 아닐 수도 있다(모따기 하단 모서리는 일반적이다). 네모난 너트류는 윗부분과 아랫부분이 평평하다. 육각 기계 나사 너트의 일반적인 재료로는 강철, 스테인리스강, 황동, 실리콘 브론즈(silicon bronze), 나일론 등이 있다. 네모난 너트의 경우 강철이 대표적이다. 강철은 스테인리스 다음으로 가장 비용이 적게 드는 재료이다. 구리 합금(황동, 실리콘 청동 등)이 가장 비싸다.

강철 기계 나사 너트의 일반적인 마감은 아연 도금이다. 가장 인기 있고 가장 저렴한 상업용 도금인 아연은 적당한 부식 저항성을 제공한다. 그러나, 스테인리스강은 부식이 우려될 때 더 나은 선택이다. 산소가 없는 소금물에 잠길 경우 스테인리스강의 피팅 부식이 심할 수 있어 실리콘 청동이 선호되는 소재다. (스테인리스강은 자가 치유, 부식 저항성 크롬산화물 막을 만들기 위해 산소가 필요하다). 육각 및 사각 기계 나사 너트와 관련된 사양은 ASME B18.6.3을 참조하라. 육각형의(Hexagonal) 기계 나사 너트의 크기는 #0부터 #14까지이며 1/4인치, 5/16인치 및 3/8인치까지 다양하다. 육각은 가장 보편적인 스타일로 가장 다양한 재료로 이용할 수 있다.

(주: 평면의 폭은 기본 폭이며, 모서리와 두께의 폭은 64번째에 가장 가까운 값으로 반올림한 계산된 평균 폭이다.)

참고:
https://www.fastenermart.com/machine-screw-nuts.html

규격: ASME B18.6.3

5) 파스너 길이 측정

상부 ISO M rulers는 자(ruler) 기능이면서 미터법으로 나사(SCREW, BOLT)의 길이를 측정할 수 있다. 그림과 같이 나사(screw)의 길이가 19 mm 임을 확인 할 수 있다. 하부는 미국단위계의 인치 나사(SCREW, BOLT)의 길이를 측정할 수 있다.

미국단위계 기초한 인치 나사(SCREW, BOLT)는 1인치를 16등분하여 1/16을 1번 길이로 부른다. 1/16" 는 0.063" 이며 미터법으로는 1.6 mm 이다. 아래 그림의 22번은 1.6 mm x 22 = 35.2 mm 라 부르지 않고 22번이라 부른다.

AIRBUS에 사용하는 기계(machine) 나사(SCREW, BOLT)도 미국 단위계와 동일한 방법으로 국제 표준 인치(1"= 25.4 mm)와 같은 나사를 사용하고 있다. 아래 사진과 같이 1인치를 16등분하여 1/16을 1번 길이로 부르며 아래 사진과 같이 5번 기계 나사 그립(grip)까지를 나사 길이라 부른다.

미국 BOEING사 항공기 제작에 사용하는 기계(machine) 나사(SCREW, BOLT)도 미국 단위계와 동일한 방법으로 국제 표준 인치(1"= 25.4 mm) 나사를 사용하며 아래 사진과 같이 1인치를 16등분하여 1/16을 1번 길이로 부르며 아래 사진과 같이 22번 나사 까지를 나사 길이라 한다.

인치 기계(machine) 나사(SCREW, BOLT)의 길이를 쉽게 읽을 수 있도록 0번부터 56번까지 읽을 수 있게 하였으며 자(Ruler)의 기능을 함께 표기 하였기에 0, 3, 5, 7, 9, 11, 13, 15, ~~~55만 표현했다. 위쪽 미터법 국제 규격인 ISO 미터나사는 보이는 그대로 읽으면 된다. 나사(SCREW, BOLT)에 전체 나사산(Thread)이 있는 경우는 나사부 전체가 나사 길이이며, 기계 나사에 나사부가 없는 경우는 그립(grip) 부분이 나사 길이다. BOEING과 AIRBUS는 같은 규격으로 인치 기계 나사 길이를 1/16"(or 1/8등분) 등분하는 방식을 사용하나 영국의 경우 나사 길이를 1/10" (0.100") = 2.54 mm로 사용하기도 한다.

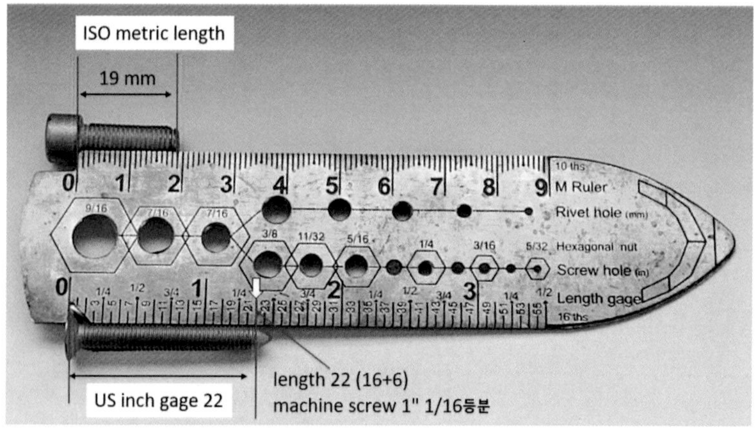

눈금자 디자인 특허등록번호: 3010752540000 Corea AB Ruler3

2. 미니어처 나사(Miniature Screw)

1825년 9월 27일 영국의 조지 스티븐슨이 손수 제작한 화물 전용 증기기관차 로코모션(Locomotion)호가 세계 최초의 기차로 출현한 날이다. 시작은 영국이 빨랐지만, 철도의 성장 속도는 미국이 영국을 앞질렀다. 1861년 남북전쟁 발발했을 때의 미국 철도의 길이는 약 48,280 km에 이르렀는데, 이는 영국 철도 길이의 3배에 해당하는 것이었다. 이러한 미국의 기차 발전은 표준화되지 않은 보일러로 인해 보일러 폭발 사고로 매년 화부 수천 명의 사상자가 발생 하였다. 철도 건설도 여전히 무시무시한 작업이었다. (1890년에서 1917년까지 노동자 7만 2,000명이 철로에서 사망했고, 200만 명이 부상을 당했다. 기관차고와 정비소에선 15만 8,000명이 사망했다)

1865년 4월 27일 미국 테네시주 멤피스 인근의 미시시피강에서 일어난 증기선 보일러 폭발로 인해 침몰되었으며, 2400여명

(정원 376명)중 1700여명 사망한 사고로 미국 역사상 가장 많은 사상자가 나온 선박 사고로 기록됐다.

1904년 2월 7일 미국 메릴랜드주 인구 50만의 볼티모어시를 최악의 화재 현장으로 만들어 후에 미국 건국(1776년) 이래 최악의 화재 중 하나로 꼽히는 '볼티모어 대화재(Great Baltimore Fire)'라고 불리게 되었다. 화재가 크게 번진 이유로 1903년 기준, 미국에는 소방 호스 커플링(couplings)에 대해 600가지 이상의 크기와 종류가 있었으나 국가 규격 단일 표준이 없었다. 인근 도시에서 출동한 소방차 호스와 볼티모어 소방전과 규격이 맞지 않아 연결할 수 없었고, 이로 인해 피해 규모는 570,000 ㎡ 면적에 1500여개의 건물을 잿더미로 만들어버린 대참사다.

이러한 다양한 종류의 보일러 폭발과 대화재 사건은 1907년 미국 기계학회(ASME)가 인치 나사 시스템 체계의 스크루(machine screw)를 갖추도록 했다. 기계나사 게이지(gage) 번호를 0번에서 30번까지 부여하고 나사산의 시리즈를 정의했다. 이후 미국은 미국 단위계 인치를 기준하여 나사를 가장 작게 가공할 수 있는 등급을 1/64(0.015625")인치인 0000번 나사까지 표준화 했다.

이후 산업의 발달에 따른 정밀한 기계 출현으로 보다 작은 나사가 필요하게 되어 **미니어처 나사(miniature screw thread)**가 개발되었다. 미니어처 나사는 시계, 광학기기, 계측기 등에 사용하는 호칭으로 지름이 작은(국제 기준 ISO 0.3- 1.4 mm), 나사산으로 60°의 작은 나사를 가리킨다.

1955년 4월, 영국, 캐나다, 미국의 대표들은 미니어처 나사산에 대한 표준에 합의했는데, 미국인들은 이것을 결코 다루지 않았다. 미국 시계 제조업에 있어서 1850년대에 아주 작은 나사들이 존재했었다. 월담(Waltham) 시계 회사는 그 회사 특유의 12개(0.35~1.5 mm)의 나사에 Threads per inch 적용한 미터법 시리즈를 가지고 있었고, 엘긴(Elgin) 국립 시계 회사는 인치를 기준(Threads per inch)으로 27개(0.33~2.23 mm)의 미니어처 나사를 생산했는데 두 곳 모두 지름은 미터법이었으나 나사산은 Threads per inch였다.

1955년 Unified Miniature Threads에 채택된 방식은 미터법의 ISO의 크기에 관한 권고사항에 기초하였다. 다른 미터법 나사와 달리, 지정은 나사의 주 직경(밀리미터 단위)이며 UNM에 따른다.

미국 UNM 미니어처 나사가 국제 기준인 ISO 0.3- 1.4 mm 규격으로 정해져 있지만, 독일은 0.3~0.9 mm, 러시아는 0.25~0.9 mm다. 국제 규격(ISO)과 미국 규격(ASME)은 0.3- 1.4 mm 범주를 같이하지만 실제 나사의 디자인의 표기는 다르다. 미니어처 나사 국제 규격(ISO) 부호는 S, 독일과 러시아는 M. 미국은 UNM으로 표기한다.

참고: Unified Miniature Thread ANSI/ASME B1.10-1958

현재 미국에서 사용하는 기계나사(machine screw)를 지름(diameter)에 따라 구분하면, 미니어처 나사는 UNM(Unified Miniature Thread) 0.3- 1.4 mm로 미터법을 사용하고 0000(0.0210"/0.5334 mm)번부터 1/4까지 정수를 사용하며, 그 이상의 기계 나사는 미국 단위계인 분수로 표기하여 사용한다. 미니어처 나사에 사용하는 십자(PH) 드라이버의 경우 기존의 PH0000보다 더 정밀한 PH00000까지 개발되었다.

참고:

BA, BSA British Association screw thread series

1884년 영국 과학진흥협회는 주로 정밀 장비에 사용하기 위해 나사 형태와 시리즈를 채택(0.25 ~ 6 mm)했으며, 이는 스위스 시계 산업에서 사용되는 것에서 영감을 얻었으며 이전에는 스위스 작은 나사산 시스템이라고도 불렸다. 야드파운드법 국가로 영국 후원에도 불구하고 BA는 미터법 계열이다. 영국 협회 스레드는 미국의 ASME 시리즈와 비슷한 역할을 했으나 나사의 크기를 구분하는 게이지와 주요 직경의 혼란으로 1966년에 BSI는 BA 나사산이 더 이상 사용되지 않는다고 선언했으며, 그 자리는 ISO 나사산으로 대체되었다.

Miniature Screw Thread Size Chart

Designation	Nominal Major Dia.		Thread Pitch			Comment
	mm	inch	mm	inch	threads/in.	
S0.3	0.3	0.0118	0.08	0.00315	317.5	Size not currently available
S0.4	0.4	0.0157	0.1	0.00394	254.0	Size not currently available
S0.5	0.5	0.0197	0.125	0.00492	203.2	Size not currently available
# 0000 - 160	0.53	0.0210	0.159	0.00625	160	Not recommend for new designs
S0.6	0.6	0.0236	0.15	0.00591	169.3	Size not currently available
S0.8	0.8	0.0315	0.2	0.00787	127.0	Available
# 000 - 120	0.86	0.0340	0.212	0.00833	120	Not recommend for new designs
S1	1	0.0394	0.25	0.00984	101.6	Available
S1.1	1.1	0.0433	0.25	0.00984	101.6	Available
# 00 - 90	1.19	0.0470	0.282	0.01111	90	Not recommend for new designs
S1.2	1.2	0.0472	0.25	0.00984	101.6	Available
S1.4	1.4	0.0551	0.3	0.01181	84.7	Available
# 0 - 80	1.52	0.0600	0.318	0.01250	80	Smallest recommended unified size
M1.6	1.6	0.0630	0.35	0.01378	72.6	Smallest metric M profile size

출처:

https://steemit.com/kr/@imagediet/sazuj

https://www.sizes.com/tools/thread_unm.htm

https://www.sizes.com/tools/thread_elgin.htm

https://watchdoctor.biz/elgin/

https://www.sizes.com/tools/thread_waltham.htm

https://www.threadcheck.com/unified-miniature-screw-thread-gages/#gref

https://www.amazon.com/Screwdriver-FIXITOK-Screwdrivers-Pentalobe-Different/dp/B08Q3QB1GJ/ref=sr_1_3_sspa?keywords=micro%2Bphillips%2Bscrewdriver&qid=1695709970&sr=8-3-spons&sp_csd=d2lkZ2V0TmFtZT1zcF9hdGY&th=1

https://www.bernstein-werkzeuge.de/en/products/productdetails/4-380-ph-micro-screwdriver-set

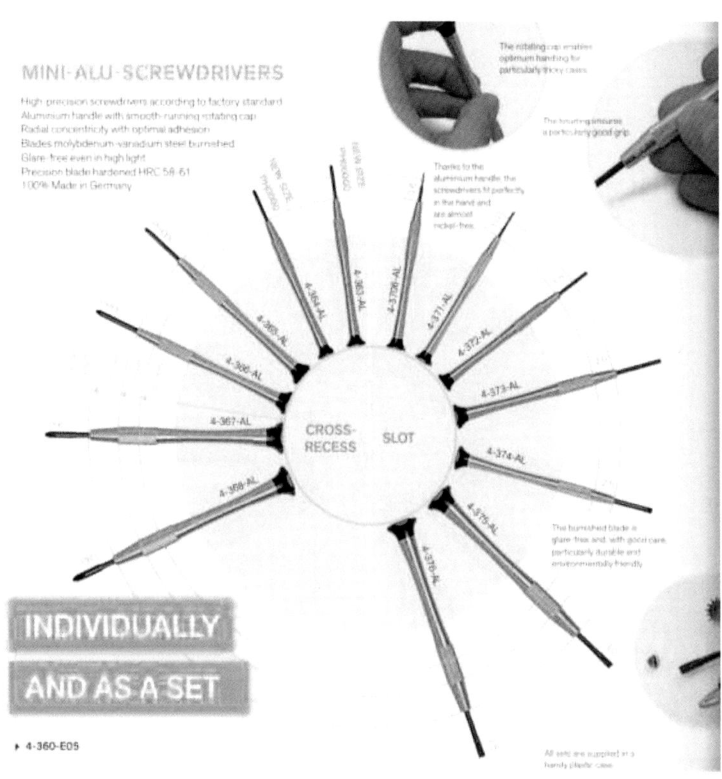

3. 정밀 드라이버(Precision Screwdriver)

정성, 정밀, 정직은 모교의 교훈으로 하루 종일 보고 듣던 단어다. 정성과 정직을 이분법적 사고로 접했다면, 정밀은 기계 제도를 배우면서 단어의 뜻을 조금은 세분화하여 알게 되었다. 현재까지 기계적으로 표기하는 정밀(도)이 가장 친근한 것 또한 사실이다. 요즈음 다양한 분야에 정밀을 사용한다.

일반적으로 '정밀하다'라는 것은 두 물체 사이 공간이 거의 없는 것으로 말하며, 기계적으론 두 물체 사이 기하 공차인 모양 공차, 자세 공차, 위치 공차 및 흔들림 공차로 나타낸다.

사전적 의미

- 정밀(精密): 아주 정교하고 치밀하여 빈틈이 없고 자세함.
- 정밀(靜謐): 고요하고 편안함.
- 정밀(情密): '정밀하다'의 어근.
- 정밀(精密): detailed, close, precise, accurate, exact

공군에서는 항공기 조종석 계기나 작고 정밀한 장비에 사용되는 드라이버를 계기 드라이버로 부르고, 사회에서는 시계의 수리, 보수에 많이 사용되다 보니 시계 드라이버로 불리어진 것으로 본다. 그런데 계기, 시계 드라이버가 아닌 본래 이름인 정밀 스크루드라이버에 대해 알아본다.

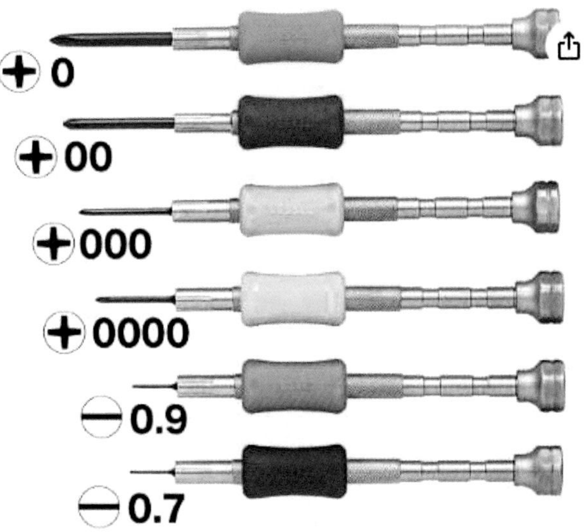

현재 일반적으로 시중에 유통되고 사용되는 십자(PH) 스크루드라이버 기준하여 0000, 000, 00, 0번 드라이버가 정밀 나사를 풀고 잠그는데 사용하는 공구인데, 아직까지 본래 단어가 담고 있는 정밀 드라이버라는 이름보다는 시계, 계기 드라이버로 불리어지고 사용되고 있다. 이러한 근본적 이유로 0000, 000, 00, 0번 인치 나사가 있는지 모르는 게 가장 큰 이유라 본다. 더해 0000, 000, 00, 0번 나사는 인치를 기준하여 만들어진 인치 표준 나사다 보니, 아라비아 숫자 0 이하 나사 크기 표기를 0000, 000, 00으로 선택 할 수밖에 없는 게 더 큰 이유로 보인다. 예전엔 특수한 분야의 몇몇만 사용하다 보니 그 분야에서 사용하

던 용어들이 고착되어 현재와 같이 사용되고 있는 게 현실이다.

하지만 발전하는 산업화에 이제는 핸드폰, 시계, 노트북, 정밀기계, 정밀 의료장비 등 다양하게 사용되는 정밀 스크루 드라이버가 사용되기에 정확한 용어 사용이 되기를 바래본다.

Phillips: One more extremely popular screw type - a kind of cross-recess screw. Phillips drive sizes (different from the screw size) are designated 0000, 000, 00, 0, 1, 2, 3, and 4 (by order of increasing size). Common marking: PH.

Screw Diameter (Inch)

#0000 fastener thread diameter 0.021 in. 0.5334 mm
#000 fastener thread diameter 0.034 in. 0.8636 mm
#00 fastener thread diameter 0.047 in. 1.1938 mm
#0 fastener thread diameter 0.060 in. 1.524 mm

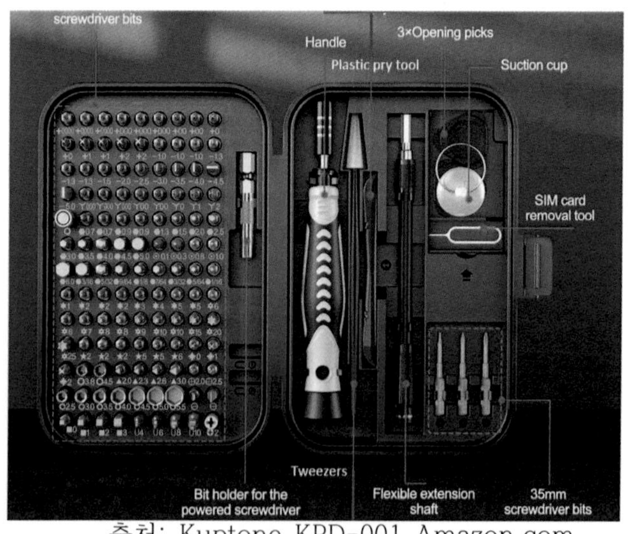

출처: Kuptone KPD-001 Amazon.com

○ Metric 십자(PH) Machine screw size 1.6 mm 경우 0번 정밀 드라이버를 사용한다.

○ Inch 십자(PH) Machine screw size 0번 나사 1.524 mm 경우 0번 정밀 드라이버를 사용한다.

나사산의 지름으로 보면 미터법 1.6 mm와 인치 나사 0번 1.524 mm와는 미세한 차이가 있지만 인치 기준으로 만들어진 PH 0번 정밀 스크루 드라이버를 사용한다. 그런데, 미터법 1.6 mm 이하 나사와 인치 나사 0000, 000, 00번은 작지만 작은 것에 비해 다른 치수를 가지고 있는 것 또한 현실이기에 계기 드라이버, 시계 드라이버 호칭만큼이나 상이한 점이 있으나 이름만큼은 정밀 스크루 드라이버로 불리어지길 바래본다.

참고 1:

아라비아 숫자(Arabic figures): 0과 기수(基數)를 의미하는 10개의 숫자, 즉 0, 1, 2, 3, 4, 5, 6, 7, 8, 9 '산용(算用)숫자' 라고도 한다.

참고 2:

정밀도의 표현 : 정밀도는 절대 표준편차와 상대 표준편차와 같은 성능 계수(figures of merit)로 표현 된다. 정밀도(precision)는 동일한 조건에서 여러 번 반복 측정을 하는 경우 그 측정한 값이 서로 얼마나 가깝게 나오는지에 대한 척도로서 측정의 재현성(reproducibility)을 나타낸다. 즉, 측정한 값의 편차가 적으면 적을수록 정밀하다고 할 수 있다. 정밀도는 우연 오차(random error) 혹은 불가측 오차(indeterminate error)의 존재에 의해 발생한다. 이에 반해 정확도(accuracy)는 측정한 값이 참값과 얼마나 일치하는지 정확성에 관한 척도이다. 측정된 값이 정확도는 높아도 정밀도가 낮은 경우도 있고, 거꾸로 정밀도가 높지만, 정확도가 낮은 경우도 있다.

참고 3: 정밀 의료(Precision Medicine)
정밀의료(Precision Medicine) (tistory.com)

참고 4: [공군소담] 여섯 번째 이야기, 드라이버
- https://afplay.tistory.com/1909

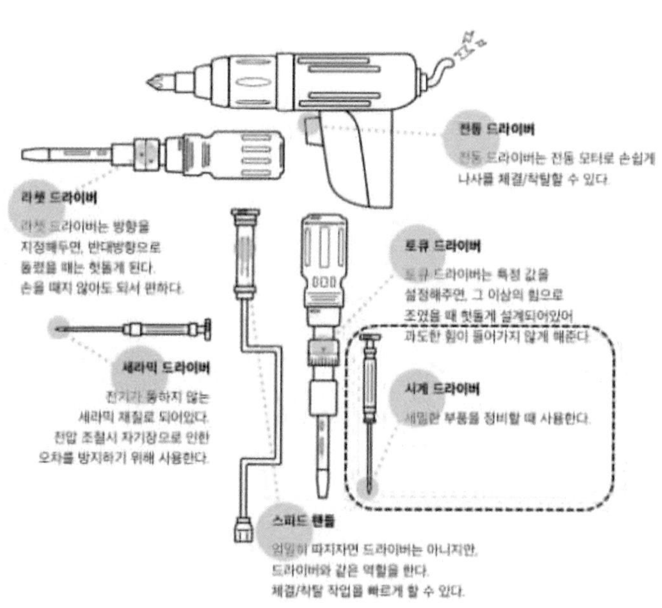

4. 주먹 드라이버(Stubby Driver)

5년 전 KAI(한국항공우주산업주식회사)를 방문하여 견학할 때 육군 출신 정비사인 동기생은 아리랑 비트가 공군에서 온 것이면 주먹 드라이버는 육군에서 온 것이라 했다. 마치 사람의 주먹과 같아 주먹 드라이버라 했다. 1980년대 공군 현역시절 주먹 드라이버는 들어본 적이 없었고, 선배가 알려 준 대로 다루마로 알고 사용했었다. 최근 2018년 공군에서 사병(병766기)으로 전역한 현직 정비사의 블로그를 보고 깜짝 놀랐다.

다루마: 일자 뭉툭하고 짧은 드라이버.
도루마: 십자 뭉툭하고 짧은 드라이버.

출처: https://blog.naver.com/582953/221400383798

아직까지 이 단어를 사용하고 있는 것이다.

다루마는 듣고 사용했지만 도루마는 처음 들어보는 용어다.

본래 주먹 드라이버는 스텁비 드라이버(Stubby Driver)다. 특히 작은 나사 드라이버로 날이 짧고 손잡이가 크고 긴 스크루드라이버로 작업을 할 수 없는 공간인 손이 닿기 어려운 좁은 공간에 사용하는 작은 나사를 풀고 잠그는 전용 공구다.

다루마 : 일자 뭉툭하고 짧은 드라이버
도루마 : 십자 뭉툭하고 짧은 드라이버

그동안 알고 있던 다루마는 무엇일까?

일본에서는 달마 대사가 좌선하고 있는 얼굴을 그려 넣은 일본의 장식물 또는 장난감으로 손잡이가 뭉툭한 게 다루마(달마) 인형처럼 생겨서 속어로 '다루마 도라이바'라고 부른다고 한다.

도루마는 우리나라에서 추가로 더 변형된 말 같다. 다루마(일본어: だるま)는 불교의 한 유파인 선종 개조의 달마의 좌선 모습을 본떠 일본에서 만든 인형이나 장난감이고 우리말로는 달마라고 부른다. 손과 발은 없고 붉은 옷을 입고 있다. 사업 번창, 개운출세(開運出世)의 효능이 있다고 전해진다.

다루마는 눈이 그려지지 않은 것이 많은데, 신사나 절에 가서 소원을 담아 그 소원이 이루어지길 빌면서 눈을 그려 넣는 경우가 있다. 그 곳에서 여러 가지 크기나 색상의 종류인 다루마를 파는 시장이 열린다.

Daruma doll (だるま)

언어의 기본은 의사소통(communication)이다.

일본에서조차 본래 용어인 스텁비 드라이버(Stubby Driver)인 スタビードライバー 스터비(주먹) 드라이버로 사용하고 있는데 어떤 경로를 통하여 다루마가 되었는지 궁금하다. 다루마에서 도루마까지 억지춘향 식으로 변경하여 사용하는 것은 다시금 생각하고 정립이 필요하다 본다. 새로운 것을 받아들임에 있어 어떤 것을 받아들이고(얻고), 무엇을 잃는지(버리는지) 인식하고 우리만의 가치 있는 이유를 찾아 새로움을 추구하기를 바래본다.

참고: **Stubby** (adj)

"짧고, 뻣뻣하고, 두꺼운"(short, stiff, and thick)
1570년대, 원래는 특히 뿌리(roots)의 어근으로, stubb + -y에서 유래; 1831년부터 사람이나 신체 부위(손가락)를 지칭하는 말로 사용되었으며, 1957년 호주 속어로 "짧고 땅딸막한 맥주병"이라는 명사로 사용되었다.

だるま [達磨] 다르마

1. 명사 달마, 달마대사.
2. 명사【だるま】
3. 명사 오뚝이.

stubby

1. 형용사 뭉툭한, 짤막한
2. 명사 비격식 뭉툭한 맥주병(보통 0.375리터들이)
3. 명사 비격식 (남성용) 반바지

stub 어휘등급 (형용사: stubby)

1. 명사 (쓰다 남은 물건의) 토막, (담배) 꽁초; 몽당연필
2. 명사 (표수표 등에서 한 쪽을 떼어 주고) 남은 부분
3. 동사 (~에) 발가락이 차이다.

8. 그리스 피팅(Grease Fitting)

항공기에 사용하는 그리스 피팅(grease fitting)은 아주 작지만 매우 중요한 파스너다. 항공기가 비행하는데 있어 기계적으로 작동하는 부분에 윤활을 돕기 위해 거의 모든 곳에 장착되어 있으며, 일반적인 항공기체 점검보다 더 우선한다. 그리스 주입을 위해 점검 창을 개방한다 해도 과언이 아닐 정도다. 이러한 실정이다 보니 그리스 주입구가 필요한데 그 역할을 하는 것이 그리스 피팅이다. 30년 이상 항공기를 정비하면서 SAE 그리스 피팅만 항공기에 사용된 것을 보았다. 그리스 피팅은 두 가지로 망치로 때려 박는 Drive-type Grease Fitting과 나사산 방식이 있다.

현재 근무 중인 항공사에 입사하여, 망치로 때려 박는 드라이브 형식의 그리스 피팅의 머리 부분(body)인 상부만 떨어져 나가 남아있는 부분의 제거 작업을 의뢰 받아 수행 했었는데, 나사산 타입과 다르게 작업 절차가 명시되어 있지 않고 단지 그리스 피팅 제거시 칩(드릴링과 그리스 피팅 부산물)이 구조물 내부로 들어가는 경우 해당 파트나 구조물을 교환 할 수 있다는 경고(Caution)만 있는 것이다. 흔히 하는 말로 알아서 잘해야 한다는 것이다. 처음 접하는 작업이라 선배님들께 질문해 보니 특별한 공정은 없지만 칩이 파트 내부로 들어가지 않게 하라는 매뉴얼에 있는 경고에 대하여 다시 이야기하는 수준이었다. 그 말에 더해 항공기들은 신형기라 크게 문제없이 드릴 비트(drill bit)를 이용하면 잘 빠질 것이라 했다.

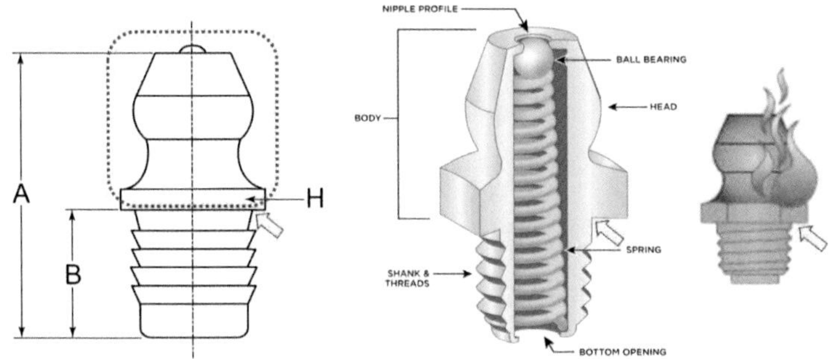

Drive-type Grease Fitting은 나사산이 아닌 톱니 방식으로 때려 박는 구조로 반복적 사용되는 그리스 건의 니플과 자주 접촉하다보니, 그리스를 주입하는 상부는 열처리로 강도를 높였고 하부 톱니바퀴 화살표 부분의 경계면은 피로 발생하여 절단된다.

처음엔 그리스 피팅 머리 부분만 절단 상태로 톱니 부분만 밀착 형태로 박혀 있어 드릴링 작업이 원활하게 되는 동시 칩이 외부로 잘 말려나와 크게 문제가 되지 않았지만 동일한 곳에 반복적으로 그리스 주입을 하니 자연스럽게 머리 부분이 제거되고 톱니 모양(나사산 아님)의 생크가 헛돌기 시작하면서 드릴 칩이 내부로 들어가는 게 보였다. 이런 문제점이 보여 정비기술팀을 통하여 제작사에 문의하니, 먼저 그리스 피팅 장착 부분 내부로 이물질이 들어가지 않도록 그리스를 채우고 드릴링 작업 후 진공 펌프를 이용하여 이물질이 묻어 있는 그리스를 제거하라는 답변을 받게 되었다. 자주 절단되는 그리스 피팅은 B(한쪽 방향 톱니) 부분이 느슨해져 헛돌게 되는데, 이런 경우 미세한 회전 줄로 갈아 내야할 때는 집중과 이물질에 대한 대비를 철저히 해야하는 작업이다. 그러함에 그리스 피팅의 구조에 대하여 미국과 유럽 방식을 알아보는 것으로 미리 결함을 예방할 수 있다.

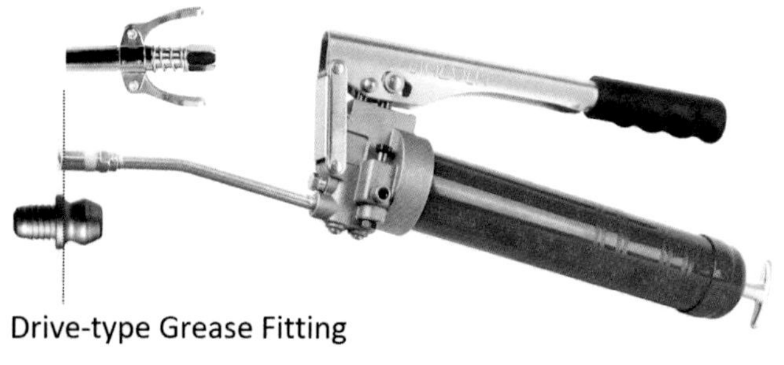

(그림과 같이 그리스 건을 이용하여 그리스를 삽입한다.)

메트릭 그리스 피팅 설계 vs. SAE 그리스 피팅

메트릭(metric) 그리스 피팅(grease fitting) 설계 특성, SAE 그리스 피팅과 차이점 및 응용 분야에 기능적 영향을 미치는지 여부에 대해 설명한다.

미터법 그리스 피팅은 생크 나사산과 미터법 표준에 특정한 몇 가지 본체 모양을 제외하고는 SAE 피팅과 유사한 미적 디자인을 공유한다. 미터법 그리스 저크(zerks) 피팅에 특정한 특성은 피팅을 제조하고 가공하는데 사용되는 기술을 중심으로 이루어진다.

미터법 그리스 저크는 일반적으로 DIN(Deutsches Institute for Normung 또는 German National Standards Institute) 표준의 적용을 받는 반면, SAE 저크는 당연히 SAE 국제 표준(Society of Automotive Engineers)의 적용을 받는다.

파스너 표준가이드에서 이 조직에 대해 자세히 설명한다. 다양한 파스너를 포괄하는 이러한 표준은 그리스 저크 피팅에서 눈에 띄는 설계 차이가 있다. 설계 차이점에는 니플 프로파일, 커플러와 정렬하는 헤드의 기능, 본체 유형, 나사 사양 및 제조 표준이 포함된다.

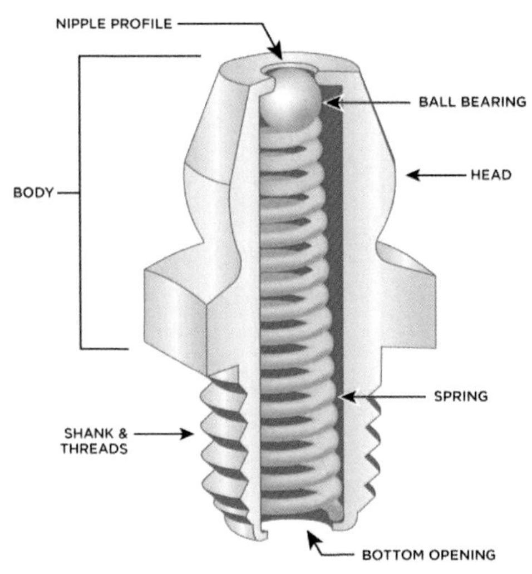

대규모 맞춤 주문이 필요한 경우 Huyett는 이제 더 짧은 시간에 더 나은 정밀도로 주문을 완료한다. 이는 또한 소규모 맞춤형 배치에 더 많은 리소스를 할애할 수 있음을 의미한다. 이 새로운 추가 기능은 보다 간소화된 가공 프로세스를 촉진하여 더 짧은 리드 타임, 더 높은 정확도 및 더 나은 견적 메커니즘으로 모든 규모의 실행을 고객에게 제공하는데 도움이 될 것이다.

Tsugami B0325-iii는 선반 생산 공정에 세 가지 핵심 개선사항을 도입하여 고객에게 전달할 수 있는 세 가지 주요 이점을 제공한다.

Nipple Variations(니플 변형)

DIN 표준 헤드 프로파일은 DIN 헤드가 구에서 가공된다는 점을 제외하고는 SAE 표준 프로파일과 유사하다. 그러나, 표준 커플러는 두 피팅 스타일을 모두 그리스 주입 가능하다.

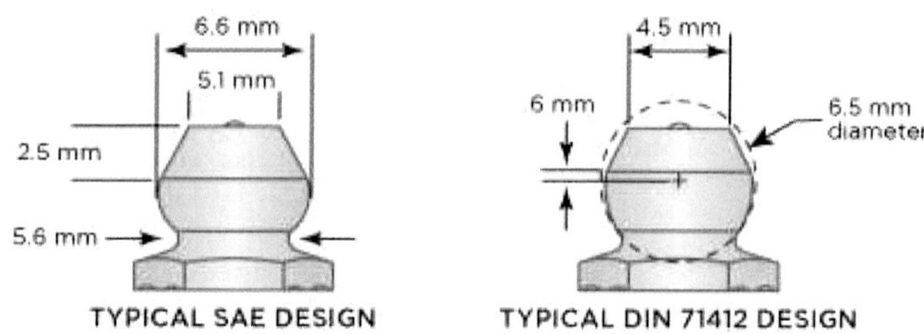

Coupler Ailgnment(커플러 정렬)

니플 또는 헤드는 추가 강도를 제공하고 사용 중 그리스 건 커플러의 턱과의 반복적인 접촉으로 인한 마모를 최소화하기 위해 경화된다. 팁의 윤곽은 커플러가 피팅 축과 50° 오정렬 이내로 밀봉할 수 있도록 해야 한다.

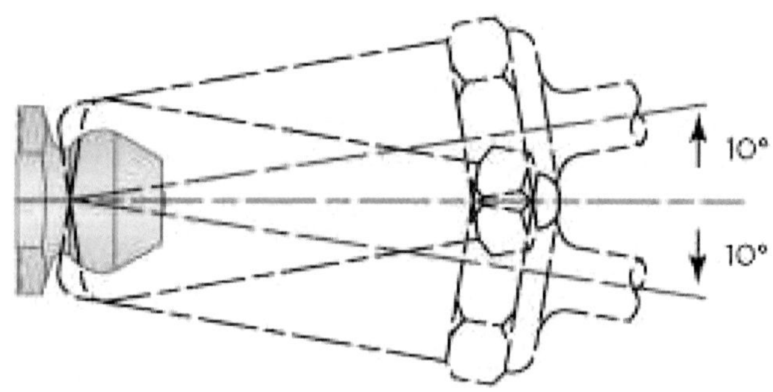

Body Type(체형)

본체 유형은 DIN 71412에 의해 정해진다. 각진 피팅에는 정사각형 및 육각 본체가 허용되며 이러한 고유한 본체 형태는 사용자가 미터법 피팅을 식별하는 데 도움이 될 수 있다. 미국에서 가장 흔한 표준 원형 몸체 형태는 종종 기능에 영향을 미치지 않고 대체된다. 외관상으로는 다르지만 DIN 본체 유형은 SAE 피팅과 동일한 성능을 발휘한다.

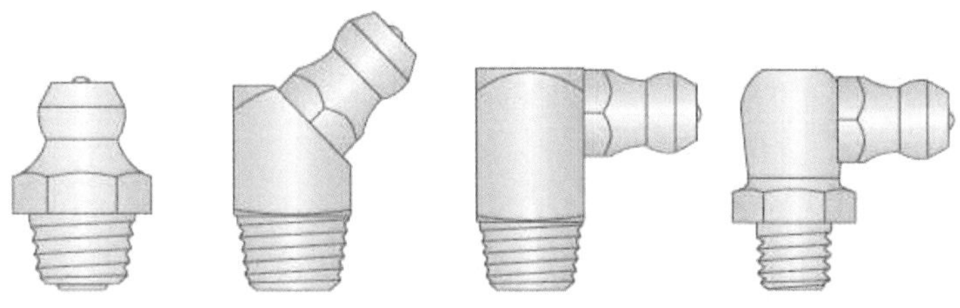

Thread Specifications)스레드 사양

미터 가는 나사산: ISO 미터 나사산은 세계에서 가장 널리 사용되는 나사산이다. NPT의 60° 나사 프로파일을 공유하지만 생크는 미터법 크기다. 미터법 나사산은 달리 명시되지 않는 한 테이퍼로 제작된다.

휘트워스 스레드: 덜 일반적인 Whitworth 형태의 영국 스레드는 종종 미터법으로 간주된다. 이것은 그들이 국내산이 아니기 때문일 수 있다. 테이퍼 피팅은 평행한 나사 Hole에서 결합하도록 설계되었다. 누출 없는 밀봉을 위해서는 나사산 실란트가 필요하다.

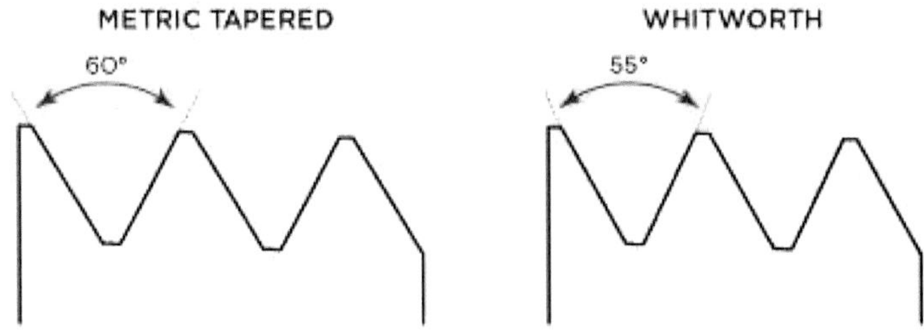

미터 그리스 피팅 제작

DIN 표준 사양을 준수하는 미터법 저크는 매우 높은 표준에 따라 제조되며 적합성을 보장하기 위해 엄격한 검사를 한다.

생산(Production)

제작: 피팅이 회전되고 나사산이 롤링에 의해 제작된다.

열처리: 니플이 경화된다.

(Note): 나사산은 피팅 제작 시 경화된다.

도금: 황색 아연 도금은 투명 도금에 비해 내식성이 추가된다.

조립: 볼, 스프링 삽입 후 립(lip)이 롤링되어 내부에 고정된다.

시각 검사: 검사는 볼 점검 없이 부품이 정상인지 확인한다.

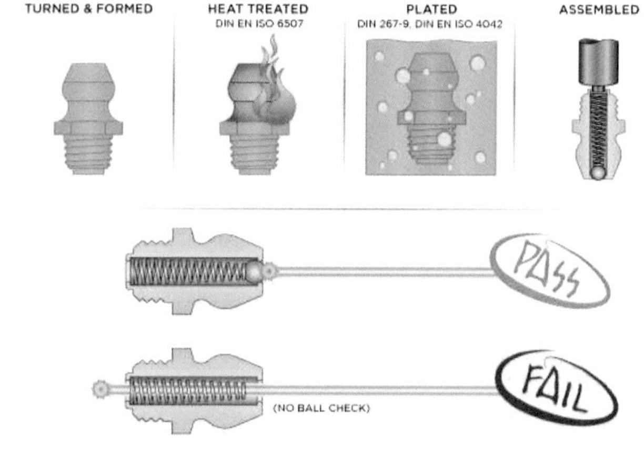

메트릭 그리스 피팅 기능 vs. SAE 그리스 피팅

다행히도 미터법 저크와 SAE 저크는 모두 SAE 준수 건, 그리스 및 와 함께 사용 할 수 있다. 이들은 사용 중인 저크에 관계없이 손에 들고 다닐 수 있는 다재다능한 그리스 저크 도구다. 미터법 저크와 SAE 저크의 주요 기능 차이는 생크에 있다. 나사산이든 드라이브 스타일이든 두 종류의 저크는 쉽게 교환할 수 없다.

나사산 형식의 그리스 피팅

나나사형 메트릭 저크(zerks)는 결합 구성 요소의 메트릭 나사(threads)와 일치해야 한다. 나사형 SAE 저크 및 해당 결합 구성 요소의 경우에는 그 반대다. 그리스 피팅 설치 시 4방향 그리스 피팅 멀티툴은 두 가지 유형의 그리스 저크를 모두 설치 및 제거한다. 그러나 결합 구성 요소에서는 미터법 나사산이 아닌 SAE 나사산만 다시 탭(tap)을 한다. 두 가지 유형의 저크 사이를 전환하려면 적절한 나사산 표준 및 크기에 맞게 결합 Hole을 청소하고 다시 탭 해야 하는데 이 경우 탭 및 다이 세트가 필요하다.

Drive-type Grease Fitting

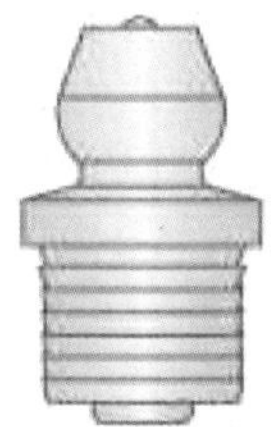

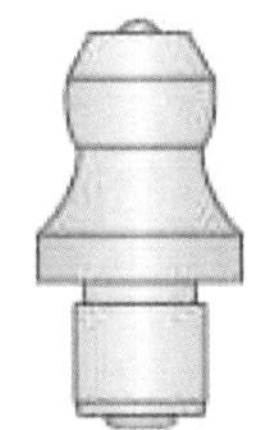

SAE 구동형 저크는 톱니 모양으로 되어 있어 생크가 결합 부품에 걸리는 반면, 미터법 구동식 저크는 생크가 매끄럽다. 두 종류의 저크 모두 설치를 위해 매끄러운 결합 Hole이 필요하다. 미터법 저크에서 SAE 저크로 바꾸고 싶다면 문제가 되지 않을 것이다. 그러나 SAE에서 미터법으로 전환하려면 톱니 모양의 SAE 모서리가 거칠어지므로 Hole을 매끄럽게 해야 한다. Hole을 청소하면 Hole이 넓어질 수 있으므로 저크 크기도 고려해야 할 수도 있다. 이것들은 대부분의 경우 명백한 차이점이다. 그러

나, 그리스 저크가 하이브리드 특성을 특징으로 하는 경우 혼란이 발생한다(Huyett는 이를 제공하지 않음). 예를 들어, 일부 저크에는 SAE 준수 니플 프로파일, 도금 및/또는 열처리가 있는 DIN 나사산이 있을 수 있다. 이로 인해 도구와 그리스 건을 문제의 저크에 맞추려고 할 때 또는 설계에 특정 표준 준수가 필요한 경우 문제가 발생한다. 이러한 디자인은 드물지만 방심하지 않도록 존재한다는 점에 유의하는 것이 중요하다.

결론

미터법 그리스 피팅은 SAE 준수 그리스 피팅과 유사한 미적 특성을 특징으로 하여 표준 그리스 건, 그리스 커플러 및 액세서리와 함께 쉽게 사용할 수 있다. SAE와 미터법 그리스 피팅의 주요 차이점은 나사산 또는 생크 설계로, 한 스타일을 다른 스타일로 교체할 계획이라면 홀을 청소하거나 다시 탭(tap)할 수 있도록 준비해야 한다. Huyett는 표준 저크, 안전 벤트 피팅, 플러시 피팅, 버튼 헤드 그리스 피팅 등을 포함한 그리스 피팅의 유통업체다. 또한 그리스 건, 공구, 커플러 및 그리스 피팅 캡, 그리스 피팅 어댑터, 그리스 건 호스 및 헤더 블록과 같은 액세서리를 제공하여 모든 그리스 피팅 작업 요구 사항을 지원한다.

참고:

https://www.huyett.com/blog/metric-grease-fittings-design

16. 고착, 부식된 볼트 제거 팁

항공기에 고착된 나사와 녹슨 볼트를 제거를 위한 팁

항공기 부품 또는 구성요소의 교환과 관련된 가장 어려운 작업은 이전 부품의 탈거(remove)다. 부식과 열로 인해 고착되거나 애초에 너무 단단하게 설치되지 않은 나사는 주변 구조물을 손상시키지 않고 제거하는 것이 실질적인 어려움이 될 수 있다.

특히 인서트(insert)나 너트(nut)를 탈거하는 동안 손상될 경우, 부식된 부품의 스터드와 너트는 많은 슬픔을 유발할 수 있다. 고착된 나사는 항공 정비사들이 비행기에서 작업할 때 종종 마주치게 되는 것이다. 불행히도 고착되거나 부식된 고정 장치는 그렇지 않은 경우보다 단순한 작업에서 긴 작업으로 전환되는 경우가 많다. 그러나, 고장 난 고정 장치를 안전하게 풀거나 제거하는 데 사용할 수 있는 입증된 방법이 몇 가지 있다.

1. 작업을 수행하기 전에 관련 매뉴얼을 확인하여 나사(screw, bolt, nut)의 규격을 확인하고 얼마의 토크로 장착되었는지 확인하는 게 제일 우선한다. 그리고 난 후 그에 맞는 정격 공구를 준비한다. 항공기 작업 구역에 도착하면 풀고자하는 나사의 머리 부분에 페인트가 도포되어 있다면 스크라이버(scriber)를 이용하여 깨끗하게 제거한 후 작업을 수행해야 한다. 가장 기본이지만 잘 지켜지지 않아 나사 손상의 주원인이기도 하다.

2. 전동 드라이버를 사용하여 나사를 제거할 때는 처음에는 낮은 토크 설정을 사용하여 고착된 나사를 만났을 때 비트가 나사 머리에서 미끄러지지 않고 드릴이 클러치와 맞물려 내부에 안착 되도록 한다. 끝이 둥글게 된 나사 드라이버 비트는 나사에 더 많이 안착되고 더 많은 표면과 접촉하기 때문에 뾰족한 비트보다 훨씬 낫다. 드라이월 비트(Drywall bits)는 일반적으로 끝이 둥글고 잘 작동한다. 소켓이 있는 스피드 핸들을 사용하여 비트를 고정하면 더 많은 토크를 제공하는 동시에 나사 머리에 압력을 유지하여 비트가 미끄러지는 현상인 캠 아웃(cam out) 방지할 수 있다. 에어 충격 건은 비트가 미끄러지지 않도록 적절한 압력이 가해지는 한 잘 작동한다.

3. 나사 머리가 둥글게 되면 나사를 제거하려고 할 때 각별한 주의를 기울여야 한다.
Mouse Milk Penetrating Oil, Kano Aerokroil Penetrating Oil 또는 PB B'laster Penetrant, LPS 01916 LST Penetrant, Clear(침투, 윤활, 녹 제거제 OZ사용)와 같이 침투성이 좋은 오일에 고착된 나사를 담그면 특히 유체가 나사산에 닿는

경우 나사를 푸는 데 도움이 된다. 나사 머리와 드라이버 비트 사이에 넓은 고무 밴드를 배치하면 미끄러짐을 방지하고 더 나은 그립을 제공하는 데 도움이 될 수 있다. 밸브 연삭 컴파운드(valve grinding compound)에 비트를 담그면 비트와 나사가 더 잘 잡히는 데 도움이 된다. 나사가 단추 머리 유형인 경우 펜치를 사용하여 나사를 잡고 돌리는 경우가 있는데 이 경우 작은 빨간색 손잡이 'screw pliers'를 사용하면 된다.

4. 나사 머리 홈이 망가져 더 이상 아무것도 잡히지 않으면 헤드를 뚫거나 헤드에 Hole을 뚫고 쉽게 빼낼 수 있는 도구를 사용하여 제거해야 한다. "easy out"은 왼쪽으로 돌 때 나사 머리를 잡는 비트다. 이 중 하나를 사용할 때의 요령은 쉽게 빠져나갈 수 있을 만큼 Hole을 깊이 뚫어 미끄러지지 않도록 하되 나사를 약화시키고 헤드가 튀어나올 정도로 너무 깊지 않도록 하는 것이다.

Easy-outs에는 두 가지 유형이 있다.

첫째, Spiral Flute Screw Extractor로 드릴 비트보다 크지 않고 길고 가느다란 모양으로 모든 항공기에 주로 사용하는데, 나사가 고착된 본체(파트)에 직접 외력을 가하는 경우 추가 손상을 유발한다. 매우 복잡한 구조인 경우 최소 공간을 확보하고 이 방식을 사용한다. 주의할 점은 나사나 볼트의 나사산 지름에 가까워지도록 Hole을 크게 가공해야 한다. Hole을 작게 가공한 상태에서 Extractor를 사용하면 열이나 부식으로 완전 고착된 경우 풀리지 않거나 심한 경우 부러지게 된다. Extractor가 부러지면 해당 부분이나 전체를 탈거해야 하는데 엄청난 시간과 비용이 발생하기에 조심해야 한다.

두 번째는 소켓 형식으로 소켓을 사용하는 스타일은 회전할 때 많은 하향 압력이 가해질 수 있기 때문에 가장 잘 작동한다. 회전할 때 망치로 라첏(ratchet) 상단을 가볍게 두드리면 쉽게 꺼낼 수 있고 미끄러지기 쉬우나, 두드리는 동작은 나사를 흔들어 느슨하게 하는데 도움이 된다.

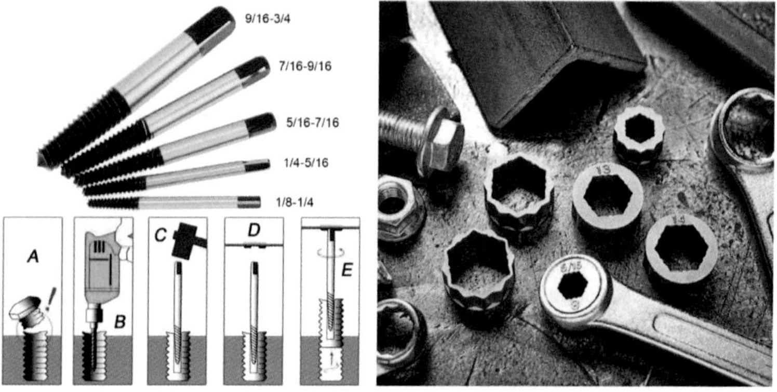

(고착되고, 부식되어 제거된 볼트들)

5. 고정된 볼트와 너트를 제거하는 것도 까다로울 수 있다. 미끄러짐을 방지하기 위해 12포인트가 아닌 6포인트 소켓을 사용하라. 모서리가 둥글어지면 남은 부분을 잡는데 도움이 되는 소켓형 리무버(socket-type removers)를 사용할 수 있다. 망치(mallet)를 사용하면 너트나 볼트를 고정하는데 도와준다.

6. 최후의 수단으로 너트는 때때로 너트 스플리터(nut splitter)로 제거하거나 작은 절단 휠로 조심스럽게 절단하여 제거할 수 있다. 절단이 너무 깊으면 스터드가 손상되기 쉽다. 접근이 제한된 경우 작은 절삭 공구(예: Dremel)도 필요할 수 있다. 너트가 완전히 절단되면 장력이 풀리고 너트를 부러뜨리거나 뒤로 물러날 수 있다.

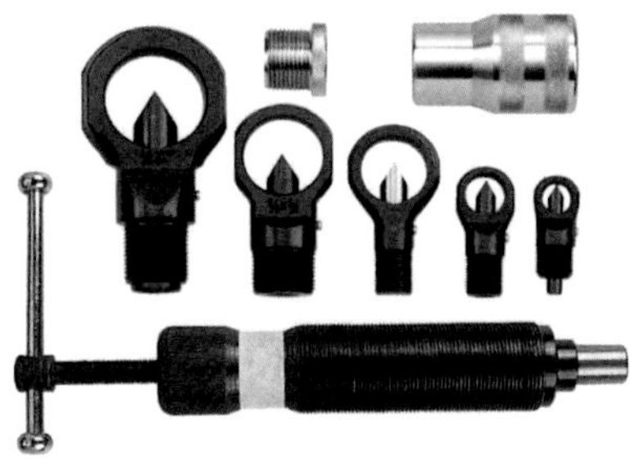

7. 볼트 제거가 가장 어려운 곳은 엔진에 장착된 볼트와 너트다. 오랫동안 제거하지 않으면 거의 풀기 힘들 수 있다. 그래서 엔진에 장착하는 볼트는 고착 방지(Anti-Seize)제를 바른다. 그럼에도 엔진의 고압 섹션 블레이드(blade) 비파괴(NDI) 검사를 위해서는 점검 볼트를 제거하게 되는데 이때 완전 고착되어 풀리지 않는 경우는, 볼트 머리부터 나사부분까지 드릴로 Hole을 크게 가공하여 볼트와 키이 인서트(key insert)의 마찰 압력을 최소화 시킨 후 Easy out으로 볼트를 제거한다. 최근 엔진은 고착이 심한 경우 볼트가 엔진 자체에 고정되어 있는 인서트(thin wall insert)까지 함께 빠지는 경우가 있으며 이때는 인서트를 새로 장착해 주어야 한다.

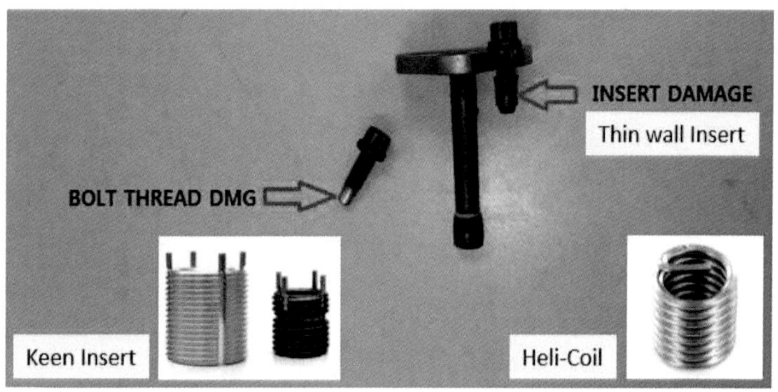

참고: 니켈텍 고착 방지(NICKELTEC ANTI-SEIZE)

Molytec Nickeltec 고착 방지제는 니켈 기반의 고착 방지 화합물로, 금속 부품을 부식, 갈링(galling)과 고착(seizing)으로부터 보호하기 위해 개발되었다. 니켈텍은 슬립핏 및 나사산 조인트의 조립 및 분해를 용이하게 하며, 가혹한 환경을 위해 제조된 이 제품은 최대 1450℃의 고온으로부터 보호한다.

나사나 너트가 끼면 프로젝트 속도가 느려지고 추가 작업이 많이 필요하지만, 몇 가지 요령을 알고 있으면 제거할 때 어려움을 조금은 덜 수 있다.

7. El Brutus "Johnson Bar" Screw Extractor

나사가 풀리지 않을 때 사용하는 공구인 '피스 할배'를 아시는가? 토크-셋(Torq-set) 비트가 군대에서 지급하던 아리랑 담배 로고로 인해 아리랑 비트로 완전히 한국화 된 사례에서 보듯, '피스 할배'라는 이름이 왜 붙여졌는지 먼저 그 의미를 찾아봤다.

- 피스/비스(나사, 나사못) → ビス(일본어) → vis(프랑스 어)

나사못을 현장 용어로는 '피스'라고 불러서 영어의 piece로 오해하기 쉬운데, 사실은 프랑스어 vis(비스)가 일본어 ビス(비스)를 거쳐 우리말로 유입되면서 변형된 것으로 피스는 이해가 되는데 그럼 할배는?

영어로 Screw Extractor라는 공구를 현장에서 '피스 할배'로 소통되고 있다. 이 공구는 스틱(고착)된 나사(Screw, Bolt)를 풀 때 사용하는 전용(전문) 공구다.[11] 항공기 정비 작업 중에 '피스 할배'를 사용하는 동영상도 있다.

---

11) https://www.youtube.com/watch?v=-jjTmSorhhE (참고)

우선 '피스 할배'를 판매하는 공구 전문 회사에서 할배의 의미를 찾아 봤는데, 미국 공군에서 은퇴한 할아버지(할배) 정비사가 이 공구를 개발하여서 '피스 할배'라고 하는 것은 아닐까 하고 생각했었지만, 이것은 아니고, 이 홈페이지의 설명은 이렇다.

El Brutus "Johnson Bar" Screw Extractor는 은퇴한 공군 정비사에 의해 발명되었는데, 이것은 Phillips, Tri-Wing, Hi-Torque 또는 다른 유형의 나사나 볼트이든 상관하지 않고 다른 나사 제거(Remove) 도구가 실패하면 마지막으로 사용하는 공구다. 독특한 디자인은 가장 견고한 나사를 제거할 수 있는 충분한 지렛대를 사용하는 것과 같이 엄청난 기계적 이점을 제공하며, 충격을 주는 나사 제거 도구와 달리 El-Brutus는 주변 항공기 스킨이나 구조가 손상될 가능성을 방지한다. 사용하지 않을 때 비트를 보관 할 수 있는 편리한 수납공간이 있다. 쉽게 보관할 수 있도록 되어 있으며 전체 사용 방법이 포함되어 있다.

NSN: 5120-01-398-2869. NATO Stock Number(NSN)

이런 내용을 종합해 볼 때, 아래와 같이 정리할 수 있겠다.

한국 사람들이 El Brutus (or El brutus Johnson bar)라고 이름을 부르기 어렵고, 또한, 오랜 기간 나사(피스)가 잘 풀리지 않아 고생한 경험에 비추어 볼 때, 이 공구를 사용하는 것이 결정적인 해결 방법을 찾은 것 같은 느낌이 들어서 '할배'란 단어를 사용하지 않았을까 추측한다. 그리고, 역사적 언어 어원에서 보듯 할배의 뜻은 한 세대 위로 능력이 뛰어난 사람을 할배 또는 할아버지로 쓰이던 것을 생각해 보면 '내가 니 할배다. 이건 뭐 박사의 할아버지다.' 등으로 못 뽑는 스크루가 없었으니 스크루 할아버지란 의미로 '피스 할배'라는 단어를 사용하였을 것이라 추측한다.

(일명 '피스 할배를 이용한 나사 제거 작업')

피스 할배(활배)는 정상적으로 Screw의 십자머리 나사가 미끄러져 풀리지 않는 Cam out(캠 아웃)현상이 발생할 때 억누르는 힘을 크게 하여 십자머리 나사가 미끄러지지 않게 하여 나사를 푸는 특수공구이다. Screw extractor(피스 할배)를 다른 나라에서는 어떻게 부르는지 살펴보았다.

호주에서는 이 공구를 Fastener driving leverage tool이라고 하고, 지렛대를 뜻하는 leverage의 의미가 이 공구의 특징과 잘 맞아 보였다.

캐나다에서는 블루투스(Brutus)로 공구 명칭인 Brutus® Screw Extractor의 앞부분 Brutus부분만 사용하여 부르고 있다고 한다. 이런 일련의 내용들을 종합해 보면, 피스(비스)는 나사이고, 할배는 가장 뛰어난 능력을 대표해 말한 것으로 본다.

호　주 : Fastener driving leverage tool
미　국 : El Brutus "Johnson Bar" Screw Extractor
캐나다 : 블루투스(Brutus)
한　국 : 피스 할배

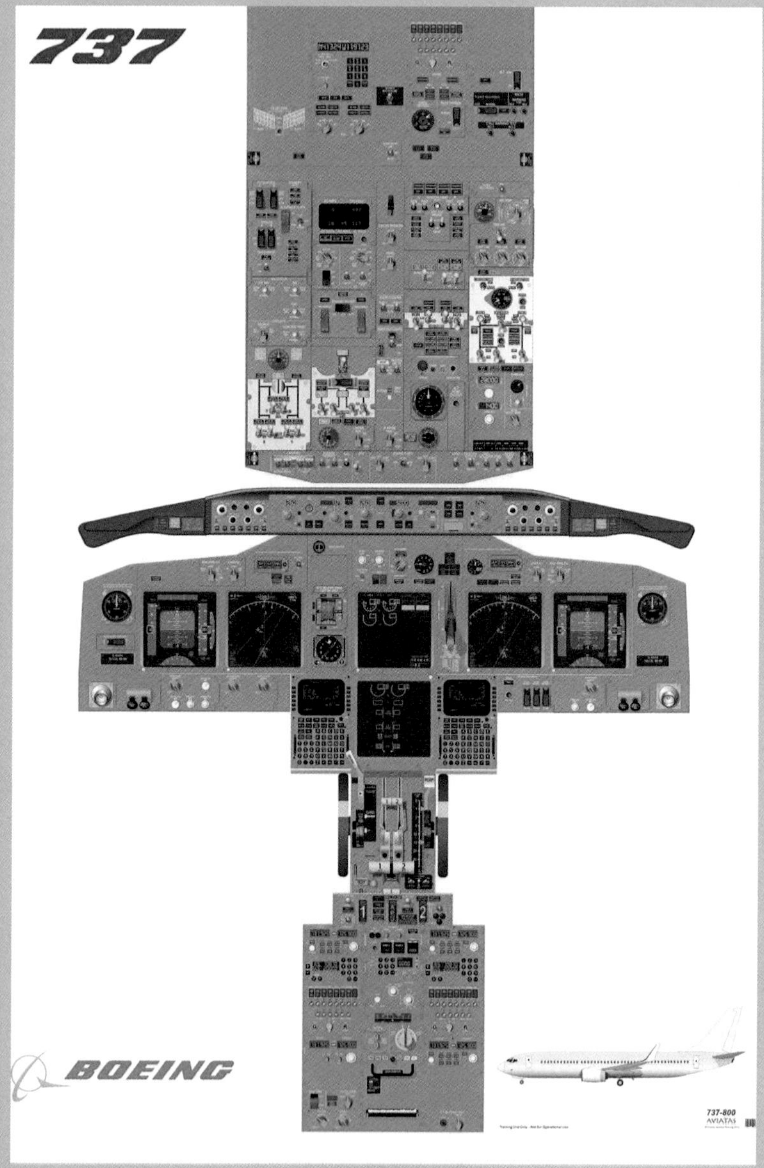
737
BOEING
737-800
AVIATAS

제 5 장

부록

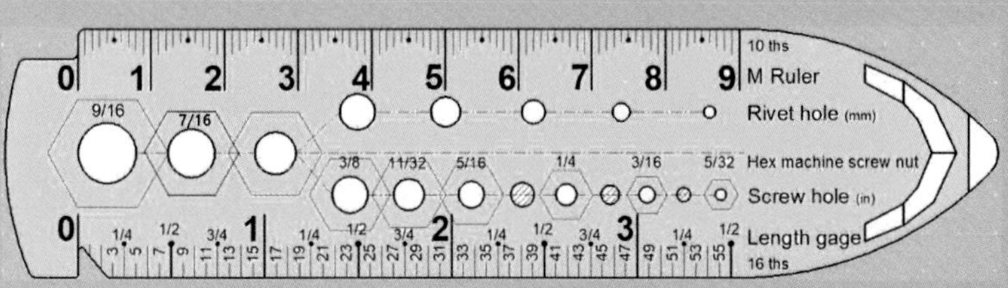
10 ths
0 1 2 3 4 5 6 7 8 9 M Ruler
Rivet hole (mm)
9/16
7/16
3/8 11/32 5/16 1/4 3/16 5/32 Hex machine screw nut
Screw hole (in)
0 1/4 1/2 3/4 1 1/4 1/2 3/4 2 1/4 1/2 3/4 3 1/4 1/2 Length gage
16 ths

1. 복합소재 개발부터 현재

1. 역사

1903년, 세계 최초의 동력 비행기를 제작하여 성공시킨 미국인 윌버 라이트와 오빌 라이트 형제 이후 항공기는 급격하게 발전하였다. 항공기 발달은 곧 비행기 제작에 사용된 소재의 발전이기도 했다. 항공기 기체가 초기 목재로 시작하여 알루미늄 그리고 현재의 비금속 기체로의 발전한 것은 놀랍기만 하다. 현재 비금속 항공기 기체 개발은 휴고 융커스가 처음으로 라미네이트(laminate) 구조 내의 벌집 코어에 대한 아이디어를 연구로 시작 했으며, 그는 1915년에 항공기 사용에 대한 최초의 벌집 코어를 제안하고 특허를 받았다. 벌집 샌드위치 구조의 최초의 성공적인 구조 접착은 1938년 에어로 리서치 유한회사의 Norman de Bruyne에 의해 이루어졌으며, 그는 벌집 코어에 수지 필릿을 형성하기 위해 적절한 점도의 접착제에 대한 특허를 얻었다.

1950년대부터 항공기와 로켓에 알루미늄, 섬유 유리 및 첨단 복합 재료의 벌집 재료가 사용되고 있으며, 이 물질은 육각형의 시트 구조인 벌집과 시각적으로 닮았기 때문에 이름이 붙여졌다.

Honeycomb(벌집)의 육각 구조로만 제작된 Nose Radome은 항공기 제일 앞부분에 위치하여 육각형 구조 덕에 레이더 전파 방해를 최소화하려고 추가적인 스트럭처 구조없이 육각형의 Honeycomb 구조로만 제작된다. 그래서 Nose Radome의 중앙 가운데에 외력이 가해져도 육각 구조의 Honeycomb 덕에 큰 손상이 발생하지 않는다. 육각 구조라 정중앙에 외력이 가해지면 큰 손상이 없으나 측면 부분에 외력이 가해지면 큰 손상이 발생한다. 육각형의 Honeycomb 구조는 직각에 대한 면압은 높으나 그 이외에 가해지는 힘에는 약한 단점이 있다. 항공기 Nose Radome의 정중앙은 Honeycomb 구조를 유선형으로 휘어지게 만들기 때문에 바깥쪽은 살짝 늘어나고 안쪽은 수축되면서 제작된다. Nose Radome 내부 사진을 보면 쉽게 이해 할 수 있다.

Composite이란 무엇인가?

나무의 셀룰로스(cellulose)와 리그닌(lignin)은 Fiber glass와 resin의 역할처럼 서로 다른 성질의 두 가지 물질이 붙어 새로운 특성을 나타낸다. 두 가지 이상의 서로 다른 성질을 가진 물질이 각각의 개별 물질보다 더욱 뛰어난 성질을 갖는 물질을 복합소재라 한다. 셀룰로스와 리그닌이 합쳐진 나무는 자연에서 온 대표적인 복합소재다. 복합소재를 인위적으로 제작할 경우 인장력에 강한 Filament와 이를 고정해주는 Matrix로 구성된 형태를 사용하고 있다.

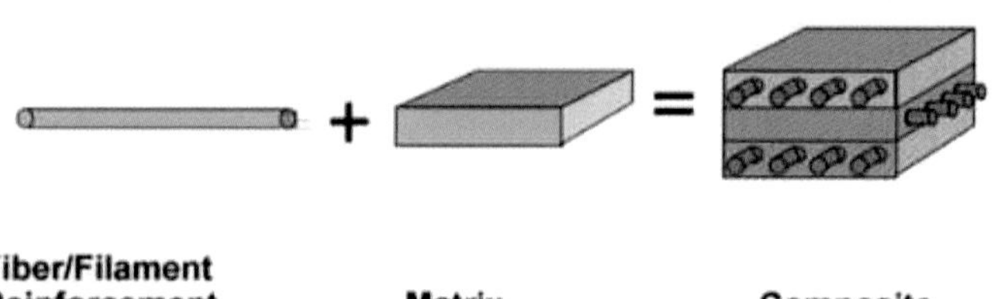

가. 금속 대비 복합재료의 장점

▷ 무게당 강도비율이 높다(AL을 CM으로 대체하면 약 30 % 이상의 인장/압축강도 증가, 약 20 % 이상의 무게 절약.

▷ 복잡한 형태나 공기역학적인 곡선형태의 제작이 가능하다.

▷ 일부의 부품과 fastener를 사용하지 않아도 제작이 단순해지고 비용이 절감된다.

▷ 유연성이 크고 진동에 강해서 피로 응력(stress fatigue)의 문제를 제거한다.

▷ 부식 되지 않고 마모가 줄어든다(Resistance to corrosion)

▷ 고 피로저항(High resistance to fatigue) - Al-alloy 대비 2.5배의 피로 수명(Fatigue life)을 가짐

▷ 레이더 투과율이 좋음.(Reduce Radar Cross Section)

▷ 열팽창이 적음 (Thermal expansion almost zero)

▷ 강도(Strength) 또는 강성도(Stiffness)가 필요시 보강섬유를 제자리에 조정시켜서 구조적인 모양을 만듦.

나. 금속 대비 복합재료의 단점

▷ 제작 단가가 비싸다.(Expansive materials)

▷ 국부적인 충격(Damage)에 약함.

▷ Lightning strike 보호처리가 필요함.
▷ 검사비용이 고가.
▷ 고열이나 젖은 상태에서는 취성을 가짐.

다. 복합재료의 단점 보완

▷ Anti-static paint나 Al mesh, bronze mesh등 전도성 물체를 같이 bonding한다.
▷ A380 Glare panel 이라고 Carbon과 Glass fabric을 사용하며 AL skin이 같이 접합된 형태를 사용하기도 한다.

2. 시설, 장비

복합소재의 수리나 구조변경을 위해서는 수리 절차 요구 조건에 부합하는 시설, 장비를 갖춰야한다.

가. Autoclave: 복합소재 성형 온도를 제공하고 진공 압력과 질소를 이용한 추가 압력 공급이 가능한 장비 (Max 200 PSI). 복합소재 구조물의 제작, 수리에 사용

나. Oven: 복합소재 수리 온도를 제공하고 진공 압력 공급이 가능한 장비. 복합소재 구조물의 수리에 사용

다. Temperature and Pressure Controller: 부분 수리에 사용되는 장비로 복합소재 수리 온도와 진공 압력을 제공. (Vacuum bag, Thermal blanket, Heat lamp, Hot bonder)

라. Freezer: 시효성 자재를 보관하기 위한 냉동고

마. Lay-up and Clean room:

바. 온도와 습도 유지 (4 ℃~32 ℃, 0~65 %)

사. 공기 순환 정치에 의해 먼지 최소화

아. Room 내부로 먼지가 유입되지 않도록 Positive Pressure 유지

자. Cleaning: 세척을 위한 격리 시설

차. Spray Room: Bonding primer 도포를 위한 격리 시설

카. Laboratory Test Facility: Tension, Compression. Lap shear, Climbing drum peel, Short beam shear, T-peel 등을 테스트할 수 있는 시설

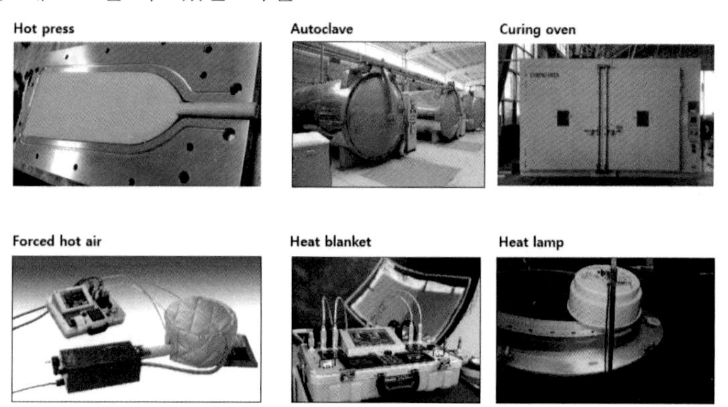

3. 재료

복합소재는 같은 밀도일 경우, 높은 인장강도와 강직도를 갖는다. 인장강도와 강직도 실험을 보여주고 있는데 밀도가 훨씬 낮은 복합소재가 철과 비등한 강성을 갖고 있는 것을 볼 수 있다. 즉 복합소재는 금속과 비등한 강성을 갖고 있는데 반해 매우 가벼운 장점이 있다.

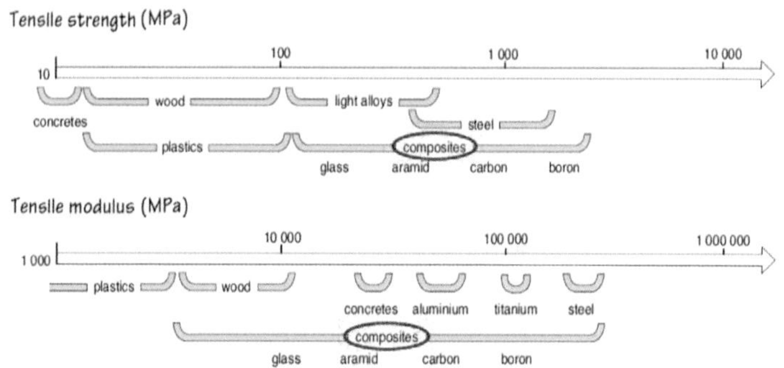

그래프는 시각적 효과를 위해 축약 된 형태로 수치를 참고하면 복합소재가 상대적으로 훨씬 가벼운 점을 알 수 있다.

참고: Hexel Prepreg technology 자료

▷금속 대비 복합재료의 단점

▷제작 단가가 비싸다.

▷국부적인 충격에 약하며 방향성에 따라 강성이 낮아진다.

▷Lightning strike에 대한 보호 처리 필요하다.

▷검사 비용이 고가다.

가. Composite Fabric Material

복합소재의 구조는 개괄적으로 보면 인장력에 강한 Filament들을 한곳에 엮어 Fabric을 만들게 되고 Fabric을 고정하면서 Load를 분산시키며, 복합소재에 여러 가지 특성을 주는 Matrix가 합쳐져 Laminate sheet가 된다. Sheet 단독으로 사용할 경우도 있지만 무게는 덜 증가시키면서 더 높은 강성도를 위해 중간에 Core를 넣어 만든 Honeycomb Panel을 만든다.

Fabric Materials

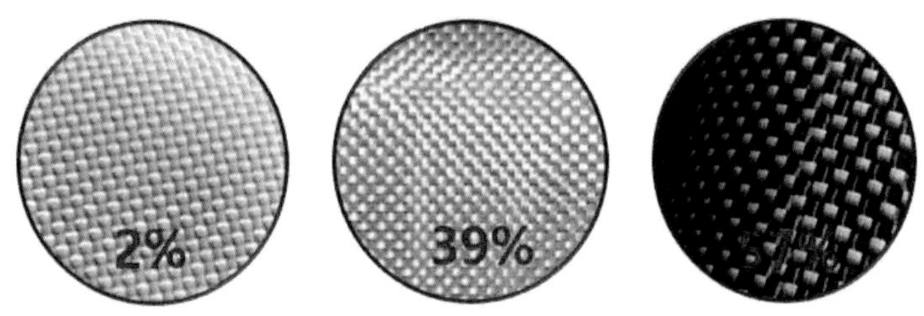

Aramid Fabric **Glass Fabric** **Carbon Fabric**

1) **Aramid**: Kevlar(Aramid의 한 종류, Dupont社의 trade name)는 충격에 잘 버티는 성능을 가지며, 방탄조끼나 오토바이 라이더의 보호 장구를 Kevlar로 제작하는데, Aramid는 내충격성 면에서 많은 장점이 있지만 가격과 가

공성면에서 Glass fabric에 밀려 항공기에는 2 % 정도로 많은 양이 사용되지 않는다.

2) **Glass fabric**: 밀도 측면에서 Fabric을 비교하면 Glass fabric 밀도가 가장 높다. 충격량, 인장강도, 탄성률이 다른 제품에 뒤쳐지지만 밀도가 가장 큰 장점이 있어 항공기 품목으로 39 % 정도 사용되며 상대적으로 가장 저렴한 가격 측면이 있다.

3) **Carbon**: Tensile Strength(인장 강도)와 Tensile Modulus(인장 탄성률)에 비교하면 Carbon은 우수한 강도와 탄성률로 다른 재료들보다 더욱 견고한 구조를 만들 수 있어 항공기 57 % 사용된다.

나. Fabric의 구조

Fabric은 직조 방법에 따라 여러 특성을 가지게 되며 Plain Weave는 1올씩 교차하여 제작한 형태로 0˚, 90˚ 의 방향에 대해 같은 힘을 갖게 되며 구조가 안정적이며 tow와 tow 사이에 Void가 있어 다른 직조 방식에 비해 밀도가 낮다.

Twill fabric은 2 tow씩 묶어 직조한 방식이다.

5HS는 5 Harness Satin, 8HS는 8 Harness Satin을 나타내며, Tow가 서로 엮이는 구조가 적어 Dry fabric에서 다룰 경우 잘 흐트러지는 특성이 있다. 이러한 특성은 굴곡이 많은 복잡한 성형물을 만들 때 Plain weave에 비해 형상에 따른 가공이 용이한 장점이 있다.

▷ Dry Carbon fabric BMS9-8 series P/N 체계

▷ 3K-135-8H

▷ 3K= Filament number per yarn 3K = 3,000

▷ 135 = Dry fabric Thickness 135 = 0.0135 inch

▷ 8H= Weaving Type

▷ P(or PW) = Plain weave
▷ 5H = 5-harness satin weave
▷ 8H = 8-harness satin weave

다. Fabric의 수리 배열

1) Number of plies, sequence: ply 적층된(겹쳐진) 숫자

2) Orientation: ply 방향으로 복합재에 최적의 구조적 배열을 용이하게 하기 위해 개별 섬유들이 배열되는 방식을 말한다.

Consult the Engineering Drawing

Ply Table

COMPOSITE ASSY. NUMBER	PLY (P) NUMBER	MATERIAL	TAPE FIBER OR FABRIC WARP ORIENTATION	DRAWING SPLICE CONTROL	DCN LTR.
(+) -3, -4 OPP. C1₃	1	1	0° OR 90°		
	2, 3 1	2	+45° OR -45° ②		
	4	1	+45°		
	5, 6	2	0° OR 90°		
	7	1	0° OR 90°		
(b) -1 OPP. B2₁	1	1	+45°		
	2		-45°		
	3		+45°		
	4		-45°		
	5		+45°		
	6	1	90°		

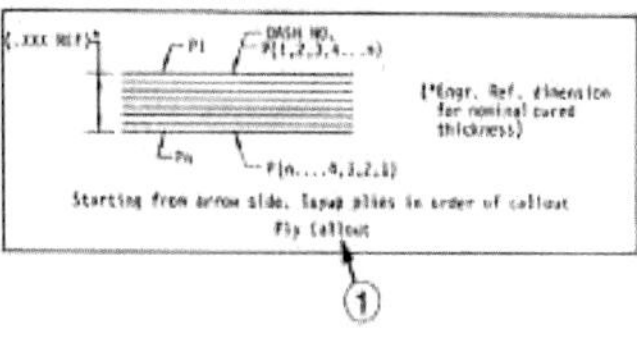

① **Number of plies, sequence**
② **Orientation**

라. Resin

1) 열경화성 수지(thermoplastic resin): 열을 가하면 원래의 성질로 돌아오기 때문에 항공용에 적합하지 않다.

2) 열가소성 수지(thermoset resin): 에폭시 레진(epoxy resin): 기계적 특성이 우수하고 환경변화에 강하기 때문에 항공기 외부에 주로 사용. 250℉/350℉로 나누어지는 레진은 대부분 최대 사용 온도에 따라 구분됨.

3) 페놀릭 레진(phenolic resin): 화재에 대한 저항이 좋고 유독 연기 배출 적어 기내에 주로 사용

4) BMI Resin: 고열에 견디는 특성이 있어 브레이크, 엔진 부

품에 사용

4. Honeycomb Core

Fabric과 Matrix로 구성된 Laminate sheet는 단독 사용보다 Honeycomb core를 샌드위치 모양으로 감싼 Sandwich honeycomb panel의 형태일 때 많은 장점이 있다. 아래 그림은 두께 t의 Metal sheet를 단독으로 사용할 때 Stiffness, Strength, Weight를 100 기준으로 honeycomb panel과 비교다. 두께 2t의 sandwich panel은 7배의 강성도, 3.5배의 강도를 갖지만 무게는 3 %만 증가한다. 두께 4t의 Panel은 37배의 강성도, 9.25배의 강도를 갖지만 무게는 6 %만 증가하기에 Honeycomb Panel을 사용하는 이유다.

가. Cell 모양에 따른 분류

- ▷ Hexagonal Core: 표준 육각형 Honeycomb은 기본적인 것으로 금속 및 비금속 재료로 사용가능하다.
- ▷ OX-Core: 한쪽으로 길게 확장된 육각형 Honeycomb.
- ▷ Flexible Core:셀 벽이 좌굴 안 되는 복합 곡률에 사용.
- ▷ Bisected Core: 항공기에 사용하지 않는 코어다.

Honeycomb Core

Hexagonal Core

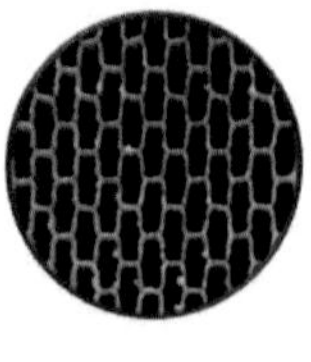
OX - Core

Flexible Core

Bisected Core

	Solid Metal Sheet	Sandwich Construction	Thicker Sandwich
	t	2t	4t
Relative Stiffness	100	700 7 times more rigid	3700 37 times more rigid!
Relative Strength	100	350 3.5 times as strong	925 9.25 times as strong!
Relative Weight	100	103 3% increase in weight	106 6% increase in weight

나. Honeycomb core의 구조

Honeycomb core 본딩 부분을 Node라 한다. Node 방향과 평행한 선을 Ribbon direction Core cell의 두께 측정할 경우에 Node 부분이 아닌 cell의 벽 두께를 측정해야 한다.

US Units HRH 10-1/8-3.0에서 1/8 Cell diameter 표기를 유럽의 AIRBUS는 ECA-3.2-48로 표기하는데 미국 단위계인 인치 1/8을 미터법으로 3.17을 3.2로 표기하는 방식이다.

Honeycomb core 단위 변환

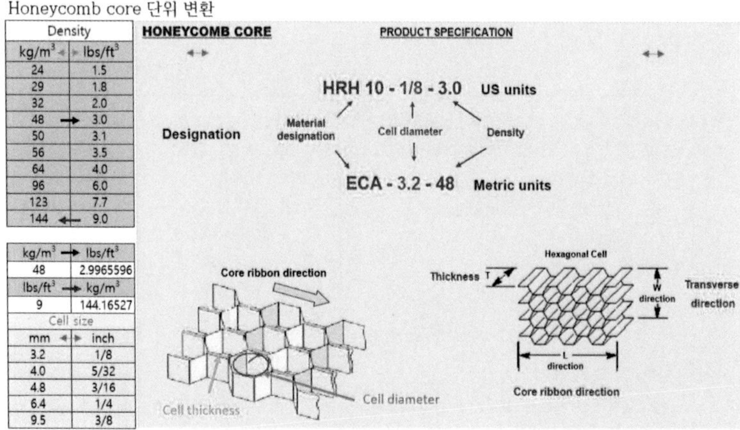

Density	
kg/m³ ◂▸	lbs/ft³
24	1.5
29	1.8
32	2.0
48 →	3.0
50	3.1
56	3.5
64	4.0
96	6.0
123	7.7
144 ←	9.0

kg/m³ →	lbs/ft³
48	2.9965596
lbs/ft³ →	kg/m³
9	144.16527
Cell size	
mm ◂▸	inch
3.2	1/8
4.0	5/32
4.8	3/16
6.4	1/4
9.5	3/8

참고: BOEING은 미국 단위계인 인치를 사용하고, AIRBUS는 미터법으로 규격 표기함에 서로 다르게 보이나 같은 것이다.

5. 복합소재 수리 방법

가) 수리 온도에 따라 분류

1) Hot bonding 수리: 250℉/350℉ 온도로 가열로 Prepreg를 이용한 영구 수리 방법

2) Wet Lay-up 수리: 200℉/150℉ 온도로 가열하여 Fabric과 Resin을 이용한 수리로 영구 또는 임시 수리 방법

Repair procedures

■ Permanent

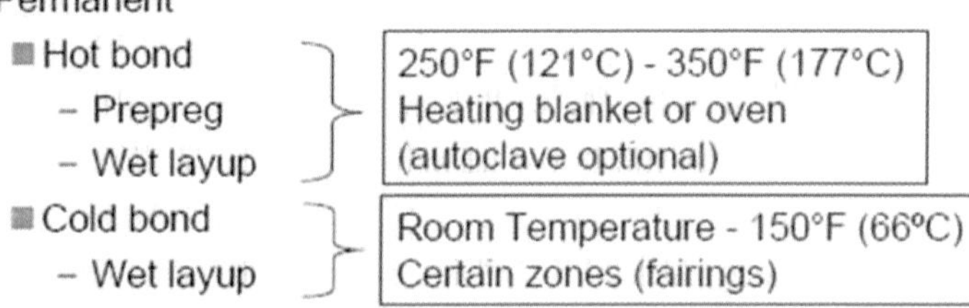

■ Time limited or interim

– Cold bond

Boeing	Airlines

Must restore original strength, stiffness, and environmental durability
■ Permanent repair
	Must restore original strength, stiffness, and environmental durability
	■ Hot bond
	■ Zoning
	  ■ Cold bond
	  ■ Time limited

Governing document ■ Original airplane certification	Governing document ■ Structural repair manual

나) 수리 방법에 따른 분류

1) Fill up repair: 0.5" 이하 작은 결함을 수리하는 방법으로 Fabric ply을 레진(resin)에 함침 시킨 후 손상 부분에

직접 도포한다. 라미네이팅 레진은 또한 수리할 부분의 접착 영역에 브러시 처리되며, 비율은 SRM에 정의되어 있다.

2) Wet lay-up: Stepped repair 수리와 동일한 원리이지만 첫 번째 수리 플라이(lay-up 할 첫 번째 플라이)가 하중을 전달하는 플라이가 아닌 필러라는 점을 제외하면 플라이 겹침은 SRM에 정의되어 있다.

3) Prepreg: Wet lay-up 수리 시스템과 비교하여 생산단계부터 레진을 함유하여 Prepreg는 더 깨끗하고 효율적이다.

참고: Sandwich Wet lay-up repairs

상온/저온 경화 보수 및 핫본드 보수의 수리는 외피가 있는 샌드위치 구조에 적용 가능하다. 벌집형 코어 손상이 발생하면 수리는 곡선형에는 적용되지 않는다. 표면, 사전 경화된 보강재는 접착 페이스트 또는 접착제로 접착된다. 손상된 부위의 필름. 코어 복원은 다음과 결합된 새로운 코어 플러그로 수행된다.

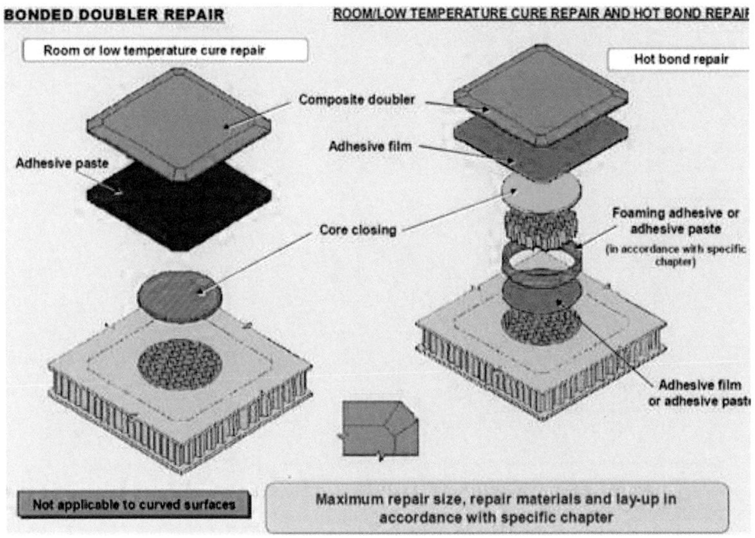

6 수리 후 검사

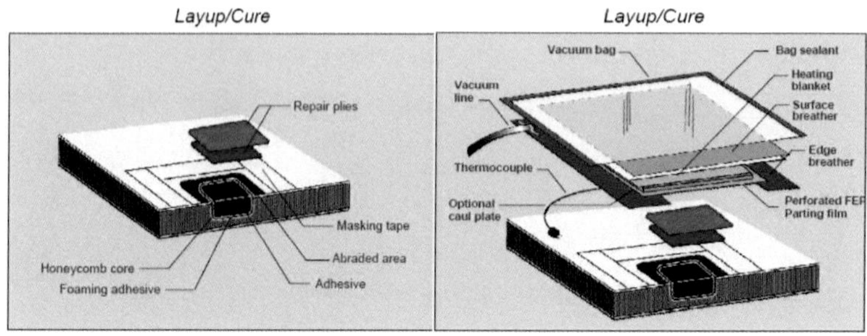

플라이 축적은 초음파 펄스 에코 및 고주파 본드 테스터 검사로 감지할 수 있으며, 비파괴 검사는 열 블랭킷(heat blanket) 영역을 넘어 모든 방향으로 6.0 in(152 mm)를 확장하여 과열된 블랭킷으로 인해 발생할 수 있는 손상을 검사해야 한다.

NDI Methods - Manufacturing

- ▷ Through transmission ultrasonic (Primary inspection method)
- ▷ Automated
- ▷ Manual
- ▷ Pulse-echo ultrasonic
- ▷ Bondtesters
- ▷ S9
- ▷ Bondmaster (resonance mode)
- ▷ Radiography

용어: 함침법(impregnation)

촉매 합성에서 많이 쓰이는 방법 중 하나는 함침법이다.

2. 코멧의 사고 본질은 리벳

영국은 산업혁명 이후 전 세계 산업 전반의 선두 자리에 우뚝 섰다. 그러다 1차, 2차 세계 대전 후 선두자리를 미국에 내 주게 되는데 다시 선두자리에 올라서기 위해 하늘에 올인 하지 않았나 한다. 1949년 첫 비행 후 1952년 5월 2일 세계 최초로 운항한 상업용 제트 여객기 코멧(comet)이 그 주인공이다. 1953년, 1954년 2회의 공중 폭발 사고로 사고원인을 조사한 다양한 실험의 결과로 객실 창문(side window) 개조 후 비행했으나 1997년 퇴역했다. 코멧 사고의 본질은 항공기 제작에 Hole을 뚫으면서 동시에 치는 펀치 리벳(punch rivet)으로 인해 Hole 주변의 크랙들이 연결된 것이 결정적이었다. 두 번째 영국과 프랑스 합작으로 제작한 콩코드 여객기다. 1969년 첫 비행 후 1976년 1월 21일 상업 비행 후 2003년 퇴역(운항 종료)했다. 첫 번째 코멧 여객기의 창문 문제는 처음 고공비행으로 인한 금속 피로도에 맞는 설계를 하지 못해서 발생한 사고다. 그러다보니 콩코드 제작에는 아예 객실 창문(side window)과 주변 프레임을 일체형으로 제작했다.

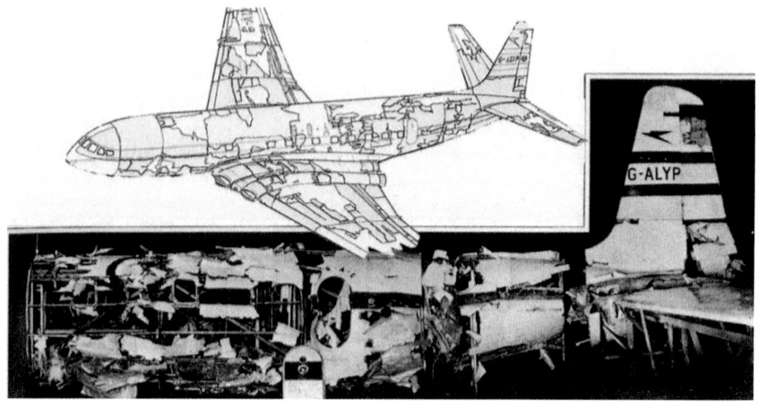

출처: De Havilland DH.106 Comet. 잔해의 70 % 회수 조립함 https://www.baaa-acro.com/crash/crash-de-havilland-dh106-comet-1-elbe-island-35-killed

1차 코멧기 실패의 경험이 커서 2차 음속을 돌파하는 비행기였던 콩코드는 이를 완벽하게 보완하고자 했던 것으로 보이며, 콩코드 여객기 디자인과 속도 측면에서 보면 어쩌면 지금 나왔으면 성공 했을지도 모르는 비행기 아니었는가 생각한다. 콩코드 여객기 관련 자료를 찾다보니 러더(방향타) 일부분이 떨어져 나간 사례가 있었다. 이 사고는 비금속 부분이 떨어져 나간 것인데 어쩌면 음속을 돌파하여 장시간 비행하는 여객기 특성에 버금가는 강도를 예상하지 못한 결과가 아닌가 한다. 일에는 선택과 집중이라 하지만 항공기는 하늘을 날기에 어느 한쪽에 치우침 없이 골고루 균형 있게 발전해야 하는것 아닌가 하는 생각에 두서없이 적으며 늘 과거 속에 현재가 있으며 미래도 있다고 본다.

영국이 해상 최강국으로 가는 길에 선박 접합 기술에 리벳이 있었고 아이러니하게도 해상 강국 쇠퇴의 길에 리벳 접합을 고집하는 리벳 기술이 있었다. 이러한 리벳 접합 기술을 코멧 항공기에 적용하였다 실패 후 개선하였고, 콩코드를 개발할 때는 사이드 윈도 제작시 리벳 접합 방식을 버리고 새로운 기술을 적용하여 성공했다. 그러함에도 최신 기술 대가로 높은 단가의 제작비용과 유지비용 그리고 몇 번의 사고로 인해 콩코드는 퇴역하게 되었다.

전통적으로 현재까지는 항공기 알루미늄 소재에 Hole을 뚫고 리벳을 장착하는 방식이 최적이다. 최신기로 운영되는 탄소섬유의 A350을 보면 사이드 윈도 부분 리벳은 아니지만 같은 방식의 기계적 접합인 하이록(Hi-lok)을 사용했다. 코멧과 콩코드에서 보듯 항공 선진국들의 이러한 실패와 개선 사례들이 우리에게 주는 교훈은 기술 개발과 노하우 축적은 단기간에 되지 않는다는 것이다. 늘 기초를 튼튼히 하고 새로운 기술은 검증에 검증을 거쳐야 하는 것 같다. 한 가지 성공은 다른 성공의 기초는 되겠지만 성공을 보장하는 것은 아닌 것 같아 보인다.

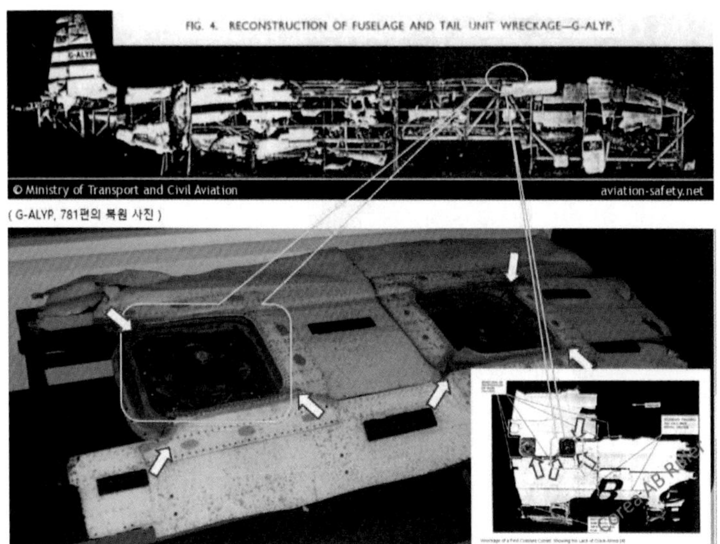

코멧기 ADF(Automatic Direction Finder) 사각 창문 안테나의 펀치 리벳 Hole에서 피로 균열이 발생하여 최초 폭발한 시점임을 확인했다.

3. Hole 가공

Hole 가공에 있어 기본은 드릴링(Drilling)으로, 사용하는 단위를 이해하고 관련된 용어와 공구들을 알아야 하며, Hole은 드릴로 가공 후 사용 목적에 따라 다양한 가공 방법들이 있다.

1. 드릴링(Drilling)
2. 리밍(Reaming)
3. 보링(Boring)
4. 호닝(Honing)
5. 태핑(Tapping)
6. 카운터 싱킹/보링(Counter Sinking/Boring)
7. 스팟 페이싱(Spot Facing)

1. **드릴링(Drilling)**: 단단한 금속을 제거하여 원형 Hole을 만드

는 작업으로 사용되는 절삭 공구를 드릴이라고 한다.

2. **리밍(Reaming)**: 여러 개의 절삭 날을 가진 절삭 공구를 사용하여 Hole의 크기를 조정하고 마무리하는 작업으로 이 도구를 리머라고 하며, 리밍은 Hole을 더 매끄럽고 곧고 정확하게 만드는 역할을 한다.
3. **보링(Boring)**: 절삭 날이 하나뿐인 조정 가능한 절삭 공구를 사용하여 Hole을 확대하는 작업.
4. **호닝(Honing)**: 필리스터 헤드 파스너의 홈과 같이 Hole의 끝을 원통형으로 확대하는 작업.
5. **태핑(Tapping)**: 플랫헤드 파스너의 홈과 같이 Hole의 끝을 원뿔 모양으로 확대하는 작업.
6. **카운터 싱킹/보링(Counter Sinking/Boring)**: Hole 주변의 표면을 평평하게 하고 제거하는 작업이다, Hole 주변의 표면을 매끄럽게 하고 제거하는 작업으로, 너트나 캡 스크루의 헤드에 대해 너트 또는 캡 스크루의 헤드가 잘 안착되도록 한다.
7. **스팟 페이싱(Spot Facing)**: 탭이라는 도구를 사용하여 내부 나사산을 형성하는 작업으로 드릴 프레스에서 동력으로 탭을 인출하려면 리버서블 모터 또는 리버싱 어태치먼트 또는 탭 어태치먼트가 필요하다. 손으로 탭을 인출하려면 척 또는 기타 고정 장치를 풀고 제거한다.

우선 Hole 가공에 가장 필수로 사용하는 드릴 비트를 알아보겠다. 항공기 수리나 개조(제작포함)에 가장 많이 사용되는 스플릿 포인트 드릴(split point drill bits or 노치 포인트라고도 함)은 힐이 부분적으로 연마되어 있기 때문에 드릴 비트가 Pilot Hole에 물리는 경향이 있다. 또한 직경이 3/16" 보다 큰 경우 더 얇은 판재에 삼각형 모양의 Hole이 생기는 경향이 있다.

파일럿 Hole을 3/16" 보다 큰 크기로 가공할 때는 표준 구성으로 연마된 드릴 비트를 사용하는 것이 좋다. 이렇게 하면 삼각형 모양의 Hole이 생길 가능성을 줄일 수 있다. 뚜렷하지는 않지만 직경이 1/4" 이상인 일반 연삭 드릴도 판금에 삼각형 모양의 Hole을 생성하는 경향이 있다. 1/4" 이상의 Hole은 특수 연삭된 스퍼 비트(spur bits), 홀 커터 또는 유니 비트(여러 단계의 크기가 있는 하나의 비트)를 사용하여 생성해야 한다. 드릴링 가공 시 미국 단위계 사이즈별 호칭과 정해진 치수와 Hole의 공차, 사용되어지는 드릴 비트의 번호 체계를 알아야하는 것은 기본이다.

Solid Rivet and Hole Sizes			
Rivet Size (Nom)	Shank Dia. (Actual)	Clearance Hole Size	Drill Size
3/32	.093 - .097	.0980	#40
1/8	.124-.128	.1285	#30
5/32	.155 - .159	.1590/.1610	#20 or #21
3/16	.186-.190	.1910/.1935	#10 or #11
1/4	.249-.253	.2570	F

스플릿 포인트(Split point) 표준(Regular) 비트 비교

스플릿 포인트 드릴 비트는 단단한 재료에 정밀 드릴링 할 수 있도록 설계되어 정확도와 안정성이 향상되었다. 표준 드릴 비트보다 더 평평한 포인트 각도가 특징이며 항공우주, 자동차, 전자 등의 산업에서 사용되며, 스플릿 포인트를 선택할 때는 재료 호환성 및 크기를 고려하는 것이 중요하다. 적절한 유지보수 및 연마가 최적의 성능을 보장한다. 스플릿 포인트 드릴 비트의 설계는 정밀도에 중점을 두어서 정확도를 향상시켜 매끄러운 표면을 보장한다. 스플릿 포인트 드릴 비트를 사용하면 많은 이점이 있다. 무엇보다도 독특한 팁 디자인으로 쉽고 정확하게 시작할 수 있어 다양한 표면에서 다양한 드릴링 작업에 적합하다. 따라서 드릴링 작업을 시작할 때 튀거나 미끄러질 염려가 없다. 스플릿 포인트 드릴 비트는 다용도로 사용할 수 있고 효과적이기 때문에 다양한 산업 분야에서 점점 인기를 얻고 있다. 스플릿 포인트는 종종 다음과 같은 단단한 재료에 드릴링 하는데 사용된다.

▷ metal
▷ high alloy steels
▷ stainless steel
▷ aluminum

스플릿 포인트 드릴 비트는 코발트강 및 카바이드와 같은 단단한 재료를 드릴링 할 때 발생하는 문제를 처리하도록 설계되었다. 스플릿 포인트 팁과 같은 독특한 디자인 특징은 드릴링 시 걷거나 미끄러지는 것을 줄이고 단단한 재료를 드릴링 하는데 필요한 압력의 양을 줄이는 데 도움이 된다. 즉, 단단한 재료를 드릴링 할 때 스플릿 포인트 드릴 비트를 사용하면 효율성이 향상될 뿐만 아니라 드릴링 과정에서 미끄러질 위험이 줄어준다. 표준 드릴 비트와 비교했을 때, 스플릿 포인트 드릴 비트는 단단한 재료를 드릴링 할 때 확실히 뛰어난 성능을 발휘한다.

스플릿 포인트 드릴 비트는 [12]정밀 가공 드릴링에 있어 스플릿 포인트 드릴 비트의 또 다른 주요 응용 분야다. 스플릿 포인트 설계로 더 단단하게 밀착되고 흔들림이 줄어들어 더 정확한 Hole을 뚫을 수 있다. 따라서 항공우주, 자동차 또는 전자 산업과 같이 고도의 정확성과 제어가 필요한 작업에 이상적인 선택이다. 분할 포인트 팁은 치즐 모서리에 두 개의 추가 모서리를 연마하여 드릴 절단에 필요한 압력을 줄여주는 하나의 긴 절삭날을 만든다. 이 셀프 센터링 기능은 드릴링 프로젝트가 정확한 위치를 유지하도록 보장하므로 가장 복잡한 작업도 자신 있게 처리할 수 있다.

스플릿 포인트 드릴 비트와 표준 드릴 비트의 디자인 차이점은 독특한 팁 모양과 포인트 각도에 있다. 앞서 언급했듯이 스플릿 포인트 드릴 비트는 약 135°의 평평한 포인트 각도를 가지고 있어 정밀도가 향상되고 Hole을 뚫기 시작할 때 미끄러지거나 "튀는" 가능성을 줄여준다. 반면, 표준 드릴 비트는 끝이 더 뾰족하고 점각(joint angle)이 완만하여 정확성과 안정성 측면에서 스플릿 포인트 드릴 비트와 같은 이점을 제공하지 못한다. 이러한 측면으로 인해 특정 용도에 적합한 드릴 비트를 선택할 때 설계의 차이를 고려해야 한다. 성능 면에서 스플릿 포인트 드릴 비트는 표준 드릴 비트보다 뛰어나다.

참고: 구조물 두개 이상 겹쳐진 판재중 하나의 판재에만 크랙 멈춤 가공(stop drilling) 시 아래와 같은 절차로 드릴 날 끝을 Flat bottom drill로 가공하여 작업을 한다.

---

12) 정밀 가공 드릴링이란 특수한 기계와 도구를 사용하여 부품에 Hole을 정확하게 뚫는 과정을 말한다.

Flat bottom drilling 절차

1. Stop drilling: 드릴링 위치를 잡는다.
2. Conical drilling: 원하는 깊이까지 드릴링을 한다.
3. Flat bottom drilling: 손상된 판재만 드릴링 한다.

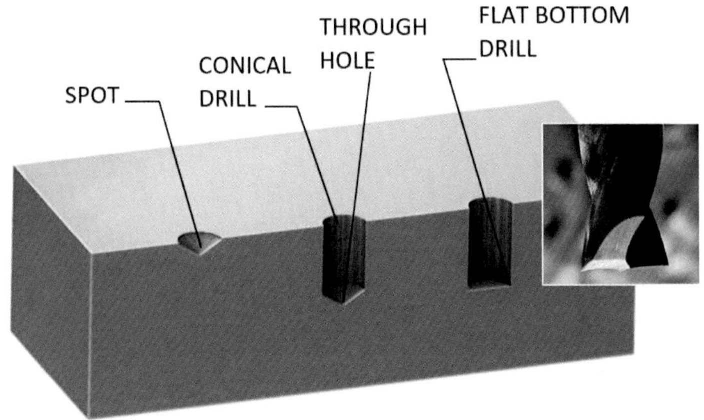

If you are repairing a crack you can do a stop-drill procedure or cut out the damage with a 0.25inch (6 mm) minimum diameter router bit. Refer to 51-10-02, GENERAL and REPAIR 2 for the stop drill procedure.

B737-400/-500/-900 SRM 51-70-10 REPAIR GENERAL

4. 공차 이해

Limits & Fits(한계 & 끼워 맞춤)

Clearance fits / Transition fits / Interference fits

Holes: H11, H9, H9, H8, H7, H7, H7, H7, H7, H7 — Shafts: c11, d10, e9, f7, g6, h6, k6, n6, p6, s6

Basic size (mm)		Upper and lower deviations for tolerance class (Values μm)																				Basic size (mm)	
		H11	c11	H9	d10	H9	e9	H8	f7	H7	g6	H7	h6	H7	k6	H7	n6	H7	p6	H7	s6		
Above	Up to and incl.	+	−	+	−	+	−	+	−	+	−	+	+	+	+	+	+	+	+	+	+	Above	Up to and incl.
0	3	60/0	60/120	25/0	20/60	25/0	14/39	14/0	6/16	10/0	2/8	10/0	6/0	10/0	6/0	10/0	10/4	10/0	12/6	10/0	20/14	0	3
3	6	75/0	70/145	30/0	30/78	30/0	20/50	18/0	10/22	12/0	4/12	15/0	9/0	15/0	10/1	15/0	19/10	15/0	24/15	15/0	32/23	3	6
6	10	90/0	80/170	36/0	40/98	36/0	25/61	22/0	13/28	15/0	5/14	18/0	11/0	18/0	12/1	18/0	23/12	18/0	29/18	18/0	39/28	6	10
10	18	110/0	95/205	43/0	50/120	43/0	32/75	27/0	16/34	18/0	6/17	21/0	13/0	21/0	15/2	21/0	28/15	21/0	35/22	21/0	48/35	10	18
18	30	130/0	110/240																			18	30
30	40	160/0	120/280	62/0	80/180	62/0	50/112	39/0	25/50	25/0	9/25	25/0	16/0	25/0	18/2	25/0	33/17	25/0	42/26	25/0	59/43	30	40
40	50	160/0	130/290																			40	50
50	65	190/0	140/330	74/0	100/220	74/0	60/134	46/0	30/60	30/0	10/29	30/0	19/0	30/0	21/2	30/0	39/20	30/0	51/32	30/0	72/53	50	65
65	80	190/0	150/340																	30/0	78/59	65	80
80	100	220/0	170/390	87/0	120/260	87/0	72/159	54/0	36/71	35/0	12/34	35/0	22/0	35/0	25/3	35/0	45/23	35/0	59/37	35/0	93/71	80	100
100	120	220/0	180/400																	35/0	101/79	100	120
120	140	250/0	200/450																	40/0	117/92	120	140
140	160	250/0	210/460	100/0	145/305	100/0	84/185	63/0	43/83	40/0	14/39	40/0	25/0	40/0	28/3	40/0	52/27	40/0	68/43	40/0	125/100	140	160
160	180	250/0	230/480																	40/0	133/108	160	180
180	200	290/0	240/530																	46/0	151/122	180	200
200	225	290/0	260/550	115/0	170/355	115/0	100/215	72/0	50/96	46/0	15/44	46/0	29/0	46/0	33/4	46/0	60/31	46/0	79/50	46/0	159/130	200	225
225	250	290/0	280/570																	46/0	169/140	225	250
250	280	320/0	300/620	130/0	190/400	130/0	110/240	81/0	56/108	52/0	17/49	52/0	32/0	52/0	36/4	52/0	66/34	52/0	88/56	52/0	190/158	250	280
280	315	320/0	330/650																	52/0	202/170	280	315
315	355	360/0	360/720	140/0	210/440	140/0	125/265	89/0	62/119	57/0	18/54	57/0	36/0	57/0	40/4	57/0	73/37	57/0	98/62	57/0	226/190	315	355
355	400	360/0	400/760																	57/0	244/208	355	400
400	450	400/0	440/840	155/0	230/480	155/0	135/290	97/0	68/131	63/0	20/60	63/0	40/0	63/0	45/5	63/0	80/40	63/0	108/68	63/0	272/232	400	450
450	500	400/0	480/880																	63/0	292/252	450	500

공학에서 맞춤(fits)은 두 결합 부품 사이의 간격을 나타낸다. 공학적 맞춤의 선택에 따라 두 부품이 틈새 끼워 맞춤의 경우 서로 상대적으로 움직일 수 있는지 또는 억지 끼워 맞춤의 경우 전체적으로 작용할 수 있는지가 결정된다. 한계(limits)와 맞춤

(fits)은 모든 종류의 결합 부분에 적용되지만, 이들의 주된 용도는 최상의 성능을 위해 접합 샤프트와 Hole의 크기를 조절하는 것이다. ISO와 ANSI 둘 다 3가지 등급, clearance, transition and interference에 표준화된 적합성을 가지고 있다.

Tolerance Grade 공차 등급

공학적 적합성에서 공차는 항상 영숫자 코드로 표시될 것이다. 예를 들어, Hole 공차는 H7이 될 수 있다. 대문자는 우리가 Hole을 다루고 있다는 것을 의미한다. 축에 대한 공차를 나타낼 때는 소문자로 표시할 것이다. 이 숫자는 국제 공차 등급(ISO 286)을 나타낸다. 공차 등급은 최종 측정값이 기본 측정값과 다를 수 있는 값의 범위를 결정한다.

Table 1 — Values of standard tolerance grades for nominal sizes up to 3 150 mm

Nominal size mm		Standard tolerance grades																			
		IT01	IT0	IT1	IT2	IT3	IT4	IT5	IT6	IT7	IT8	IT9	IT10	IT11	IT12	IT13	IT14	IT15	IT16	IT17	IT18
Above	Up to and inclu-ding	Standard tolerance values																			
		μm													mm						
—	3	0,3	0,5	0,8	1,2	2	3	4	6	10	14	25	40	60	0,1	0,14	0,25	0,4	0,6	1	1,4
3	6	0,4	0,6	1	1,5	2,5	4	5	8	12	18	30	48	75	0,12	0,18	0,3	0,48	0,75	1,2	1,8
6	10	0,4	0,6	1	1,5	2,5	4	6	9	15	22	36	58	90	0,15	0,22	0,36	0,58	0,9	1,5	2,2
10	18	0,5	0,8	1,2	2	3	5	8	11	18	27	43	70	110	0,18	0,27	0,43	0,7	1,1	1,8	2,7
18	30	0,6	1	1,5	2,5	4	6	9	13	21	33	52	84	130	0,21	0,33	0,52	0,84	1,3	2,1	3,3
30	50	0,6	1	1,5	2,5	4	7	11	16	25	39	62	100	160	0,25	0,39	0,62	1	1,6	2,5	3,9
50	80	0,8	1,2	2	3	5	8	13	19	30	46	74	120	190	0,3	0,46	0,74	1,2	1,9	3	4,6
80	120	1	1,5	2,5	4	6	10	15	22	35	54	87	140	220	0,35	0,54	0,87	1,4	2,2	3,5	5,4
120	180	1,2	2	3,5	5	8	12	18	25	40	63	100	160	250	0,4	0,63	1	1,6	2,5	4	6,3
180	250	2	3	4,5	7	10	14	20	29	46	72	115	185	290	0,46	0,72	1,15	1,85	2,9	4,6	7,2
250	315	2,5	4	6	8	12	16	23	32	52	81	130	210	320	0,52	0,81	1,3	2,1	3,2	5,2	8,1
315	400	3	5	7	9	13	18	25	36	57	89	140	230	360	0,57	0,89	1,4	2,3	3,6	5,7	8,9
400	500	4	6	8	10	15	20	27	40	63	97	155	250	400	0,63	0,97	1,55	2,5	4	6,3	9,7
500	630			9	11	16	22	32	44	70	110	175	280	440	0,7	1,1	1,75	2,8	4,4	7	11
630	800			10	13	18	25	36	50	80	125	200	320	500	0,8	1,25	2	3,2	5	8	12,5
800	1 000			11	15	21	28	40	56	90	140	230	360	560	0,9	1,4	2,3	3,6	5,6	9	14
1 000	1 250			13	18	24	33	47	66	105	165	260	420	660	1,05	1,65	2,6	4,2	6,6	10,5	16,5
1 250	1 600			15	21	29	39	55	78	125	195	310	500	780	1,25	1,95	3,1	5	7,8	12,5	19,5
1 600	2 000			18	25	35	46	65	92	150	230	370	600	920	1,5	2,3	3,7	6	9,2	15	23
2 000	2 500			22	30	41	55	78	110	175	280	440	700	1 100	1,75	2,8	4,4	7	11	17,5	28
2 500	3 150			26	36	50	68	96	135	210	330	540	860	1 350	2,1	3,3	5,4	8,6	13,5	21	33

표를 통해 우리는 공차 등급이 기본 크기 범위에 적용되는 것을 알 수 있다. 따라서 공칭 크기가 25 mm이고 공차 등급이 H7인 Hole이 있다면 우리는 18…30 mm 기본 크기 그룹에 들어갈 것이다. IT7 공차 등급을 살펴보면 차트는 허용된 분산이 0.021 μm[13]다. 글자는 공차 구간의 시작을 나타낸다. H7의 경우 시작점은 정확히 25.000 mm이다. 최대 Hole 크기는 25.021 mm이다. F7의 경우 공차 범위는 같지만 시작점은 25.020 mm이며 마지막으로 허용 가능한 측정값은 25.041 mm다. 특정한 측정에 대한 모든 해당 공학적 공차를 구하는 좋은 방법은 limits & fits calculator 사용하는 것이다.

Hole and Shaft Basis System

적합한 시스템을 선택할 때는 Hole과 축 시스템의 두 가지 옵션이 있다. 이 시스템은 어떤 부분이 제어된 측정을 하고 어떤 부분이 다른 부분을 기준으로 만들어지는지 알려준다. 간단히 말해서, 홀 베이스 시스템은 홀에 대해 일정한 측정값을 사용하고 샤프트의 직경은 필요한 피팅을 달성하기 위해 만들어진다. 그리고, 축 기반 시스템은 그 반대로 작동한다. 엔지니어들은 단순성 때문에 Hole 시스템을 따르는 경향이 있다. Hole 크기가 일정하게 유지됨에 따라 샤프트의 상하 편차 값이 적합 유형을 결정한다. 드릴링은 공구가 특정한 측정으로 나오기 때문에 많은 정밀도를 허용하지 않는다. 동시에 CNC 회전 작업은 정확한 측정으로 샤프트를 만들 수 있어 원하는 적합성을 달성하는 것이 더 쉬워진다.

---

13) μm(마이크로미터, 통상 「미크론」) = 1/1,000 mm ('μ'는 단위접두어로 10^{-6}를 나타냄)

Limits & Fits

Type of Fit	Description	Hole Basis	Shaft Basis
Clearance Fits	Loose Running	H11/c11	C11/h11
	Free Running	H9/d9	D9/h9
	Close Running	H8/f8	F8/h8
	Sliding	H7/g6	G7/h6
	Locational Clearance	H7/h6	-
Transition Fits	Similar	H7/k6	K7/h6
	Fixed	H7/n6	N7/h6
Interference Fits	Press	H7/p6	P7/h6
	Driving	H7/s6	S7/h6
	Forced	H7/u6	U7/h6

공학에서 우리는 긴 수명과 기계의 적절한 작동을 보장하기 위해 부품의 공차를 정의해야 한다. 우리는 필요조건과 작업조건에 따라 적합도를 선택할 수 있으며, 크게 세 가지 종류가 있다.

Clearance Fits(헐거운 끼워 맞춤)
Transition Fits(중간 끼워 맞춤)
Interference Fits(억지 끼워 맞춤)

이 모든 것들은 각각 다른 상황에 맞게 설계된 범주들의 또 다른 부분 집합과 함께 온다. 물론 우리는 더 가까운 공차들과 더 많은 스너그 핏(snug fits)들은 기계 가공의 정확성과 조립의 어려움에 대한 더 높은 요구사항들로 인해 더 높은 비용을 초래할 것이라는 것을 명심해야 한다.

Clearance Fits(헐거운 끼워 맞춤)은 항상 두 부분 사이에 공간을 남긴다.

Transition Fits(중간 끼워 맞춤)은 clearance fits and Interference Fits 사이에 있으며, 많은 공간을 남겨두지 않거나 너무 조이지 않게 어느 쪽이든 될 수 있다.

Interference fits(억지 끼워 맞춤)은 엄격하기 때문에 상당한 힘과 공정을 용이하게 하기 위한 다양한 기술이 필요하다.

Clearance Fits(헐거운 끼워 맞춤)

항상 틈새가 생기는 끼워 맞춤으로 Hole과 축이 서로 적당한 틈새나 죔새를 가지고 끼워 맞추어지는 관계

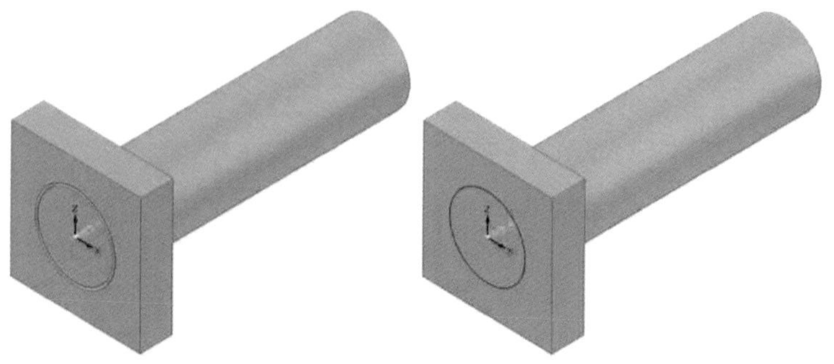

최대 간극(Max clearance) 최소 간극(Min. clearance)

축 지름 최소일 때, Hole 지름 최대일 때, 최대 간극이 된다.
축 지름 최대일 때, Hole 지름 최소일 때, 최소 간극이 된다.

Clearance Fits (헐거운 끼워 맞춤)은 6가지 카테고리로 구성되며 가장 느슨한 부분부터 시작한다.

Loose running
Free running
Close running
Sliding
Close clearance
Locational clearance

1. Loose running

최대 간격으로 장착한다. 정확도가 가장 중요하지 않고 오염이 문제가 될 수 있는 용도에 적합하며, 먼지 오염, 부식, 열 및 기계적 변형에 노출되는 장착. 피벗, 래치 조립에 사용한다.

적합 예: H11/c11, H11/a11, H11/d11(모두 Hole 기준), C11/h11, A11/h11, D11/h11(모두 Hole 기준) 25 mm 직경의 경우 H11/c11 핏은 최소 0.11 mm, 최대 0.37 mm의 간극을 제공한다. 이 경우 샤프트 직경은 24.76~24.89 mm, 최소 홀 크기는 25 mm, 최대 25.13 mm가 될 수 있다.

2. Free Running Fit

부품 일치의 정확도에 특별한 요건이 적용되지 않는 경우에 적합하다. 온도 변동이 심하고 주행 속도가 빠르며 평면 베어링 압력이 심한 환경에서 이동할 수 있는 여지를 남긴다.

사용 예: 기름 윤활 필름을 유지하는 것이 중요한 응용 예로 축과 평면 베어링은 회전 운동을 거의 하지 않는다.

적합 예: H9/d9, H9/c9, H9/d10(모두 Hole 기준), D9/h9, D9/h8, D10/h9(모두 Hole 기준) 25 mm 직경의 H9/d9 장착 시 최소 간격 0.065 mm, 최대 간격 0.169 mm를 제공한다.

3. Close Running Fit

밀착 맞춤은 더 작은 간격과 적당한 정확도를 요구하는 애플리케이션에 좋은 선택이다. 중간 속도와 압력을 견디는 데 좋다.

사용 예: 공작기계, 슬라이딩 로드, 공작기계 스핀들 등.

적합 예: H8/f8, H9/f8, H7/f7(모두 Hole 기준), F8/h6, F8/h7(모두 Hole 기준) 25 mm 직경의 H8/f7 장착 시 최소 간격 0.020 mm, 최대 간격 0.074 mm를 제공한다.

4. Sliding Fit

조립의 용이성을 유지하면서 정확도를 높이기 위해 작은 간격을 둡니다. 부품이 회전 및 미끄러짐이 상당히 자유롭다.

사용 예: 샤프트, 슬라이딩 기어, 슬라이드 밸브, 자동차 어셈블리, 클러치 디스크, 공작기계 부품 등의 안내.

적합 예: H7/g6, H8/g7(모두 Hole 기준), G7/h6(축 기준) 25 mm 직경의 H7/g6 장착 시 최소 간격 0.007 mm, 최대 간격 0.041 mm를 제공한다.

5. Locational Clearance Fit

위치 클리어런스 핏은 높은 정확도 요구사항을 위한 최소한의 클리어런스를 제공한다. 조립은 어떠한 힘도 필요하지 않으며 짝짓기 부품은 윤활로 자유롭게 회전 및 미끄러질 수 있어 손으로 조립을 돕는다. 고정 부품을 위한 스너그 핏(snug fit)을 제공한다.

사용 예: 롤러 가이드, 샤프트 가이드 등.

적합 예: H7/h6, H8/h7, H8/h9, H8/h8(모두 Hole 기준) 25 mm 직경의 H7/h6 장착 시 최소 간격 0.000 mm, 최대 간격 0.034 mm를 제공한다.

Transition Fits(중간 끼워 맞춤)

Transition fi은 두 가지 가능성을 포괄한다. 샤프트는 Hole보다 약간 더 클 수 있고, 적합성을 생성하기 위해 약간의 힘을 필요로 한다. 스펙트럼의 다른 끝에는 이동을 위한 약간의 여유가 있는 범위 적합성이 있다.

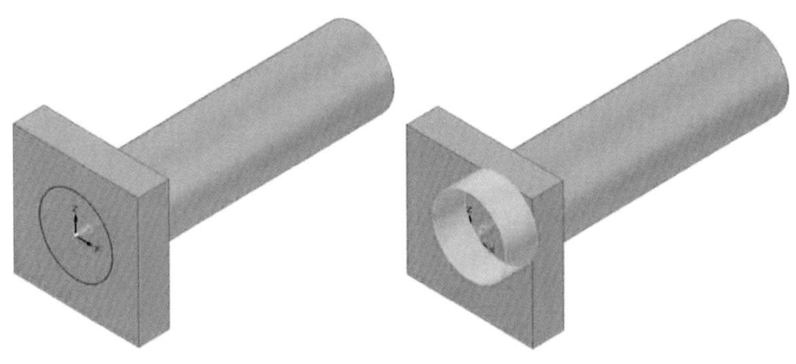

여유 간격(Clearance) 간섭(interference)

1. **Similar Fit**

작은 간격을 남기거나 작은 간섭을 만든다. 조립은 고무 망치를 사용하여 가능하다.

사용 예: 허브, 기어, 도르래, 베어링 등

적합 예: Hole 베이스의 경우 H7/k6, 샤프트 베이스의 경우 K7/h6 25 mm 직경 H7/k6 장착 시 최대 간격은 0.019 mm, 최대 간섭은 0.015 mm다.

2. **Fixed Fit**

작은 틈을 남기거나 작은 간섭을 만든다. 가벼운 힘으로 조립이 가능하다.

사용 예: 구동식 덤불, 축의 전기자 등.

적합 예: Hole 베이스의 경우 H7/n6, 샤프트 베이스의 경우 N7/h6 25 mm 직경 H7/n6 장착 시 최대 간격 0.006 mm, 최대 간섭은 0.028 mm이다.

Interference Fits(억지 끼워 맞춤)

Interference Fits은 프레스 끼움, 마찰 끼움으로도 알려져 있다. 이러한 유형의 끼워 맞춤은 항상 Hole 크기에 비해 더 큰 샤프트를 갖는 동일한 원리를 갖는다.

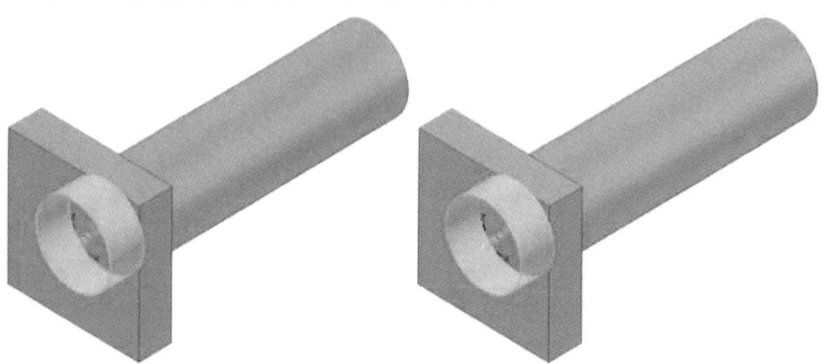

최대간섭(Max interference) 최소 간섭(min interference)

1. **Press Fit**

   간섭을 최소화한 뒤 냉간 압착으로 조립이 가능

   사용 예: 허브, 부싱, 베어링 등.

   적합 예: Hole 기준의 경우 H7/p6, 축 기준의 경우 P7/h6

   25 mm 직경 H7/p6 장착 시 최소 간섭 0.001 mm, 최대 간섭은 0.035 mm다.

2. **Driving Fit**

   냉간 압착을 위해 조립할 때 더 큰 힘이 필요함. 또 다른 방법은 열간 압착을 사용하는 것임. 이러한 간섭 핏은 압착 핏보다 더 두드러진다.

   사용 예: 기어, 샤프트, 부시 등의 영구 장착

   적합 예: Hole 기준의 경우 H7/s6, 축 기준의 경우 S7/h6

   25 mm 직경 H7/s6 장착 최소 간섭은 0.014 mm, 최대 간섭은 0.048 mm다.

3. Forced Fit

높은 간섭 핏이 높음. 조립을 위해서는 부품을 Hole으로 가열하고 결합할 부품을 동결해야함.

분해하면 부품이 깨질 수 있음.

사용 예: 샤프트, 기어 등.

적합 예: Hole 기준의 경우 H7/u6, 축 기준의 경우 U7/h6

25 mm 직경 H7/u6 장착 최소 간섭은 0.027 mm, 최대 간섭은 0.061 mm다.

참고: https://fractory.com/limits-and-fits/

참고: ISO 286-1:2010

5. 금속 판재 두께

학교에서 철강 교육 받을 때, 일본의 장인은 불꽃만 봐도 재질을 알 수 있다고 했다. 현장 경험이 전혀 없는 상태라 대단한 장인의 경지라 생각했었는데, 어느 순간 생각을 달리했다. 대부분 철강은 고유 재질의 강도에 따른 불꽃 색깔을 가지고 있기 때문에 철강의 재질을 알면 불꽃의 색으로 짐작할 수 있는 일이라 생각했기 때문이다.

오늘은 철이 아닌 B737 기체 제작에 사용하는 알루미늄에 대하여 이야기하려한다. 알루미늄은 철과 다르게 절단할 때 불꽃이 나지 않는다. 항공기 제작과 수리에 사용하는 알루미늄은 미국 표준을 따르지만 약간은 다르다. 기본적으로 알루미늄 분류에는 미국 표준 게이지(US standard gage)를 따르나 일부는 약간 치수를 변경한 두께를 가지며 항공기 SRM 매뉴얼에서는 본래의 No.게이지로 표기하지 않는데 이는 아래와 같이 재질에 따른 Sheet metal and Plate 구분이 다르기 때문이다.

- ✓ Stanless steel: 3/16" & thicker is plate
- ✓ Aluminum: 1/4" & thicker is plate
- ✓ Copper: 0.188" & thicker is plate
- ✓ Brass: 0.125" & thicker is plate

Note: there is no official gauge standard for aluminum 0.250" & thicker is plate.

그래서 항공기 제작과 수리에 사용하는 철과 비철에 대한 표준 번호(No) 게이지가 있지만 그냥 두께를 게이지로 표기 하는게 일반적이다. 미국의 인치가 분수에 기초하다보니 철과 비철의 다양한 두께 분류를 모두 소화하기 어려워 게이지 표기를 우선하나 항공분야에서는 다른듯하며 일반적으로 두께로만 표기(사용)한다. 철강 절단 시 불꽃의 색깔로 재질을 알 수 있는 경지를 인정한다면, 인치 규격의 알루미늄 두께를 측정하지 않고 눈으로만 보고 두께를 가릴 수 있다면, 이 또한 경험이 많은 사람일 것이다. 미국 항공기 제작이 미국 단위계인 인치를 표준으로 하는데, 미터법을 표준으로 배우고 익힌 한국 사람도 인치에 자연스럽게 녹아들어 사용하고 있지만, 인치로 분류한 알루미늄 두께는 친숙하지 않다. 군이나 항공사에서는 항공기 기체와 기골을 수리하고 개조하는 Structure Mechanic이 근무하는 부서를 판금(sheet metal)반이라 하는데, Al sheet metal의 기준은 1/4"(6.35 mm) 이하인데, 항공기 기골과 날개 두께의 대부분은 1/4"(0.250") 이상의 Plate를 사용하는 게 일반적이다. 한국은 현재까지 항공사에서 '판금반'이라는 용어가 사용된 경우도 있고, '기체수리반'이라 사용하는 경우도 있는데, 인치를 기준으로 하는 미국에서 일반적으로 Sheet metal이라 부르는데 알루미늄 규격만큼이나 난해한 경우 아닌가 한다. 예전엔 아래 치수의 두께를 눈으로 구분했는데, 지금은 눈이 침침해져 두께를 측정해봐야 한다.

한국의 경우

박판: 3.0 mm 이하

중판: 3.0 mm ~6.0 mm

후판: 6.0 mm 이상

극후판: 중판: 100 mm 이상

참고: https://blog.naver.com/leb5000/222005097555

후판 6 mm 기준은 미국단위계 1/4"(6.35 mm)를 단순화함.

METAL GAUGES

Below you'll find the info you need with our sheet				
Gauge #	Sheet Steel	aircraft	Aluminum	Stainless Steel
1	—		.2893 (7.3)	.2812 (7.1)
2	—	0.250	.2576 (6.5)	.2656 (6.7)
3	.2391 (6.1)		.2294 (5.8)	.2500 (6.4)
4	.2242 (5.7)	0.200	.2043 (5.2)	.2344 (6.0)
5	.2092 (5.3)	0.180	.1819 (4.6)	.2187 (5.6)
6	.1943 (4.9)	0.160	.1620 (4.1)	.2031 (5.2)
7	.1793 (4.6)	0.140	.1443 (3.7)	.1875 (4.8)
8	.1644 (4.2)	0.125	.1285 (3.3)	.1719 (4.4)
9	.1495 (3.8)	0.112	.1144 (2.9)	.1562 (4.0)
10	.1345 (3.4)	0.100	.1019 (2.6)	.1406 (3.6)
11	.1196 (3.0)	0.090	.0907 (2.3)	.1250 (3.2)
12	.1046 (2.7)	0.080	.0808 (2.1)	.1094 (2.8)
13	.0897 (2.3)	0.071	.0720 (1.8)	.0937 (2.4)
14	.0747 (1.9)	0.063	.0641 (1.6)	.0781 (2.0)
15	.0673 (1.7)	0.056	.0571 (1.5)	.0703 (1.8)
16	.0598 (1.5)	0.050	.0508 (1.3)	.0625 (1.6)
17	.0538 (1.4)	0.045	.0453 (1.2)	.0562 (1.4)
18	.0478 (1.2)	0.040	.0403 (1.0)	.0500 (1.3)
19	.0418 (1.1)	0.036	.0359 (0.9)	.0437 (1.1)
20	.0359 (0.9)	0.032	.0320 (0.8)	.0375 (1.0)
21	.0329 (0.8)	0.028	.0285 (0.7)	.0344 (0.9)
22	.0299 (0.8)	0.025	.0253 (**0.6**)	.0312 (0.8)
23	.0269 (0.7)	0.022	.0226 (**0.6**)	.0281 (0.7)
24	.0239 (0.6)	0.020	.0201 (**0.5**)	.0250 (0.6)
25	.0209 (0.6)	0.018	.0179 (**0.5**)	.0219 (0.6)
26	.0179 (0.5)	0.016	.0159 (**0.4**)	.0187 (0.5)
27	.0164 (0.4)	0.014	.0142 (**0.4**)	>.0172 (0.4)
28	.0149 (0.4)	0.012	.0126 (**0.3**)	.0156 (0.4)
29	.0135 (0.3)		.0113 (**0.3**)	.0141 (0.3)
Dimension in inches (millimeters)				

BOEING

737-400

STRUCTURAL REPAIR MANUAL

MINIMUM INNER BEND RADII					
GAGE	ALUMINUM				
	2024-0 5052-H34	2024-T3	5052-0	7178-0 7075-0	7178-T6 7075-T6
[A]	0.03	0.06	0.03	0.03	0.09
0.016	0.03	0.06	0.03	0.03	0.09
0.018	0.03	0.06	0.03	0.03	0.12
0.020	0.03	0.06	0.03	0.03	0.12
0.022	0.06	0.09	0.03	0.06	0.12
0.025	0.06	0.09	0.03	0.06	0.12
0.028	0.06	0.09	0.03	0.06	0.16
0.032	0.06	0.12	0.03	0.06	0.16
0.036	0.06	0.16	0.06	0.06	0.19
0.040	0.06	0.16	0.06	0.06	0.19
0.045	0.09	0.19	0.06	0.09	0.25
0.050	0.09	0.19	0.06	0.09	0.25
0.056	0.12	0.22	0.06	0.12	0.28
0.063	0.12	0.22	0.06	0.12	0.31
0.071	0.12	0.28	0.09	0.12	0.38
0.080	0.16	0.34	0.09	0.19	0.44
0.090	0.19	0.38	0.09	0.19	0.50
0.100	0.22	0.44	0.12	0.22	0.62
0.112	0.25	0.50	0.12	0.28	0.75
0.125	0.25	0.56	0.12	0.28	0.88
0.140	0.34	0.62	0.12	0.38	1.00
0.160	0.38	0.75	0.16	0.44	1.12
0.180	0.44	0.88	0.19	0.50	1.25
0.190	0.50	0.88	0.19	0.56	1.25

참고: SRM 53-30-01 SHEET METAL MATERIALS

5. 코로가드(Coroguard)

Coroguard EPI(에폭시 페인트)

가혹한 부식 환경에 노출된 강철 구조를 보호하기 위한 100 % 고형분, 솔벤트 프리 부식 방지 에폭시 코팅으로 Coroguard EPI 에폭시 코팅은 내후성이 뛰어나고 염수, 습기, 물, 산 및 알칼리에 대한 내성이 있는 내구성이 뛰어난 매끄러운 마감을 제공한다. BOEING의 칼라는 실버로 코로가드는 알루미늄 분말을 첨가 한 다음 날개 표면에 적용한다. 약간 거칠게 도장되기 때문에 조명 조건에 따라 모양이 달라진다. 구름이 낀 상태에서 실제 항공기와 가장 흡사한 분산된 자연광으로 내부에 내 모델을 표시하므로 알루미늄 색상과 혼합된 중간 회색을 사용하여 모양을 얻는다.

https://unnathi.com/coroguard-epi.html

하늘을 날겠다는 인간의 끊임없는 욕망이 지금의 비행기를 만들었다. 하늘을 나는 항공기에 있어 가장 중요한 부분은 날개다. 누군가 머리에 해당하는 비행기 조종석이 제일 중요하다고 해도 날개가 좀더 중요함을 부인할 수는 없다. 지상과 해상의 다양한 동식물과 어류들 중 날개가 있거나, 날개와 같은 역할을 할 수 있는 그 무언가 있어야 날 수 있다. 인간도 날개가 있다면 날았을 것이다.

그만큼 날개는 중요하다. 왜!!!

지상이 아닌 공간을 자유롭게 날게 해주는 게 날개이니까.

B737 항공기 날개(wing)는 알루미늄으로 제작 되었으며, 새 날개와 같이 하늘을 날게 하는 양력을 만들어 주는 역할을 하지만, 양력 발생과 이착륙으로 인해 큰 힘이 가해지면서 다양한 스트레스를 받는다. 그런 스트레스뿐만 아니라 하늘을 날기 위해서는 비행기의 밥인 연료도 실어야 하는데, 그곳이 바로 커다란 날개로 날개 자체가 커다란 연료탱크다. 이러다보니 하늘을 날게 해 주는 가장 큰 역할을 하지만, 가장 위험한 곳이기도 하다.

그래서 연료 탱크 상태를 외부에서 바로 보고 상태 파악을 하기 위해 그곳에 Coroguard를 칠한다. 날개의 Coroguard는 비행기 다른 곳과 색깔이 다르고, 전 세계 항공사들이 다양한 비행기들을 운영하지만 이곳의 도색은 제작사에서 제공하는 동일한 색을 사용하는 게 특징이다. 그만큼 안전을 우선하기 때문이다.

BOEING의 Gray와 AIRBUS Light gray의 Coroguard 색은

단위계만큼이나 비슷하기에 항공기에 탑승한 일반인들이 보기엔 다 같아 보일 것이다. 항공기는 다른 구조물 제작과 다르게 볼트와 너트만을 이용하는 기계적 접합 제작으로 철저한 밀폐와 기밀 작업을 수행하지만, 항상 움직이다 보니 날개 안에 있던 연료가 외부로 누출되면 Coroguard는 연료에 의해 녹게 되고, 이를 통해 연료 누출을 확인하게 하는 역할을 한다.

Coroguard EPI(에폭시 페인트)

사고 이력

1. 2001년 3월 3일, 방콕 공항에서 태국항공 737-400기가 계류장에 불이 나 전소되는 사고가 발생했다. 당시 항공기에는 승무원만 탑승하고 있었으며, 그 중 한 명이 이 사고로 사망했다. 초기 조사는 폭발이 발생한 지 불과 30분 후에 태국 총리가 항공기에 탑승할 예정이었다는 사실에 집중하지 못했다. 당연히 초기에는 암살 시도라는 설이 유력했지만, 이후 수사관들은 빈 중앙 연료 탱크에서 폭발의 증거를 발견했다.
2. 1990년 필리핀항공이 운항하던 737-300 EI-BZG 기종도 중앙 연료 탱크 폭발 사고를 겪었다.
3. 1996년에는 747-100 기종인 TWA 800이 공중에서 폭발 했는데, 이 사고는 빈 중앙 연료 탱크에서 발생한 것으로 밝혀졌다.

세 사고의 공통점은 항공기의 중앙 연료 탱크가 비어 있었다는 점이다. 그러나, 빈 연료탱크에도 열에 의해 증발하여 공기 중의 산소와 폭발적인 혼합물을 생성하는 사용할 수 없는 연료가 있다. 이 사건은 연료 탱크 불활성화에 대한 논쟁을 촉발시켰다.

연료탱크 불활성화는 보편적으로 가장 안전한 방법으로 간주되고 있다. BOEING은 이 문제를 해결하기 위해 737NG 중앙 연료 탱크를 불활성화하기 위한 질소 발생 시스템을 개발했다. 항공기에 있어 가장 중요한 부분은 날개다.

7. 레이돔은 Radar와 dome의 합성어다

레이돔은 Radar와 dome의 합성어다

항공기의 맨 앞부분을 Nose Radome이라 호칭하며 노우즈 콘(nose cone)이라 부르기도 한다. 항공기 전방 부분 L1 door (Left 승객 탑승하는 문) 앞부분까지를 노우즈라 하는데, 멀리서 보면 이 부분까지가 사람의 코와 비슷하기는 하다.

B737 항공기의 Nose Radome 역시 항공기 운항에 필수인 기상 레이더를 보호하는 역할을 한다. 모양은 노우즈(nose) 이름과 같이 사람의 코(nose)와 거의 비슷하기도 하다. 그런데, 조금 더 레이돔 모양을 살펴보면 조류(birds)의 알과 비슷하다. 모양도 비슷하지만 알의 구조(egg structure) 또한 레이돔과 비슷하다. 외부는 단단하고 내부는 무른 알과 거의 흡사하다. 노우즈 레이돔은 조류의 알과 같이 외부의 비바람과 어미 새가 품을 때의

무게를 견디게 하지만, 안쪽은 새끼가 자력으로 세상으로 나올 때 쉽게 나오도록 무르게 되어있다. 우리가 자주 먹는 달걀을 깨 보면 외부와 내부 구조가 다른 것을 쉽게 알 수 있다. Nose Radome을 알과 같이 제작하는 이유는 레이더에서 발산하는 전파의 방해를 최소화하고 외부의 공기 충격에 의한 마모, 비와 우박(hail strike), 그리고, 조류 충돌(bird strike)에 견디게 하며, 피해를 최소화 하려는 구조로 제작된다. Nose Radome은 속도에 따라 아음속과 초음속 항공기에 따라 모양을 달리하나 역할은 같다. 초음속과 아음속 속도 구분하여 비행기에서 뾰족한 코 또는 둥근 코를 사용할지 여부를 결정하기 위해 항공우주 제작 회사는 비행기의 속도를 고려한다. 음속보다 느리게 비행하는 아음속 비행기에는 둥근 코로 제작하고, 초음속 비행기(음속보다 빠르게 비행하는 비행기)는 뾰족한 코로 제작한다.

참 고: Nose Radome이 손상이 되어 수리하는 경우, Nose Radome 구조물인 Honeycomb 구조를 절단(cut out)하는 경우 OVAL 모양으로 해야 기존의 강도를 유지 할 수 있다. B737 Nose radome과 비슷한 새알도 있다.

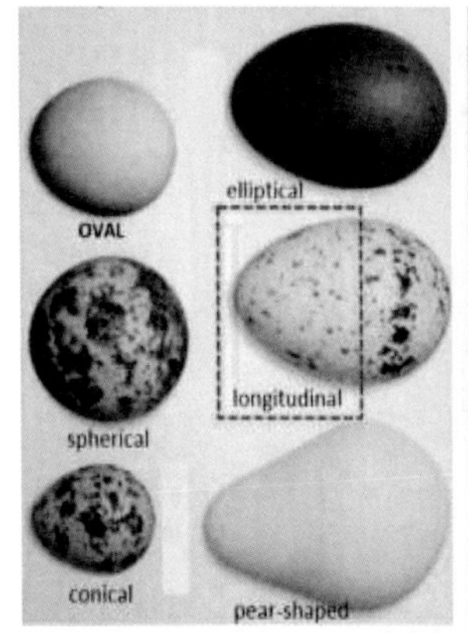

사진 출처: https://blog.naver.com/spsssjk/221430632058

엔진위치와 동체직경이 변경된 B737-100

참고: 2. B737 Original (B737-100:네이버블로그 naver.com)

elliptical 미국・영국 [ɪ'lɪptɪkl]
1. [형용사][특히 문법](문장에서 단어(들)가) 생략된
2. [형용사][기하] 타원형의

longitudinal 미국식 [| lɑːndʒə | tuːdnl]
영국식 [| lɒŋgɪ | tjuːdɪnl; | lɒndʒɪ | tjuːdɪnl]
1. [형용사] 세로(방향)의, 길이의
2. [형용사] 종적인(무엇의 장기적인 변화 과정을 다룬)
3. [형용사] 경도[경선]의

pear-shaped 미국식,영국식
1. [형용사](서양) 배 모양의(작은 조롱박같이 생긴)
2. [형용사](사람이) 상체보다 허리와 엉덩이 부분이 더 큰

oval 미국식 ['oʊvl] 영국식 ['əʊvl]
1. [형용사] 계란형[타원형]의
2. [명사] 계란형, 타원형
3. [명사][호주 영어] 오스트레일리아식 풋볼 경기장

spherical 미국・영국 [| sferɪkl] 미국식 [| sfɪrkl] 영국식
[형용사] 구 모양의, 구체의 (=round)

conical 미국식 [| kɑːnɪkl] 영국식 [| kɒnɪkl]
[형용사] 원뿔 모양의

8. 스피너 콘

스피너 콘이란 영어로 스핀(Spin:회전)에서 접미사 "-er;,,하는 사람, ...하는 것"을 붙어서"스피너(spinner:회전하는 것)"라는 의미고 콘이라는 의미는 원뿔이라는 의미다. 직역하면 '스피너 콘'은 "회전하는 원뿔"이다.

항공기 엔진의 팬이나 프로펠러에 있는 동그란 원이나 콘 모양을 스피너 콘(spinner Cone)이라 부르고, 이 부분의 주목적은 공기 역학 항력을 감소시키고, 부드러운 기류(공기흐름)를(을) 공기 흡입구에 들어가게 해주는 역할을 한다. 항공기 엔진의 Spinner Spirals Mark은 'Option' 사항이며 모양은 다양하다.

항공기 엔진 나선(Engine spirals) 목적

1. 엔진 스피너에 페인팅은 지상 인원의 안전을 위한 것.
2. Idle power 작동 시 사람이 엔진으로 빨려 들어갈 위험이 있어, 회전하고 있음을 보여주는(경고) 의미다.

3. 엔진 팬 블레이드는 회전 할 때, 특히 어둠 속에서 반투명하며, 엔진이 돌아가고 있는지 보기가 어려울 수도 있다.
4. 엔진 Spirals 표식은 회전 중인 엔진 쉽게 식별 한다.
5. Bird Strike 예방(X): 새들은 공기역학과 엔진 소음 때문에 비행기에서 멀어지는 경향이 있으며, 엔진에서 깜빡이는 나선형을 보기도 전에 일반적으로 비행기를 피한다.

https://interestingengineering.com/transportation/heres-why-airplane-engines-have-white-spiral-marks-on-them

9. 두께의 상식

A4 용지의 일반적인 두께 0.1 mm(0.00393701") 이며, A4 용지 1/4의 두께는 0.025 mm(0.00098425197")다. 0.001"는 0.0254 mm로 언론은 적절한 비교 대상을 찾아 표현했으나, 항공기 제작 특히나 전투기 제작은 인치가 우선함을 표현했으면 하는 아쉬움이 있다. 참고로 A4 용지 한 장의 두께를 0.1 mm라고 한다면, 42번 접으면 439,804.7 km로 지구에서 달까지 거리(390,940 km)보다 길어지나 종이는 7번 접기가 최대 횟수로 알려져 있다. 그런데 12회를 접어 기네스에 기록되었다고 한다.

2002년, 캘리포니아에 사는 "Britney gallivan"이라는 여고생은 하나의 종이를 12번 접는 기록을 달성했는데 아직까지 기록 유지 중이라 한다. 일반적으로 종이 한 장은 0.1 mm(0.004")로 100장은 1 cm이며, 1,000장은 1연으로 10 cm다. 참고로 종이의 두께를 표기할 때 m단위를 쓰지 않고 g단위를 쓴다. 이것은 A4용지뿐 아니라 펄프를 이용하는 모든 제품의 두께(질)를 표기할 때 공통적으로 사용한다. 조금 더 정확하게 말한다면 X g/m2 으로 표기한다. 1제곱미터의 크기로 늘렸을 경우에 이 종이는 70 g, 75 g 80 g하고, 이러한 기준으로 종이의 두께를 결정하는 것이다.

10. FAK BIN

항공기에는 두 개의 FAK가 있다.

하나는 사람을 위한 것이고, 또 다른 하나는 비행기를 위해 탑재하는 FAK 이다. 이름과 사용 용도는 같으나 비행기 덩치에 맞게 비행기를 위한 FAK는 크기도 크고 다양한 것을 탑재한다.

1. First-Aid Kit (비상 약품 상자)
2. Fly-Away Kit의 약어로 운항하는 공항에서 현지 정비나 부품 지원이 어렵다고 판단될 때나 다른 공항에 비상 착륙할 경우를 대비하여 운항하는 항공기에 싣고 다니는 비상용 항공기 부품 및 정비 도구를 말한다.

두 번째 FAK에 대한 것으로 항공기 도착하는 곳에 지점이 없거나 항공기 위탁 정비를 받기 어려운 경우를 대비하여 항공기에 비상용으로 사용되는 특정 부품들과 오일(oil) 그리고 타이어를 탑재하게 되는데, 이 경우 항공 탑재용 화물 컨테이너와는 별개로 구매하거나 제작하여 고정식으로 장착을 한다.

B747 FAK BIN은 국산 알루미늄 재질의 앵글과 판재로 제작되며, 높이가 1.3 m 크기로 전체 중량이 81 kg으로 무거워 항공기에서 싣고 내릴 때 고생하는 동료 정비사들을 위해 무게를 경감하기로 했다. 회사는 1995년 품질분임조를 도입하여 개선조(품질분임조)와 제안활동을 시작하였는데, 개인 제안 주제로 FAK BIN 작업 안전과 무게 경감을 하고자 했다. 아시아나항공(OZ)의 FAK는 대한항공(KE)과 거의 비슷한 디자인이었으나 대한항공(KE)의 FAK가 63 kg으로 무게는 아시아나항공(OZ)이 국산 자재 사용으로 조금 더 무거웠기에 대한항공(KE)의 FAK BIN과 비슷하게 경감하는 것을 목표로 시작했는데 반려되었다. 그래서, 반려 이유를 확인하고자 정비 기재 팀장님을 찾아뵙고 무게 경감을 22 % 할 수 있는데 왜 지원 해 주시지 않느냐고 입사 4년차가 덤비듯 달려들었었다.

아시아나항공의 FAK BIN은 국산 자재로 제작되었고, 무게가 가볍고 강도가 강한 항공기용 자재로 변경하면 22 % 정도의 경감은 당연한 것임을 아셨기에 아침 회의를 마친 팀장님께서는 한 번 웃으시더니 현재 사용 중인 FAK BIN들의 무게 모두를 50 % 경감하면 제작비 일체를 지원해 주겠다고 하셨다. 아마도 FAK BIN 모두 50 % 경감은 불가능한 역제안이라 내가 포기 할 것이라 믿으시는 것 같았다.

그래서 팀장님 역제안 후 김포공항 화물터미널에 적치된 회사와 외국항공사 컨테이너를 모두 조사했다. 미리 양해를 구하지 않고 외국항공사 컨테이너 내부를 조사하다 청원경찰에게 적발되어 도둑으로 오해받기도 했다. 기존의 방식으로는 도저히 FAK Bin의 무게를 50 % 경감 할 수 없기에 기존 방식과 다른 무언가가 필요했다. 김포공항에 있는 다양한 항공기 탑재용 컨테이너를 모두 조사한 결과, 프레임은 튼튼하고, 벽체는 아크릴과 천

(fabric) 그리고 얇은 알루미늄을 장착하는 구조임을 확인하고 새로운 프레임의 디자인이 필요했다. FAK BIN 프레임의 형태는 내부 공간을 최대한 활용하고 외부 충격에도 잘 견디는 그런 구조가 필요하여 다양한 연구 끝에 새로운 앵글(angle) 디자인을 창안하여 완성했다. 새로운 앵글을 디자인했으나, 문제는 앵글을 자체적으로 제작할 수 없다는 것이었다. 그래서 살고 있던 경기도 김포 지역의 소상공인협회를 통해 알루미늄 새시(sash) 제작업체를 확인하고 새시 제작 공장을 방문하였으나, 사장님께서는 천(1,000)개라는 아주 작은 소량은 취급하지 않는다 하셨다. 다른 업체들을 확인하고 전화를 했으나 금형을 교체하는 시간보다 적게 만들어지는 그런 소량 생산은 취급하지 않는다고 했다. 그래서 다시 처음 방문한 새시(sash) 제작업체를 찾아가서 '꼭 만들고 싶은데 방법이 없어 다시 찾아뵈었다'고 하니 사장님께서 아시아나항공에 소모성 자재를 일괄 납품 취급하는 회사가 있으면 그곳을 통해 금형 비용을 포함한 앵글을 주문하라고 알려 주셨다. 그러면 소모성 납품업체에서 새시(sash) 제작업체로 필요한 전체 수량을 주문하면 여유가 있을 때 생산하여 납품하고 아시아나항공은 소모성 납품업체에 필요 수량만큼 구매하면 된다는 요령을 알려주셨는데, 아마도 젊은 사람이 두 번씩이나 공장까지 찾아오는 열정 때문에 제작 방법을 알려 주신 게 아닌가 한다. 아시아나항공에 국산 소모성 자재를 일괄 납품하시는 사장님께 전후 사정을 말씀드리고 필요한 금형 디자인과 새시(sash) 업체 정보를 전달했다. 그리고, 2개월 정도 지난 어느 날 집으로 완성된 샘플을 가지고 찾아 오셨는데 만족스런 품질이었다.

FAK BIN 무게 감소 제안하고 새로운 디자인 앵글을 창안하여 제작한 앵글이 완성되어 가는 즈음 부서 내에서 FAK BIN 중량 감소 제안활동을 중지했으면 좋겠다는 권고가 있었다. 그동안 잘 사용하고 있는 FAK BIN을 굳이 교체할 필요와 업무 증가로 인해 힘들 것이라 선배들께서 말하였지만 꼭 필요한 일이라 주장하고 진행하였다. 회사는 FAK BIN 중량 감소로 항공기의 연료 절감 효과가 크기에 전면 교체를 결정하였고, 다량의 필요한 자재를 모두 확보하고 새로운 FAK BIN 제작을 막 시작한 즈음 얼마 지나지 않아 IMF 발생하여 무급휴직을 실시해야 하는 상황에 '따다닥 따다닥' 리벳 치는 소리를 내니 작업장에서 따가운 눈총을 한 번에 받게 되었고, 개인적으로 더 큰 피해는 부서 권고를 따르지 않았다는 이유로 인사 평가 최하점을 받아 대리로 진급하지 못했음을 나중에 알게 된 것이다. 그래서 중량 감소가 확실한 B747, B767 항공기의 FAK BIN을 먼저 시작했으나 항공기에 탑재되어있던 FAK BIN을 내리고 신규로 제작한 FAK BIN을 장착하는 것은 많은 시간이 필요했다. 신규로 제작한 45 kg의 경량의 FAK BIN은 항공기 점검을 위해 내리고 다시 실을 때 편리하다는 동료정비사들의 호응에 교체 작업을 진행하는데 힘은 되었으나, 가까운 동료의 신뢰와 회사에 혁신적인 효과가 있음을 보여주기 위해서는 더 큰 효과가 필요해서 B737 FAK BIN의 무게를 크게 감소시키는 작업을 하기로 했다. B737 개선을 위해서는 이미 B747, B767 50 % 보다는 다른 혁신안이 필요했다. 두 기종에 비해 크기가 작아 50 % 무게 경감을 한다 해도 미비한 실적으로 인해 개선의 명분이 약했다. 특히 제안과 개선조 활동에 소극적인 구성원들을 설득할 충분한 명분이 필요했다. 기존에 박스 두 개를 만들고, 박스 내부로 들어가 힘들게 조립하는 구조를 해결하면 될 것 같았다. 우선 기존 57 kg의 FAK BIN 무게를 대폭 줄이는 안이 필요해서 B737 내부를 살피다 우연히 화물칸 문이 안쪽으로 접히는데, 내부로 문이 들어갈 때 문이 화물칸 내부의 수화물과 간섭을 예방하기 위해 그물(net)이 쳐져 있는 게 새롭게 보였는데 순간 중량을 현저히 줄일 답이 보이는듯 했다. FAK BIN은 박스 형태로, 만들어야 한다는 고정 관념을 버리니 답이 보였다. 화물칸에 있는 그물은 필요에 따라 치고 다시 걷는 방식이라 이 부분을 적용하면 쉽게 해결될 것이라는 확신이 생겼다. 곧바로 격납고에 입고된 B737 화물칸에 들어가 그물을 이곳저곳에 걸쳐 보니 전방 화물칸 앞부분 자투리 공간이 가장 효과적인 장소로 보였다. 1차 그물로 시연하고, 2차 알루미늄 판재를 이용하여 공간을 만들어 보니 가능해 보였다. 기존 90° 앵글에 삼각형 파이프와 결합한 디자인의 새 앵글을 이용하여 칸막이를 만드니 칸막이지만 박스 역할의 공간으로 충분했다. 가장 중요한 중량이 크게 경감되었기에 곧바로 좁은 공간에서 탈거와 재장착을 그물과 같이 손쉽게 하는 구조도 연구해야 했다. 판재 칸막이 구조라 부드러운 그물과 같지 않기에 바닥은 기존 타이 다운(tie down)을 이용하고, 측면의 유선형과 천장은 움직임이 없도록 지지대를 추가하고 기존 나사를 이용하는 구조로 제작해서 장착하니 성공적이었다. 실용적이고 효과 만점의 개선일지라도 항공기에 사용하기 위해서는 담당 엔지니어의 승인이 필수다. 개선 활동에 사용된 알루미늄의 재질과 도면을 전달하고 구조적 영향에 대한 평가와 인가를 요청했다.

B737 샘플로 제작한 칸막이 형태의 FAK BIN을 현장 확인 후 얼마 지나지 않아 담당엔지니어의 승인이 났다. 이후로 도입된 항공기 FAK BIN에 개선을 진행했고, 현재도 담당하고 있다.

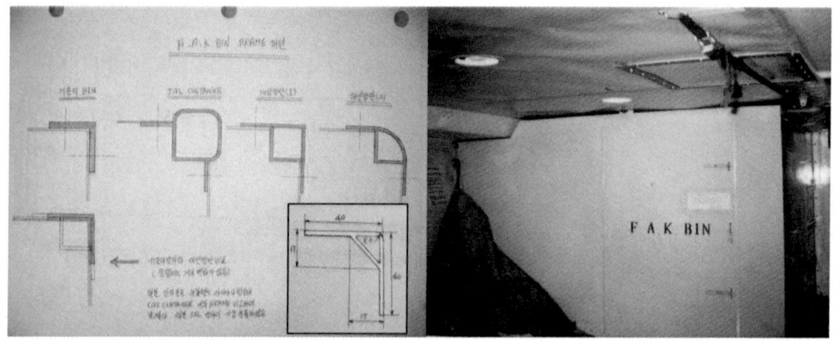

연구한 앵글과 최종안　　　　B737 FAK BIN 장착

11. 캠 아웃(Cam out)

왜 십자 나사 홈이 파손 되었는지 "캠 아웃"이란 무엇인가?

나사 교차 홈이 파손되어 나사를 제거 할 수 없게 되어 많은 사람들에게 친숙한 현상이나 캠 아웃은 낯선 용어이며 정확한 원인과 예방 방법은 알지 못한다. 그러나 대부분 현장은 이러한 현상이 있기에 성능 향상된 ACR 비트를 사용하고 있다. "캠 아웃"의 원리와 그 해결 방법에 대하여 알아보도록 한다.

"캠 아웃"이란 무엇인가?

십자드라이버는 과도한 토크 가해지는 것을 방지하기 위해 파스너 홈에서 튀어나오도록 설계 되었는데, "캠 아웃 (cam-out)"은 나사 드라이버 또는 비트와 같은 공구의 끝이 나사가 회전하는 동안 나사의 홈에서 빠지는 현상이다. 나사의 교차 홈은 중심쪽으로 가늘어지고(팁이 좁아짐) 공구의 팁 끝은 십자형 홈에 맞게 테이퍼가 되어 있으므로 돌리면 힘이 옆으로 가해진다. 이때 힘이 테이퍼를 따라 대각선 방향으로 빠져 나와 공구가 분리되면서 교차 홈 파손 및 공구 팁 파쇄와 같은 문제가 발생한다. 이를 방지하기 위해 나사 홈에 미는 힘 70 %와 회전하는 힘 30 %의 균형이 중요하다. 앞서 언급했듯이 십자형 홈 모양은 조임 공구가 쉽게 분리되는 구조다. 이를 방지하기 위해 공구를 돌리는 동안 공구를 밀어 넣고 "축"을 안정되게 유지하는 것이 중요하다. 드라이버 또는 비트와 나사의 크기가 일치하지 않으면 캠 아웃이 발생할 가능성이 더 높다. 공구 끝이 십자형 홈에 완벽하게 맞지 않으면 공구가 분리 될 가능성이 높다. 그러나 스크루 드라이버가 나사와 일치하는 경우에도 다 빈도 사용으로 팁이 마모되면 캠 아웃현상이 발생한다. 일반적으로 나사를 풀고 잠그기 위해 캠 아웃 방지 리세스 기술이 적용된 십자형 ACR® Ribbed Phillips(이랑골 패턴 형태 필립스) 팁을 사용한다.

ACR®(anti-cam-out recess) Ribbed Phillips 특징

캠 아웃 없는 탈거성 향상, 오프 앵글 주행성 향상, 주변 패널 손상 감소와 각진 오목한 측벽으로 오프 앵글 구동 가능, 설치 시 토크 제한 역할을 수행한다. 오목한 부분에 경사진 리브 디자인이 있어 작업 시 더 빠른 작업 속도를 가지며 일반 Phillips 드라이버와 호환 가능하며, ACR Phillips 리브형 십자 나사는 일반적인 도구를 사용하여 제거하거나 설치할 수 있다.

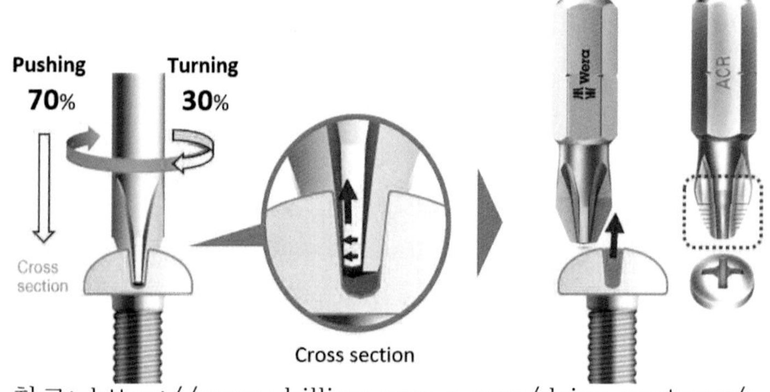

참고: https://www.phillips-screw.com/drive-systems/

12. KF-21 AESA 비행기

ZS-TFJ PARAMOUNT AEROSPACE SYSTEMS BOEING 737-500 Age: 29.8 Years. 방위사업청은 2022년 3월 중순 경 KF-21 AESA(Active Electronically Scanned Array) 레이다의 성능을 사전에 검증하고 보완하기 위한 시험 테스트 항공기(FTB: Flying Test Bed)의 국내 비행 시험에 착수했다. 시험 항공기(식별부호 ZS-TFJ)는 남아프리카공화국 요하네스버그의 란세리아 국제공항에서 3월 2일 출발하여 3월 5일 인천국제공항에 도착했다. 국방과학연구소와 한화시스템은 남아프리카공화국에서 B737-500을 리스·개조해 시험항공기를 확보하고, 2021년 11월부터 12월까지 총 10 FC 비행시험을 통해 레이다의 가장 핵심 성능인 최대 탐지거리 등, 기본적인 레이다의 기능 및 성능 시험을 마쳤다. KF-21 탑재용 AESA 레이다를 시험항공기에 장착하여 국내 환경에서 수행하는 최초의 비행 시험으로 총 50 FC 비행을 통해 약 62개의 항목 테스트를 2023년 2월까지 완료했으며, KF-21 3호기에 3월 4일 장착 후 2026년 6월까지 KF-21 시제기에 탑재하여 개발 및 운용시험평가를 수행할 예정으로, KF-21에서 추가적으로 요구하는 지형 추적 및 회피 기능의 시험을 위해, AESA 레이다를 KF-21 시제기에 직접 장착하고 90FC 비행시험을 진행하여 34개 항목에 대한 시험평가 진행된다.

AESA(Active Electronically Scanned Array)이란?

위상 배열(phase array, 또는 전자스캔)은 안테나를 물리적으로 움직이지 않고도 빔을 전자적으로 조정하여 원하는 방향을 가리킬 수 있으며, 송신기로부터 나온 전류는 컴퓨터로 제어되는 위상 쉬프트(phase shift)를 통해 각 컴퍼넌트 안테나에 공급된다. 이송된 전류의 상대적 위상을 조정함으로써 순식간에 다른 방향으로 전환시킬 수 있다. AESA(능동 전자 스캔 어레이)는 위상 어레이 시스템으로 간주되며, 안테나 자체를 물리적으로 움직이지 않고도 다른 방향으로 조준할 수 있는 전파 빔을 형성하는 안테나 어레이로 구성된다. AESA 기술의 주요 용도는 레이더 시스템이다. AESA 기술의 발전의 시초는 1960년대 초 단일 소스의 신호를 받아 위상 시프터 모듈을 사용하여 신호의 특정 부분을 지 연시키는 PESA(Passive Electronic Scan Array) 레이더의 개발로 거슬러 올라간다. 이러한 방식으로 신호를 전송하면 다른 모양의 신호가 생성되어 신호 빔을 다른 방향으로 효과적으로 가리킬 수 있다. 이를 빔 스티어링이라고도 한다. 최초의 AESA 시스템은 1980년대에 개발되었으며 오래된 PESA 시스템보다 많은 이점을 가지고 있었다. 하나의 송신기와 수신기 모듈을 사용하는 PESA와 달리, AESA는 안테나 요소와 인터페이스되어 서로 다른 주파수에서 여러 개의 동시 레이더 빔을 생성할 수 있는 많은 송수신기 모듈을 사용할 수 있게 되었다. 현재의 AESA 시스템은 자율 주행 자동차나 공유기 뿐만 아니라 군용기와 드론 같은 다양한 군사 시설에서도 상황 인식을 위해 주로 사용되고 있을 만큼 다양한 곳에서 이용되고 있다.

AESA의 4가지 장점

1. 전자 방해에 대한 저항
2. 낮은 차단
3. 신뢰성 향상
4. 다중 모드 기능

AESA의 미래

간략하게 언급했듯이 AESA 기술이 발전함에 따라 크기는 더 작아지고 가격은 저렴해졌다. 이를 통해 많은 국가에서 AESA를 지상, 해상 및 공중의 레거시 시스템에 통합할 수 있었다. AESA가 없으면 현대의 재래식 군대는 쓸모가 없다. 더 이상 선택 사항이 아니며 시간이 지남에 따라 더 널리 보급될 것이다.

자료 출처:
https://maily.so/sheldon/posts/cd39836f
https://livinglifestyle.tistory.com/34

B737-500 인천 공항에 주기 되었던 항공기.
FWD Pressure Bulkhead 장착된 AESA 레이다.

13. 청주 야간 출장

오래전 야근을 위해 자고 일어나니 청주공항에 출장을 가야한다는 문자가 와 있었다. 본가가 청주였기에 그리 나쁘지 않은 출장이었으나, 가져갈 공구와 작업에 필요한 준비물들이 많아 회사에 들러 바리 바리 챙겼다.

BOEING의 항공기 파트는 왼쪽을 기준하여 아라비아 숫자 홀수로 표기하는데, 하나의 파트에 두 개의 피팅이 있는 경우, 항공기 왼쪽(L/H)의 파트에도 왼쪽과 오른쪽이 있다. 제일 안쪽 스포일러의 경우 4개의 지지 피팅이 있는데, 모양이 같은 거 2개, 모양이 다른 거 2개가 있다. 항공기 오른쪽(R/H) 스포일러 피팅도 파트도 왼쪽과 오른쪽으로 구분하다보니 왼쪽 스포일러 지지 피팅 3개, 오른쪽 3개의 파트 번호를 구분하는 분류가 일정하지 않은 경우라 만에 하나 있을 실수를 예방하기 위해 짐이 많을 수밖에 없었다.

김포공항 출발, 청주 공항에 도착하니 늦은 밤이 되었고 부랴부랴 작업할 준비를 했다. 출장이 결정된 이유는 B737 날개 제일 안쪽 스포일러(spolier) 지지 피팅에 균열이 발견되어 해당 비행기는 그라운드 조치되었고, 해당편은 대체기가 투입되었지만, 다음 비행을 위해 반드시 손상된 피팅 교환이 필요했다. 당시 청주공항을 출발하는 제주편은 대부분 만석이었다. 청주공항 주재 정비사가 스포일러를 탈거하여 해당 피팅을 확인하고 분리 작업을 했었는데, 그때 기록한 작업 사진들을 보니 작업 환경은 좋지 않았다. 오래전이지만 그때의 일은 마치 엊그제 같이 기억이 생생한 것은 왜일까?

B737 제일 안쪽 스포일러는 다른 스포일러와 다르게 후류에 직각으로 저항을 주어 비행기를 감속하는 역할을 하는 것이다. 당시 하루에 15회 이상(flight cycle) 비행을 하니 피팅의 목 부분에 많은 힘이 가해져 자주 점검하는 항목이었으나 비행 중 아주 드물게 발생하는 결함이기도 했다. 새로운 피팅의 장착 Hole 가공은 일반적으로 기계 가공이지만, 출장간 곳의 어두운 조명과 수작업 환경으로 인해 임시로 장착 해 보는 검증 단계를 거처야 했기에 작업은 더디고 더 많은 시간이 소요되었다. 주재정비사들의 노고가 어느 때보다 컸다. 05시가 조금 안되어 다행히 작업은 잘 마무리되었고, 주재정비사는 첫 비행까지 지원하고 퇴근한다고 했다. 문서 정리와 복귀할 짐을 정리하고 잠시 휴식하고 나니 첫 비행기 손님들이 항공기에 탑승하기 위해 이동하는 모습이 보였다. 밤새 작업하고 첫 비행에 탑승하는 손님들을 먼발치에서 보니 뿌듯했다. 야근 작업중 집이 내덕동이라고 하니 그쪽에서 아침에 해장국 함께 하자고 한다. 야근을 끝내고 퇴근 후 해장국과 몇 잔의 반주는 더없이 좋았다. 미리 주차해둔 모친 집에 들러 꿀잠을 자고 늦은 오후 청주를 출발하여 김포공항에 도착, 짐 내리고 집에 도착하니 어두컴컴해졌다.

25시간의 국내 출장은 이렇게 마무리.

이후

B737 항공기 Ground Spoiler(No.4/5) Fitting의 Crack 결함을 예방하고자 Fitting Inner Bearing을 Self-Lubricated Type으로 교환했다.

14. 직업은 다양하다.

같은 항공정비사이지만, 하는 업무에 따라 작업 공간과 업무의 한정은 다양하다. 항공기 정비 행위가 같거나 비슷한 경우라 할지라도 장소, 조건, 환경에 더해 수행하는 시기와 시간에 따라 너무 다른 것이 현실이다. 일반 승객들이 가장 많이 접하는 항공정비사는 비행기 가까이 있는 기체(APG) 정비사다.

기체(APG)정비사는 AMM 매뉴얼의 49 분야(Section)을 거의 대부분 익혀 알고 있으며, 정상적인 절차가 안 되는 경우, 백업으로 수행하는 절차까지 수행할 수 있어야 한다. 저자가 담당하는 Structure Mechanic은 49개중 7개만 알면 작업을 수행할 수 있으나, 49개중 7개는 점검만 하는 것이고, 같은 Chapter 이지만 내용이 다른 SRM의 7개 분야를 기본으로 알아야한다.

AMM이 항공기 기체에 어떠한 손상을 주지 않고 점검을 한다면, SRM은 항공기 기체를 자르고 붙이는 수리와 개조 작업을 할 수 있는 매뉴얼이다. 대부분 일반적으로 많은 공부와 많은 기회가 주어지는 기체(APG) 정비사가 되려고 한다. 항공기를 운영하는 항공사의 경우 대부분 기체(APG) 정비사이며, Structure Mechanic는 AMM 49개 가운데 SRM이 7개 Chapter이듯 재직중인 Structure Mechanic 인력 구성 비율도 비슷하다. 실제는 더 적다. 그래서인지 대부분 SNS를 비롯 많은 곳에서 기체(APG) 정비사의 다양한 정비 이야기와 삶의 이야기들이 많다. 그럴 수밖에 없다는 것을 잘 알고 있다. 본인도 공군에서 부사관으로 77개월 근무하면서 대한민국내 거의 모든 공항을 기체(APG) 정비사와 기상적재사(Loadmaster)로 다녀오는 탑승 비행 근무를 했기 때문이다. 1993년 3월 9일 아시아나항공에 공군 기체(APG) 정비사 경력으로 입사 하였지만, 바로 Structure Mechanic이 되었고 2024년 31년 된다. 31년 Structure Mechanic의 경험을 되돌아보니 더없이 좋았다. 앞으로 남은 기간도 그럴 것이라 본다.

예전과 다르게 대한민국의 항공 분야는 1969년 대한항공 민항의 단일 체제에서 1988년 제2항공사인 아시아나항공. 그리고 이후 많은 저비용(LCC) 항공사들이 생겼다. 현재는 저비용 항공사에 더해 정비만 수행하는 회사도 두 곳이나 생겼으며, 대학교에는 MRO 학과도 생겼다. 이런 변화 속에 대부분의 항공정비사들은 MRO 사업과 이 분야로 진출하려는 후배들에게 염려를 아끼지 않고 있다. 임금과 복지의 저하로 이어지는 항공분야의 현실을 잘 알기 때문이라 본다. 지적은 쉬우나 지적하는 손가락을 살펴보면 대부분 자신을 가리키고 있듯이 변화하는 항공분야에서 폭넓게 살피고 후배들을 위해 길을 열어주는 항공인들이 되었으면 하는 바람으로 두서없이 적는다.

15. 변 화

지난 6년간 전국항공정비대회 중 4회를 나눔과 응원차 방문했다면, 제6회 전국대회는 가까운 거리에서 그들의 행동 하나하나를 자세히 살피며 평가까지 했다. 항공정비대회가 시간이 경과할수록 다르게 보이는 것은 여자 선수들이 많아졌다는 것이다. 참가한 선수들 실력은 성별 구분 없이 뛰어났지만 몇몇의 여자 선수들의 손놀림은 탑 클래스였다. 그 가운데 한 명은 건너편 심사위원 담당이라 물끄러미 바라보기만 했다. 그러다 한 바퀴 돌면서 전체 선수들 기량을 살펴볼 수 있었는데, 특별히 이 선수의 자세와 공구를 다루는 손놀림에 저절로 눈길이 갔다. 여자 선수지만 남자 못지않게 기계와 공구를 다루고 있었다. 노력해서 습득 했을지 아니면 본래부터 잘했을지 모르지만 뛰어난 기량으로 너무 기분이 좋았다. 자리에 돌아와 평가 대상인 선수들을 보고 있는데, 갑자기 건너편 그 선수가 실수를 저지르는 게 보여 너무나 안타까웠다.

작품에 필수 부분을 절단하였는데, 긴장을 해서인지 해서는 안

될 큰 실수를 했다. 전국대회 메달권에서 벗어나는 실수로 보였다. 선수가 잘못 절단하는 순간 그 선수를 바라보는 내가 더 안타까웠다. 38년 전 전라북도 전주시 제20회 전국기능대회에 선수로 출전하여 대회 첫날 비슷한 실수를 했던 나의 경험과 순간 교차했다. 제6회 항공정비 대회장 내 진행 선생님이 그 선수에게 다가가 자재 재 지급 받을 건지 확인하자, 그냥 진행하겠다고 한다. 잘못된 부분의 감점을 감내하고 진행하는 용기가 대단해 보였다. 경기 중, 대부분 선수들은 자재 재 지급받고 감점을 받는 게 일반적인데, 이 선수는 자기 속도를 계획된 자기 수준으로 유지하며 가겠다고 한다. 자기 자신을 믿고 진행하는 것은 결과적으론 현명한 판단이었다. 예전 경험에 비추어보면 참가한 선수가 대회 과제에 실수를 하여 오작(misform)으로 판명되면, 평가 대상에서 제외되어 메달은 꿈도 못 꾸었다. 그런데 지금은 실수한 부분만 감점하는 평가 방식으로 변경되어 유리했다. 자재 재 지급으로 받는 감점이, 잘못한 오작보다는 감점이 현저하게 작다.

그러나, 자재 재 지급을 받으면 전개도 작성부터 다시 해야 하는데, 짧은 시간 안에 이를 대처하기엔 현실적으로 어렵고 더 많은 시간에 쫓기는 상황에 처하게 된다. 선수들은 경기 마감 시간이 되어 작품을 제출하고 모두 나갔다. 내가 맡은 선수들의 작품 평가를 마치고 반대편 평가위원에게 슬쩍 물어봤다. 그 선수 몇 점이냐고 하자 실수한 부분 감점을 받았는데도 아주 우수한 성적이라 했다. 오전 대회 일정을 마치고, 점심 식사 후 잠깐 여유 시간이 있어 학교 운동장 비행기 주변을 여유있게 거닐다 그 선수를 봤다. 그래서 다가가 '오늘 참 잘했는데, 너무 많이 아쉬웠어요.' 하자 빙긋이 웃는데 경기장 안에서 보던 선수가 다른 사람으로 보였다. 실수만 안했으면 최고였었다. 힘내고 훌륭한 정비사가 되라고 조언했는데, 오히려 당당함이 엿보여 기분이 좋았다.

대회 마지막 모든 선수들이 대회를 마치고, 대회 평가위원회에서 성적 발표가 되자 우르르 사람들이 모여들었는데, 나 또한 궁금하여 결과를 보니 실수를 했던 여자 선수가 대학 부문 2등을 했다. 대단한 실력이다. 실수를 하고도 전체 2등이면 실수한 한 종목 이외는 모두 1등인 실력이다. 대범한 실력의 소유자를 보는 것은 심사위원으로 또 다른 희열 아닌가 하며, 2박 3일간 제6회 전국항공정비대회 일정을 마무리했다. 한국 사회는 변했고, 앞으로도 계속 변화할 것이다. 대회를 마치고, 일상으로 복귀하고 이 선수에게 자신의 길을 꿋꿋이 갈 수 있는 이벤트를 만들어주고 싶었다. 그래서 두 번째로 발간한 「헬기 복원과 단위계」 책을 응원의 글과 함께 대학교 재학 중인 학생에게 보냈다.

Oct.14,2022

맺 음 말

지나온 다양한 경험들이 더 값지고 행복했던 것은 아마도 취미와 직업이 같아서 일거다. 기능대회 선수로 전국대회 은메달 수상 후 많은 배움이 없었지만, 그때 배우게 된 타출판금을 이용하여 짧은 기간 금속공예라는 사업도 경험하고 이후 방짜유기를 배워보는 계기도 되었다. 그러나, 이를 실제 연구하고 구현하며, 실현한 것은 지금의 회사에 입사하여 항공기 기체수리와 개조 작업을 하면서부터다. 취미와 본업이 같은 경우라 누구보다 쉽게 도전하고, 실패를 극복하고 목적한 바를 성취한 것 같다. 노동을 사랑하고 즐기며 일할 수 있었던 것은 복이다. 그런 복도 이제 정년을 3년 앞둔 이제 하나씩 정리를 해야 하기에 지난날의 경험을 기록하고 있다.

항공기 스트럭쳐 분야는 업무 특성상 선호하지 않지만, 시대가 변해 대한민국 대학에 MRO(정비:Maintenance, 수리:Repair, 개조:Overhaul) 학과가 생기고, B777 여객기를 화물기로 개조하는 시대로 우리에게 다가오고 있다. 이런 시대적 변화에 작은 도움이 되었으면 하는 바람으로 이 책을 발간하게 되었다.

나의 업무를 사랑하고 자랑스럽게 말할 수 있어 행복하다.

참고 자료

SRM B737-300/-400/-500/-900/ B747-400
표준교재 - 항공교육훈련포털
판금공작(산업인력관리공단)
위키피디아.

참고 문헌

- Machinery's Handbook 27th Edition Copyright 2004, Industrial Press, Inc. New York, NY
- ANSI/ASME B1.2-1983 Gages and Gaging for Unified Inch Screw Threads
- ANSI B1.1 2003 / ASME B1.1-2003 Unified Inch Screw Threads (UNF threads ANSI B1.1):
- BS 3643-1:1981 ISO metric screw threads Part 1: Principles and basic data (BRITISH STANDARD)
- KS B 0206 유니파이 가는나사 (UNIFIED FINE SCREW THREADS)
- 특허 Corea AB Ruler(눈금자): 등록번호 10-2017-0025199